辛丰年文集 卷四

音乐笔记

辛丰年 著
严锋 编

SMPH
上海音乐出版社

出 版 说 明

辛丰年（1923—2013），本名严格，江苏南通人。1945年开始在新四军从事文化工作，1976年退休。20世纪80年代以来，辛丰年为《读书》《音乐爱好者》《万象》等杂志撰写音乐随笔，驰誉书林乐界。著有《乐迷闲话》《如是我闻》等书十余种。先生早年因投笔从戎，未能完成初中学业，后读书自学成癖，并迷上音乐，晚年转向文史阅读。终其一生，辛丰年是一个彻底的理想主义者，一个纯粹的人文主义者，一个真理与美的追求者。

2018年，上海音乐出版社成功出版“辛丰年音乐文集”六种。时隔五年，适逢先生百年诞辰，本社以音乐文集为基础，再收入辛丰年信札、随笔合集一种和译作一种，总计八种。

音乐美好，人生美好。纪念先生美好而正直的一生。

上海音乐出版社有限公司

2023年7月

像音乐一样美好

无论在他生前身后，我想到父亲的时候，最常有的感觉是惊奇：世上怎么会有这样的人，世上竟还有这样的人。我不是感叹他的学问有多好，文章写得有多好，而是惊讶还有这么好的人。

我当然知道，作为一个儿子，用“好人”来形容自己的父亲，这没有什么意义，在今天更是如此。在一个假道德、非道德、反道德、后道德混杂的时代，对道德的冷感和犬儒态度是可以理解的。但是，我对道德理想主义依然抱有信念，因为我身边确实有一个真实的例证。

这不仅是我个人的看法，也是接触过他的所有人的印象。中国人有替他人扬善隐恶的习惯，通常对文化老人会有溢美之词，但是我看别人写他的文章，深知对他的所有美好回忆都是真的，而且只是沧海一粟。

惊讶之余，必有疑惑。我常常想，他那样的人究竟是怎样炼成的。是父母教的吗？好像不是。他的母亲很早就去世，他的父亲是一个威严而粗暴的小军阀，民国时代做过上海警备司令兼上海警察厅长和上海卫生厅长——我小时心目中标准的“坏人”。是学校教的吗？他初二就肄业了，其后全靠自学。

那么是另一个巨大的熔炉吗？他确实像同时代的许多青年，响应了时代的强烈呼唤。对于家族，父亲有一种根深蒂固的羞耻感和赎罪心，这种原罪的意识，从20世纪40年代接触革命思想，到“文革”中的吃尽苦头，一直到发家致富光荣的改革开放的今天，他从来没有改变过。

还有家国之耻。父亲说，他当年跑到解放区，是因为家不远处和平桥就是日本宪兵队，每次经过那里都要向日本人鞠躬，感觉非常屈辱。他总是绕道跃龙桥，避开日本人。他也不喜欢蒋介石，因为常去邹韬奋的生活书店看进步书籍，特别在青年会图书馆（在大世界隔壁）看了华岗的《1925—1927中国大革命史》，痛恨蒋的屠杀，从此对国民党幻灭。

但是最直接的动因，是一本叫《罪与罚》的小说，作者陀思妥耶夫斯基。2010年的时候父亲有一天打电话说他把这本书的英文版又看了一遍。他还告诉我，当年他投身新四军，最初不是因为读了马克思的书，而是因为震撼于《罪与罚》呈现的罪孽。无论如何，推动父亲一路走来的是一种对人间的绝对正义的追求，一种刻骨铭心的悲天悯人的情怀。他是一个无可救药的人道主义者。

还有音乐，终生自学，终生挚爱。战争年代，父亲在部队所到之处，会寻访当地音乐人，向他们请教和借乐谱抄写。在他的行军背包中，还放着德沃夏克《自新大陆交响曲》的总谱。原江苏文联秘书长章品镇先生是他的革命引路人，1945年他们一同从上海坐船到苏中分区参加新四军。两人相约仿效巴托克，随军每到一处，即以纸笔记录当地民歌。我曾见他们在异地交流采风的信件。对于他们那一代的文艺青年来说，革命是最浪漫的诗篇；对父亲来说，革命是最宏伟的交响乐章。

雨果在《九三年》中说："在绝对正确的革命之上，还有一个绝对正确的人道主义。"我父亲的一生，实践的就是雨果的这句名言，并且再加一句：在这两者之上，还有一个绝对美好的音乐。

严　锋

目　录

中编

上编

不必望洋兴叹

——漫议欣赏曲目（一）

有几位爱好者向我打听：翻开介绍名曲的资料，名曲那么多，买不胜买；即使买回一大堆，也听不胜听；能否找到一份适合一般爱好者参考的基本曲目？

这叫人想起从前很多人爱读书又不知从何下手，于是希望有经验的人开一份“必读书目”。

乐海正像书海，都让求知者望洋兴叹。人生苦短，要在有限的时光里享受真正最值得欣赏的作品，漫无目的地选择是不明智的。

但是要提供一份令众人满意的曲目，却也是难办的事。

你去请教托尔斯泰，他会告诉你，贝多芬的作品是聋子的谵语，不可信！你看萧伯纳的乐评，他把勃拉姆斯贬得一无可取。老柴的小提琴协奏曲，被汉斯力克们说成不堪入耳。肖邦的作品，俄罗斯强力集团中人是不屑一听的。再来一个具体的曲例吧，《阿尔卑斯山交响曲》这篇理查德·施特劳斯的大作，听了索尔蒂演释的那两张一辑的 DECCA 唱片，你总会感兴趣的。然而试翻开朗的名著《西方文明中的音乐》中有关这位大师的部分一看，对此作的鉴定式的评语是："内容空虚，形式散漫！"

历史的评价固然众说纷纭，爱好者的个人爱憎更是众口难调了。具体的一例，如我是个德沃夏克迷，每见新相识总爱探问别人对他的作品有何感受。最近见到两位在欣赏上颇富阅历的知名之士，对这问题，一位欣然表示他是我的同好者，另一位则不假思索地大摇其头。

有分歧才是正常。对一切名曲都捧上了天的，总叫人难信其心口如一。音乐艺术的创造、诠释与接受，正是从这种同感、异感、"反感"中显示其复杂与微妙的。假如认为凡上了什么"大全""宝典"与唱片目录的，或是已在音乐会、广播中演奏的，或是有不少"发烧友"在争相抢购、啧啧叹赏的，都值得五体投地地倾听，这是一种误会。

据个人所闻、所感受的，在汪洋大海般的"名曲"中，似可分作三大类。一类是我辈爱好者不可不读的"必读之曲"。不读，便枉为一个乐迷了。一类是"可读之曲"。这类作品也很值得读，而且不仅是"值得一读"，不读是相当遗憾之事，但又并不像第一类作品那样不听是一种"刻骨的遗憾"。

第三类属于可读可不读之作。这样的音乐恐怕是同这样的书籍一样多的。有闲暇，有条件，这些作品不妨一读，好处在于可以广见闻，有助于认识音乐天地之广大；也许更重要的一点是可以从对比参照中更加体认到前两类作品的价值吧。

说到此，也许读者会提出：到底这曲分三等是怎么回事，试举例以明之！

那好。比如莫扎特的《g小调交响曲》，天经地义、毋庸置疑地属于第一类的"必读之曲"。而李斯特的《匈牙利狂想曲》，只好委屈在第二类中。第三类的一例可以举奥芬巴赫的《天堂与地狱》[1]序曲。

我们中国人自古以来对诗、书、画都喜欢品评。最高的称为神品，其次是妙品，再低一档是能品。有些作品介乎神、妙之间，称之为逸品。

对名曲，是不是也可以这么办？应该说，真正够得上神品的，不会很多。不然这种"大奖"的身价也就不值钱了。够得上妙品水平的，相当多。而许多所谓名曲，恐怕以归入能品为宜。还有一些，只怕连能品也够不上。

神品、逸品与妙品，显然应该列为"必读之曲"了。能品则是"可读之曲"。

但是问题总必须多角度考虑。如果上上之作都作为必读，恐怕一般爱好者既无此时间也无此功力。巴赫的《马太受难

1　*Orpheus in the Underworld*，现在通常译为《地狱中的奥菲欧》。

曲》，贝多芬的钢琴奏鸣曲“作品 106”，可以作为这种只能忍痛割爱的两例。

另一方面，有一些作品虽然并非神品，但也必读。因为它们能帮助你形成对乐史发展的概念，有的作品则提供一种对照，使那些神品的特色更为鲜明。例如，听了维瓦尔第和斯卡拉蒂的作品，你对巴洛克音乐的概念会更为丰富，而巴赫、亨德尔的个性也愈见鲜明了。

必读之曲宁可少些，以便精读；可读之曲则不妨多一些，广一些，可以浏览；精读与泛读，正是相辅而相成，缺一不可。

必读之曲到底包括哪些作品？

可以先定一个大框框：从巴洛克音乐到印象派。更具体到人，便是从巴赫到德彪西。

这是按照爱好者的基本队伍来设想的。当然也可以越出这范围，上穷巴洛克之前，听蒙特威尔第，听帕莱斯特里那；下究五光十色的现代派。这就看各人的口味和消化力了。

这是从纵向来考虑。假如从横向来考虑又怎样选择？巴赫、莫扎特、贝多芬的作品都是成百上千，想通读固然绝对做不到（你有本事听完七十六张 LP 的贝多芬全集，一百八十张 CD 的莫扎特全集吗？）；即便选听他们的代表作，仍然来不及，只得再加以精简。那么又必然顾此失彼，鱼与熊掌休想兼得。为了凑合有限的光阴，为了既见树又见林，我们不得不放弃某些作品，以便匀出功夫来扩展视野，纵观全景。有人赞得好，在贝多芬的音响森林中，每一棵大树都有其特别的姿态值得欣赏。那么我们也不难想见，在音乐大园林中，除了巴赫、莫扎特、贝多芬等最大的景观之外，还有数不清的奇花。有的虽然是几株小草，然而却是散发出异香的异草，又怎忍不赏呢？

对于一位刚开始欣赏的爱好者，考虑必读之作的曲目，我总劝他先听贝多芬，以贝多芬为中心。那么听贝多芬又从何入手？恐怕许多人的爱乐生涯都是从贝多芬的一部交响曲开始的。

从哪一部开始？许多人是选上了或碰上了《命运》[1]。要问我的意见，还是《田园》更合适。虽说这两部作品都属于比较容易入门的标题音乐，但《田园》的写景是具象的，更能引人入胜，而《命运》的表现意志与情感则是比较象征性的，除非长期反复倾听、思索，否则并不怎么好懂。

也有人很早就听《英雄》。我觉得这并不合适。这是一片音响的森林，在九部交响曲中是比较难以理解的，即使要听出个头绪来也相当吃力。

不妨先听《田园》，再听《命运》。然后浏览几遍第一、第二、第四、第七、第八首交响曲，再反复倾听《英雄》。但上

1 即《命运交响曲》。后文中出现的《田园》《牧神》等均为曲名简称，此后不再一一注释。

述那五部都是贝多芬交响曲森林中的参天大树，虽然比较好懂，可是同样值得细读的。其中，青春气息的《第二交响曲》和老辣的《第八交响曲》，似乎没有受到爱好者的注意，是很可惜的事。《英雄》虽然写作的时间比较靠前，其气魄与深度却给听赏加重了难度，所以还是放在后边来听为好。此时你听交响曲已积累了不少经验，对贝多芬的语言也比较熟悉了，走进这音响的森林去便不大会迷路了。

何时听“第九”？这可是一个应该认真对待的问题。如果像许多人那样，由于慕名心急，一上来就去听这部伟作，毫无知识与心理上的准备，不但会无所得，也许还有损于“第一印象”，而对于伟大作品的“第一印象”是极其珍贵的，是终生难忘的。所以应该十分珍惜。虽说人们可以把这部作品反复倾听百遍、几百遍乃至上千遍，也只会愈听愈觉得其味不可穷尽；但那种一开始接近它所获得的最直觉的感受是不可得而重复的！

因此奉劝人们最好是把听“第九”作为对贝多芬殿堂的巡礼的一个高潮，当作一件庄严的大事放在后期来进行。不是要你搞什么焚香点烛的“初听式”，而是以高度集中的注意力，近乎虔诚的心情，来享受那庄严美妙的“第一印象”！

可以把宏伟深邃的贝多芬殿堂分成几个部分来瞻仰。交响音乐是其中的一个部分。在这一部分除了交响曲还应该听他的序曲。

序曲中的必读之作是《爱格蒙特》和《莱奥诺拉第三序曲》。前者，一般人比较熟悉，但也可能因其短小而闲闲听过；后者，也可能没有受到应得的高度重视。对于这两曲，都值得用更大的注意力去反复倾听。它们，尤其后者，都是浓缩了的，紧凑而精彩的小“交响曲”。参考着它们所联系的戏剧情节来听，固然有助于感受，然而又可以当作纯乐来欣赏。

《D 大调小提琴协奏曲》应该作为必读之曲，自然是没有疑问的。在汗牛充栋的小提琴协奏曲文献中，假如只允许挑一首来听的话，似乎就是它可以当选。

在五部钢琴协奏曲中又作何选择？《皇帝》当然是最辉煌的；然而更深沉的是《G 大调协奏曲》。两首都是必读之作。

另一个重要部分是钢琴音乐。对这一部分作品的取舍比前一部分更是为难，因为重要而且精彩之作太多了。

他的重大作品大多在他的三十二首奏鸣曲中。往昔有施纳贝尔灌的七十八转速唱片，吓人的一大堆。而今缩为 CD，也不难得到。可是一个再虔诚不过的“贝迷”也不见得有可能通读这部钢琴音乐中的“新约圣经”吧！

百余年来，演奏家和听众之间似乎达成了默契的共同选择是这样几部:《悲怆》《月光》《暴风雨》《热情》《黎明》。要真正熟悉这几部，也必须支付一笔艰巨的精神劳动的代价。比如，可别误以为《月光》不难懂，光是它那小不点儿的第二乐章，便像个斯芬克斯的或者蒙娜丽莎的微笑。李斯特说它是

“两个深渊之间的一朵小花”，并不是信口说说的。

巨石人像一般的《三十二首变奏曲》《迪亚贝利主题变奏曲》，只好暂时割爱，但是像《小曲》(Bagatelles，作品 33)这样的小品是可以推荐的。“山不在高，水不在深”，曲也不在大。读这一组小曲，对于我们认识贝多芬，更贴近地听听巨人的赤子心声极有帮助。

“登堂”是不够的，还须“入室”。要入贝多芬之室，就不可不倾听他的室内乐，尤其是弦乐四重奏。然而这也正是心灵之旅中最不容易走的一段路。像那超凡入圣的暮年之作，最后的五部弦乐四重奏，能列入“必读曲目”吗？不行！还是也等到爱好者尝够了人生的苦辛再去探险吧！但我们不妨先选读两首:《降 E 大调四重奏》(作品 74，别名“竖琴四重奏”),《F 大调四重奏》(作品 59 之 1)。它们平易近人，听了不难渐入佳境，可以为进一步读他的室内乐作品打下基础。

以上的议论，不值方家一笑。这样的走马看花，挂一漏万，颇有点“× × 一日游”的味道了！由此可见，编制一个“必读曲目”确实困难。正因此，爱乐的朋友在挑选唱片，打开唱机的时候，要万分珍惜你的时光和听力，尽可能倾听那些真正值得听的音乐！

不必望洋兴叹

——漫议欣赏曲目（二）

在本文前一篇中，我们议论贝多芬的作品有哪些是必听之曲，提出了那么多作品，这同我们认定要以他为一座重大界碑来安排我们倾听的曲目的主旨是完全一致的，他的作品理应成为曲目的中心。这一点既合乎乐史上他的位置，也合乎现今广大爱乐者选择的实际情况。他是18世纪以来音乐文化大潮中的滔天巨浪，它鼓荡着那乐潮奔腾向前。现在我们要顺流而下，一览贝多芬催动的音乐文化主流的壮观景色。这主要是浪漫派、晚期浪漫派和印象派的音乐。

舒伯特既是贝多芬的同代人，又是他的继承者。他既像是一位“女性的贝多芬”，也处处叫人感到他也带着男性贝多芬的性格。听其作，你既不时可以认出贝多芬的面影，又仍然会觉得他到底不同于那位与之并世同城而互相不大熟稔的巨人。很有意思的是，舒伯特可以写出一些颇有贝多芬味的作品，且不论他是有心还是无意；然而像一些最具有舒伯特味的音乐，贝多芬恐怕是想写也不一定写得出的吧！这当然是时代与气质等等的差异所造成的。贝多芬的重大作品都是呕心沥血千锤百炼地苦吟出来的，颇似我们的老杜诗圣。而舒伯特则是乐史上除了莫扎特之外的另一处音乐喷泉，甚至以音乐之涌流迅疾而言比前一位大天才还要不可思议！像这种音乐思维方式之不同，自然也反映在音乐的性格上了。他的音乐无比流畅，极其自如，在乐史上是突出的，除了莫扎特，还有第三人可相提并论吗？这种自然地尽情倾吐的音乐，正适合浪漫派乐潮的需要。

在交响曲这一领域中，舒伯特虽然还不能望贝多芬之项背（他的好几部交响曲，恐怕只能屈尊排在“可听可勿听之曲”一类中）；然而，如果他仅仅留给后人一部（而且是残缺的）《第八交响曲》，那他也绝对可以赢得不朽的名声了。这部作品，要给以“伟大”的评价，并不合适，但绝对是前无古人而且后无来者。就连作者自己，不也写不出第二部如此瑰丽的交响曲，而且写到第二乐章也只好搁笔，难以为继吗？“未完成”实是已完成。有些好心好事者总想续貂，固然只落得弄巧成拙，恰似人们写什么《红楼圆梦》之类，又像有人妄想为米罗岛的维纳斯雕像“断手再植”；还有一种考据认为此作的其他乐章并未遗失，不过被误放到《罗莎蒙德戏剧配乐》中去了。此说即使可信，那另外两章也是配不上前两章的。

要借用文学语言来解释《未完成》这篇杰作是徒劳的，但人们要从倾听中充分感受这种神异、恍惚有如一场好梦般的音乐之美，却又绝不比听懂任何一篇标题乐作品更困难。恐怕这正是它成为最通俗（毫无贬义）也最耐听的交响曲的原因之一吧？

舒伯特的钢琴音乐也并不跟着贝多芬亦步亦趋，而是用了大不相似的钢琴语言。钢琴在他指下真正成了歌吟的工具。但他在键盘上吟唱出的那些钢琴音诗，又同后来者的钢琴大诗人肖邦并不相似，各有其美，各尽其妙。他的后期之作，貌似乎易，却并不好懂，所以也许并不适合我们凡人去硬啃。必须推荐的必读之作是那些即兴曲。这种音乐真像是兴会淋漓诗兴大发的骚人的口占一绝，诗味极浓，但又不必勉强赋予什么题目与意象。它们是纯乐性的道地的“无词歌”“无题诗”。它们抒发着作者情怀中乐天的一面。那滔滔不竭的乐流，始终像清溪之水一般自在淌流。其中最为美妙的也许应数那首“降G大调”的。钢琴诗人是在沉思默想中漫步行吟，在溪光云影中编织他的“好的故事”。如此纯真素朴不假雕琢的诗与歌，除了舒伯特是再没有人能吟唱的。

他最辉煌的业绩当然是艺术歌曲。这种艺术歌曲是诗艺和乐艺的完美结合。它需要作者与演者的精雕细刻的表达，同时也要求一个诚意的倾听者的认真仔细的吟味。听者既要理解、感受那诗艺之美，又必须能感受那同诗的文字结合在一起的音乐的力量；这就比单纯读诗或读乐要求更复杂细腻的体验。

舒伯特一生像流水作业般“生产”歌曲，总产量达到了令人难信的五百六十七篇！而其中约有两百篇作品还是为同一诗篇一谱再谱的。

《魔王》当然是最为广大乐迷所知的一首。此作不但有李斯特改编的钢琴曲，还被柏辽兹拿它配器改成了管弦乐曲。然而原作是民谣风的，又是很声乐化的，特别是其中有些地方是宣叙风的，既如歌，也似语，需要自然而亲切的表达。改为钢琴或乐队，便不免显得生硬无味了。

其实在《魔王》之前，舒伯特就已谱写了他的第一篇天才之作:《玛格丽特纺纱歌》[1]。恐怕注意这一曲的爱好者不像爱听《魔王》的人那么多。但貌似平凡而实是神韵非凡的这一作品，是非常值得反复细玩的。它就像《浮士德》诗剧中的一幅“插图”。没有任何一幅关于《浮士德》的画是有资格同他这幅有声的音画、有形的音诗相提并论的。如果听懂了它，一个活生生的玛格丽特便如在目前了。不但如此，她那满腔烦忧、重重的心事，也可以感受到了。这篇小歌，曲调素朴得近似于说话，却叫人觉得真挚可信之极。曲中有一个最动情的地方，这位女郎的微妙复杂的激情，作曲家却是用了音乐中“最有力量与情感的休止符”来表达的。评家认为，这里的休止，其诗意

1 *Gretchen am Spinnrade*，现在通常译为《纺车旁的玛格丽特》。

与戏剧性之强烈，不愧为伟大天才的神来之笔。真可谓：“此时无声胜有声！”

贝多芬、舒伯特相继走出了新路，浪漫派乐风吹遍了乐坛。门德尔松虽然是此派中的巨子，却又带着些与众不同的特色。他善于用古典派的“格律”来规范浪漫派的乐想，在古典曲式的柜子里安排浪漫的诗意内容。有点像用有用的旧瓶装进新的美酒。

音乐会序曲《芬格尔山洞》可以拿来做一个好例子。此作在百多年来始终是音乐会和唱片中的保留节目，至今也未曾被乐迷听厌。本来许多标题乐作品很容易叫人一听便爱，而也难免于多听便厌。门氏此作却是听得越熟越是其味醰醰。这其中道理便同他运用古典“格律”，发挥了纯乐的力量有关系。你会发现那音乐是离开了文学与绘画的标题所规定的内容，产生了自有的效果，显示音乐自身之美了。

不过也值得指出，此曲在刻画自然景色上也确是精彩。音乐中的“山水画”不可胜数，门氏的这一幅是突出的。它不但画出了从山洞内外所见的天光海色、来潮与退潮，还传出了在岩穴中观海听涛之人的心理感受。这幅交响画的“透视法”是最奇妙不过的。然而当你倾听着其中丰富而曲折、层出不穷的变化时，可能没注意到乐曲的结构和发展竟然是并不怎么复杂的。这也正是他善于驾驭形式的妙用。

这一曲还算不上他的拔尖之作。他最了不起的大作是

《仲夏夜之梦序曲》，而这是一位年方十七的少年的作品！就连门氏自己，毕生中再也没能写出这样永葆青春之美的作品。

可以拿来作一比较的是他的《e小调小提琴协奏曲》。此作也是洋溢着一种朝气、鲜美、英俊，听时足以令人暂时忘怀于人世间还有丑恶与痛苦。然而可惋惜的是，这篇美妙音乐的耐读性是不好同《仲夏夜之梦序曲》比的。从前有位为小提琴写史话的英国文人在盛赞此曲之美的同时又叹息道：假如我能重生一次，再享受一番初听此曲的新鲜感，那多幸福呵！

再拿门氏的一部交响曲来对比也是颇有启示的。《意大利交响曲》一开头的音乐可谓灿烂已极。然而正如评家所云（也是我们有同感的），在一开头的漂亮音乐进行不多久之后，那吸引力很快便减弱以致消失，而且听下去不免失望了。门氏花了很大气力才写成的这篇作品，反而远逊于他写来并不吃力的少年之作。这部交响曲和另一部《苏格兰》不一定需要列为必读之曲，尽管它们是所谓“名作”。必须列为必读曲的倒是一篇小品。其实它就是人们早已耳熟的《春之歌》，但耳熟未必就一定认真倾听吧？这篇小小的无词歌完全可以同他的大型作品并列为他的天才的见证。无词歌本来是意在忘言的，所以不但无言（词）也无题。（除了《威尼斯船歌》等少数几首有作者自加之题。）这曲题当然是他人所拟，但也的确不可能有更恰当的曲题了。听这篇春之礼赞的音乐可以联想文艺复兴画家提香与波提切利描绘春神花仙的名作。通常人们用温柔的格调演奏它，诚然也可喜；也有人改为乐队曲，抒发了一种春日大自然中少男少女们陶醉于青春之美的意境。这正可以说明，短小的篇幅中竟蕴含着如许丰富的乐意！

门德尔松即使未曾写下那些交响曲（除了上面提到的两部，还有不少，都谈不上有吸引人一读再读的魅力），而仅仅留给我们以上推荐的大小作品，也就很可以永远留在爱乐者心中了。

当然，他写的大量作品中有不少是完全可以列入“可听之曲”那一部分的。

从《仲夏夜之梦序曲》《e小调小提琴协奏曲》《芬格尔山洞》和《春之歌》这些作品中，你可以领略到他的风格特色：典雅、清新、洗练、从容不迫。最鲜明突出的是那种青春之美。然而他最缺乏的是激情，他决不像有些浪漫派人那么激情如火。

激情如火的浪漫派乐人是柏辽兹。要了解浪漫派音乐的特色，不可不听他的作品。这将是下一篇中的话题。

不必望洋兴叹

——漫议欣赏曲目（三）

我们要接着前文继续漫谈浪漫派音乐。激情如火彻头彻尾的浪漫派乐人是柏辽兹。要了解浪漫派音乐的特色，不听柏辽兹是不行的。听他的作品，可以通过他那如画又如剧的音乐了解到标题音乐的功能与效果，还可以从中获得管弦乐配器与色彩的大享受。

一部同他的生涯紧紧联系在一起的作品是《幻想交响曲》。这是一部完全打破了历来交响曲传统格局的大胆之作。虽说这部“五幕剧”并不是自始至终都能吸引人，但其中有好几个乐章都是独创的而且精彩异常，写实与想象交相为用。第二乐章写舞会场景，有“众里寻她千百度，蓦然回首，那人正在灯火阑珊处”的妙境。景与情交织交融。第三乐章也是写景又复抒情。处处叫人感觉出那个情场失意百无聊赖的主人公的在场。第四乐章《断头台进行曲》，刻画既工，又仍然以人为主。并且能迫使听者不是只作为一个看热闹的旁观者而是同那个赴刑场者一起体验着阴暗绝望的心情。这是极高明的大手笔！听这一章有时令人毛骨悚然，不禁怀疑作者是否也当过死囚，才有此体验？

从这些方面都可见柏辽兹的自由的幻想实际上是建筑在他对人生世态的体察上的。最后的那个乐章是一幅“地狱变相图”，却也因其根据之不足（欣赏者也缺乏可以联想与共鸣的生活依据），因而不能有很大的说服力，现出了才穷力尽的样子，也没有什么大听头了。

柏辽兹的另一篇值得细读的力作是《罗马狂欢节》序曲。这本是歌剧《本韦努托·切利尼》中的一首幕间曲，我们可以拿来独立地欣赏，不须细究其同歌剧内容的关系。音乐文献中写狂欢节情景的相当不少，很容易只显得热闹而缺乏韵致与余味。柏辽兹此作在写热闹气氛这方面固然不凡不俗，而其最动人之处还在于传出了一种良辰吉日的醉人气氛。特别是那一开头的不多几笔便呼唤出了这种气氛。听了好像罗马古城的男男女女一睁眼醒来便见到阳光耀眼，一派喜气洋洋的情绪。这种效果证明了这位管弦乐配器大师的形象思维与技巧的确有过人之处！

相形之下令人踌躇的是怎样选读李斯特之作。他同柏辽兹并世齐名，都被视为标题乐新乐风的开创者。他那些作品不但名噪一时，至今也被人们奉为经典之作；不过，说老实话，能免于平庸之讥的并不多。他的两部有标题的交响曲、十二部交响诗、两部钢琴协奏曲，到底有哪些可入选为“必读曲”呢？算来算去只好屈尊它们放进“可读曲”里比较合适了。

他的管弦乐作品是这样一种情况，那么“钢琴大王”写的数以百计的钢琴曲又当如何选取？也不大好办。假如照着有些评选家宽宏大量的评价，把《匈牙利狂想曲》之类也拉进“必读曲目”，似乎又降低“必读曲”的标准，于读者并无好处，也并非对李斯特大师的真正尊重。

然而对于钢琴诗人肖邦的所作，我们又只愁有太多的佳作难以割舍！

纵观乐史，肖邦实在是一个特异现象。仅仅靠一架钢琴，他便做出了众多作曲者用一支大乐队反而表现不出的大文章。他把钢琴这种机械人性化了而且诗人化了。莫扎特和贝多芬他们当然也开发了钢琴的性能，以钢琴为喉舌，发表其思维，但只有到了肖邦笔下，钢琴才成了通灵的“传媒”，它甚至唱起了连人声也自叹不如的歌声。李斯特一派总想迫令钢琴仿制别的乐器，变成管弦乐。他的许多改编曲加上他本人的演奏绝技，也确实达到了此种效果，令人叫绝。可是肖邦才更高一筹。他不要钢琴抄袭他人取消个性，而是分外发挥它的本能，让这乐器显出连管弦乐也不能取代的神通。因而也出现了这样的情况：有许多钢琴曲，改成管弦乐便更加多姿多彩；而肖邦之作几乎是以不改为妙，移植到别的乐器或乐队中，反倒走了样，变了味。比方那篇《升 c 小调幻想即兴曲》，是一首高华秀逸的钢琴诗篇，美到极处，也正是绝对不宜改编的一例。此乃肖邦身后遗作，曲虽不大，却是神品无疑，不用说是必读之曲。

他的“钢琴诗”中既有咏怀的抒情诗，也有内容深刻的史诗。例如《g 小调叙事诗》，曲中寄托了故国之情亡国之痛，音调苍凉悲壮，有强大感染力。

《前奏曲集》中有两首不可不读。一是人们比较耳熟的《雨点》，它那意境和韵味很能唤起我们中国人的共鸣。在秋意萧然的气氛中，一个愁绪满怀的人听着檐前雨滴，时疏时密，这在中国古诗词中不是不难寻到印证与比较吗？而其中间一段的乐境也不禁叫人忆起宋词中名句：池上轻雷荷上雨！

另一首是《d 小调前奏曲》（作品 28 之 24）则又换了一副阔大的气象。有人把它填上“暴风雨中一朵小花”的情景，也未尝不可作如是听。但别小看如此短促的一篇小品，内里其实蕴藏有更宏大深远的意境，认真倾听，你会感受到这位忧患之情极深的音乐诗人是“心事浩茫连广宇”（鲁迅句）的！

一般的肖邦爱好者也许对他的圆舞曲一听就爱，但这些音乐和一般的华尔兹是并不好相提并论的。有人形容它们是一种“心灵的舞蹈”。《圆舞曲集》中有一首《升 c 小调圆舞曲》（作品 64 之 2）风韵独绝，完全够得上这个称呼。其意象之恍惚有如梦中见仙人起舞，叫人觉得施特劳斯的那些名作显得是凡脂俗粉了。

夜曲是肖邦深为嗜爱的体裁。许多人迷上肖邦似乎也是由于他的夜曲。肖邦是借助于夜深人静万籁俱寂这气氛，来独自一人向他的对话者倾诉自己的满怀烦忧之情。这种绝不仅仅是好听而已的音乐，我们也必须肃然悄然而倾听之。你必定会发现，《夜曲集》中有如许不同气氛不同心境的夜。例如降 E 大调、降 D 大调和升 f 小调的三首夜曲，便是如此。

在他的大型作品中，奏鸣曲有某种跟前人迥然不同的意趣，而且也不同于他在其他作品中的表达方式。并非我辈普通人所易于读通的，所以列于“必读曲目”中也不合适。

肖邦有两部钢琴协奏曲，首先可听那首《e 小调协奏曲》。但不可不知的是，肖邦的协奏曲是可惜美中不足的。它们不大能算是交响音乐，而只像一种附加乐队伴奏的钢琴独奏曲，太缺乏交响性了。管弦乐部分平淡无味，往往显得多此一举。不过钢琴部分之丰富美妙足可弥补抵消这一缺陷，令人不觉沉醉其中而不愿苛求了。

瓦格纳这人我们是不可以把他只看成一位作曲家的。他的成就主要在于改革歌剧创立乐剧。乐剧的台词、音乐和舞台设计一手包办，可见其多才多艺了。真要领略他的综合艺术的效果，需要看现场演出。所幸他的乐剧中的灵魂是音乐，尤其是管弦乐，那是可以取出来独立听赏的，正因此这也成了音乐会中极受欢迎的保留节目。

首先要推荐他的序曲作品。必读之作是:《罗恩格林》前奏曲、《特里斯坦与伊索尔德》前奏曲、《情殉》[1]与《纽伦堡的名歌手》前奏曲。三篇作品，三种截然不同的情趣。《罗恩格林前奏曲》带着有神秘色彩的罗曼蒂克气氛。《特里斯坦与伊索尔德》序曲用复杂的半音阶线条交织出一幅无边恨海的阴惨景色。通常和此曲连着演奏的《情殉》，更是把人间爱欲的大苦与极乐抒发到了极致。然而《纽伦堡的名歌手》前奏曲却又把人们送回阳光灿灿的世俗世界。对照着听这三篇音乐，恍如经历、尝味了三种完全不同的人生，而这都是从同一个头脑中构思而成的，有的还是瓦格纳在同一时期中同时在酝酿着的，岂非不可思议！

《尼伯龙根的指环》是一部庞大的乐剧，其中的音乐是听之不尽的，但有两曲可以说是爱乐者无论如何必听的。其一是《女武神的飞驰》。那是一段幕间音乐，像一幅壮观的大壁画，写的是英武非凡的女武神们挟着风云雷电在九天之上纵马飞驰放声高唱的场景。它既有如画的逼真，又不失其神话的色彩，而且音乐的交响化与配器之美妙也是卓绝的！

另一篇绝妙的音画（也是音诗）是《森林之细语》，写剧中英雄齐格弗里德漫游林中的一景。风摇树语，“鸟鸣山更幽”。在所有此类“音乐风景画”中堪称出类拔萃的神品，就

1　*Liebestod*，现在通常译为《爱之死》。

像米勒和柯罗的画那样名贵可珍！

瓦格纳只写过两部交响曲，一部遗失了，一部不成功。去世前他又打算写一部而未能如愿，但论者认为人们无须为此惋惜，因为瓦格纳已经把他的交响乐思维尽情发挥于其乐剧中了。

在室内乐、钢琴曲等方面，他也没有什么可供我们“必读”之作。但有一部作品却值得在此郑重提出，便是《浮士德》序曲。

此作不是用在歌剧中的音乐，只是一篇独立的音乐会序曲。很可惜的是许多爱乐者似乎不大留意这篇了不起的杰作，往往漏听，失之交臂了！人所共知，用浮士德这题材谱制的歌剧、交响音乐、钢琴音乐，多得叫人难以遍读。老实说其中有的不读也罢，但如果对浮士德这典型感兴趣，那么此曲是不可不读的。作者原想拿它写成一部交响曲的，后来加以修改，独立成篇了。虽然如此，其中却浓缩了歌德诗剧的精神，可以说是文学原著的一种令人信服的“音译”。如此美妙、深刻、耐玩的作品，假如对其无所知，真是太可惜了！

19 世纪的音乐文化非常多彩，在音乐风格上争奇竞秀，相互对立。瓦格纳也有他的对立面，首先便是勃拉姆斯，但这要且听下回分解了。

不必望洋兴叹

——漫议欣赏曲目（四）

上一次我们谈了瓦格纳的作品。但在那个浪漫派音乐的鼎盛时代，还有在乐风上同他大异其趣的大师。瓦格纳的对立面主要便是勃拉姆斯。从前某个时期流行过“三 B”之说，这所谓“三 B”，除了巴赫和贝多芬便是勃拉姆斯了。把他同两大乐圣供在一起，可见其在许多人心目中地位之崇高了！

他生在那浪漫派和标题乐盛行的时代，却敢于反潮流而行，坚持我行我素，写他的纯音乐性的作品。当时在瓦格纳和李斯特那一派人的耳中，勃拉姆斯的作品简直是一钱不值的。还有些并无门户之见的乐人也讨厌他，例如柴科夫斯基便是如此。翻开文豪萧伯纳的乐评文集看看，相当不少是以讽刺的笔调批评勃拉姆斯之作的。

时间与公众终于作出判断，他的作品也许并不像其最虔诚的信徒所以为的那么伟大，但它们属于音乐文献中的重要经典是无疑的了。人们听他的作品，可能初听会感到费解，也不悦耳，然而只要认真听下去，就会发现它们有深度，有耐咀嚼的真味而终于会爱上它们。如果你真正了解了他，还会听出这位严肃的大师是古典其面而浪漫其心，是一个感情复杂的人物。

他写了四部交响曲。其中我们必读的恐怕是第一、第二这两部。前一部，有些人捧之为可以继承“贝九”传统也同样伟大的“第十”！看来这评价难以为更多的人接受，总之是他的代表作。在交响曲事业不大兴旺的19世纪中叶，他的交响曲的确有一种纪念碑似的价值。《第二交响曲》同前一部作品的阳刚之气大不相似，另有一种明朗可喜的田园风味。

在小提琴协奏曲这领域里，从19世纪以来形成了一种公认的评价：排在最高一档上的作品只不过四五部。除了莫扎特、贝多芬、门德尔松和柴科夫斯基的小提琴协奏曲，还有一部便是勃拉姆斯的《D大调小提琴协奏曲》，这也应列为必读之曲。

至于他的两部钢琴协奏曲，虽然在他的全部作品中占着重要位置，但是对于我们一般听众来说，并不是那么容易接近的。

他写的《悲剧序曲》与歌剧无关。他也从来没写过歌剧。既然他也不喜欢搞标题音乐（除了此曲还有一部《学院节庆序曲》是加上了标题的），所以这部作品还是当纯音乐欣赏更合适。但它的曲题“悲剧”是非常恰切地概括了全曲的含意的。

这种“悲剧性”并无感伤情调，而是相当悲壮的。它是一部并不难懂而又内涵深刻、余味深长的作品。

勃拉姆斯在室内乐、钢琴音乐和艺术歌曲诸方面都写了许多好音乐，可惜并不都是平易近人的，需要人们从长期而广泛的听赏实践中自己去发现和选择，去各寻所好地“结缘”。至于家喻户晓的《匈牙利舞曲》，可以认为它们并不能代表勃拉姆斯，何况那种音乐也不好算作道地的匈牙利风格。

前面提到对勃拉姆斯的音乐听不惯的人中有柴科夫斯基。拿这两位同时代而乐风绝不相似的大师来对照一番是很可以扩大我们对音乐天地的视野的。我们感到，勃拉姆斯像是总在控制和约束着自我的感情，力求含而不露，蓄而不发。老柴却不然，是让胸中的一切宣泄无遗。本来他所处的那个旧俄时代的社会便是一个悲剧的舞台，他本人的生涯也是一篇悲剧，而况他那性情又是如此多愁善感！这几方面的因素凑合在一起，于是老柴的音乐中便自然而然地浸透了俄罗斯人的忧伤哀愁了。其中即便出现短暂的欢笑，也成了强颜欢笑，苦中作乐了！

《悲怆交响曲》等于是其人其乐的一个总结，也是这出大悲剧的高潮。这样的音乐，对于诚心听乐者绝非一种消闲解闷的娱乐品。听它是令人悲怆的，而且会发人深思。它有某种不可抗拒的魅力，艺术表现又是很高明的，经得起细听多听。它也是深入浅出的。因此，这部交响曲和《田园》《未完成》《自新大陆》一起，理所当然地成了雅俗共赏的也是最普及的交响曲。交响曲是严肃音乐中最严肃的，所以大众化的交响曲是更难能可贵的。

他写的另外五部交响曲中，第四与第五虽然也是音乐会中常常演奏的，但以内容的深度与艺术质量而论，都不能同《悲怆》相比。

不过，他有两篇标题乐力作，应该列为必读。

一篇是《罗密欧与朱丽叶》序曲，这是爱乐者比较熟悉的曲目。作为莎翁名剧的一种“音译”本，似乎那可信性超过了某些平庸的译本或戏剧演出。

柴氏不但善读也善译莎氏乐府，他而且为但丁的《神曲·地狱篇》提供了极其传神的“音译”。

这就是《里米尼的弗朗切斯卡》。他把《地狱篇》中一段中世纪的言情故事演绎成了一部感染力强烈的音诗。曲中对地狱景的刻画似乎比柏辽兹（《幻想交响乐》末章）、李斯特（《但丁交响曲》）笔下的地狱更有说服力；也比浪漫派画人德拉克洛瓦的名作《但丁的小舟》更来得阴森可怖；而写到女主人公弗朗切斯卡，更叫人好像面对着一位凄苦欲绝的薄命红颜，听她哀诉自己不幸的身世。在作者饱蘸了同情的笔触下，那座发生悲剧的中世纪深宫中阴冷的气氛，竟可以使听者不禁为之不寒而栗！乐中有人，有景，有情；器乐的语言达到了歌剧的效果！爱好老柴的乐迷往往错过了这样一部文情并茂的不朽之作，那岂不太可惜了！

极受众人欢迎的《降 b 小调钢琴协奏曲》，以及被列为小提琴协奏曲经典的《D 大调小提琴协奏曲》，如果作为必读曲，也未尝不可，但你迟早会发现它们在深刻性上是美中不足的。

像《天鹅湖》这部芭蕾音乐，欣赏者很多，其实还是《胡桃夹子》更有韵味。这两部音乐都只可选听，不必通读。

钢琴套曲《四季》中倒是有几篇小品很可以作为必读之作欣赏。例如《三套马车》《白夜》《秋》。至于《船歌》，虽然很讨人欢喜，却稍嫌带着一点沙龙气味了。

19 世纪音乐文化的一个突出现象是民族风格的异军突起，突破了以往传统风格一统天下的局面。从 17 世纪以来，古典音乐的风格大体上是比较统一的，色彩是差不多的。不妨说它其实是以德、意、法的民族风作为“三原色”调和而成的“灰调子”（绘画术语）的图画。到了 19 世纪中叶以后，民族风的音乐呈现出一种异彩缤纷，令人耳目为之一新，民族风为音乐送来了新鲜空气。

假如你原来听惯了那些德奥风格的经典之作，忽然接触到格里格他们的北欧风味，那种新鲜感的美妙你将终生难忘。说老实话，同前面谈到的大师们相比，格里格显得矮了一点。他还够不上巨匠的项背。他没写出气势恢宏、思想深刻的大文章、神品；但他为人们贡献了大量小品，其中颇有些逸品与妙品。何况他不但有民族风格，而且很有他自己的个性。

要选他的必读曲，人们自然会首先想到《培尔·金特组曲》。这是他的代表作。虽然它是易卜生诗剧的配乐，可是世界上知道那部文学原著的人远不如听过这配乐的人多。不过，其中有一些是分量较轻的，只有《早晨》这一曲是值得多加注意领略的。只用如此短小的篇幅和简单的素材、经济的笔墨，而能将一幅海滨朝景描画得如此令人信服、心神俱爽的例子，在音乐文献中恐怕至今还找不出。

他只好屈尊做个小品大师。但《a 小调钢琴协奏曲》应该看成一部画面广阔，气势不凡而又清新可喜的杰作，是不可不读，也还耐得起多读的。

即使是几分钟可以听完的钢琴小品《致春天》，你也会强烈地感受到其中的北欧风味，而且其味清新隽永。他写了大量的抒情小品，都是朴素天真而又诗意盎然的。其中最耐人寻味的便是《致春天》了。我们听这首小品的时候，好像咽下了一口清冽甘美的冰下流泉。同时也仿佛感受到了曲中所传达的诗意：严冬方去，寒意未消，在溶雪化水中送来了春之消息。

柴科夫斯基的乐风当然是俄罗斯风味了，其实他还是在西欧与俄国之间有所调和的。还有比他的俄罗斯味更浓的（虽然并不比他更高，更能做俄罗斯人民的“代言人”），那就是“强力集团”那一派人的作品。

下一回关于欣赏曲目的谈论，就接着“强力集团”这个话题往下谈。

不必望洋兴叹

——漫议欣赏曲目（五）

上一回漫谈，说到还有比柴科夫斯基的俄罗斯味更浓的，那就是所谓“强力集团”那一派人的作品。

在这个“五人团”里面，人们最欣赏的作曲家是里姆斯基-科萨科夫。标题音乐的形象性，鲜明的斯拉夫风味，再加上他有一手为管弦乐调色赋彩的高明手艺，这样便构成了他的管弦乐作品的吸引力。古典音乐中流传极广也最讨人喜欢的节目之一，就是他写的那部《天方夜谭》组曲[1]。当然此作之流行也沾了《一千零一夜》这部文学经典的光吧。我们应该心中有数的是，此曲的四个乐章，并非“等值”，不是都同样耐读的。我想我们不妨浏览全曲而重点细读其一、三乐章。第一章是《辛巴达航海》。在所有的描绘大海的音画中，它是相当出

1 *Scheherazade*，现在通常译为《舍赫拉查德》。

色的一曲。其动人之处显然也不仅在于对海上风光刻画得又真又美，而且同瑰丽的文学故事巧妙地融合为一。这位配器大师的卓越的技巧也使这一巨幅壁画更加显得灿烂夺目。

也许你听熟了以后又不免有难以满足的遗憾。它的“重复话”嫌多，而未能将乐中意境作更广更深地展开。

《辛巴达航海》可当文学名著的插图观赏，那么第三乐章《王子与公主的情史》便是一篇音乐抒唱的爱情诗。要论诗意和乐艺的高下，恐怕更美更耐听的还要数这一乐章。即使拿配器的精美来说，也是很可细玩的。

我们来不及谈里姆斯基－科萨科夫的“俄味音乐”，倒先介绍了这部“东方风味”的作品，固然它那“东方风味”并不是道地的阿拉伯味。他还向爱乐者贡献了一部更精彩的并非“俄味”之作:《西班牙随想曲》。我们知道，并非西班牙人却爱写西班牙风味的音乐，历来是许多作曲家的爱好。这种“仿西班牙风格”的乐曲太多了。真正西班牙人写本地风光的作品，反而不大引人注意。在所有的“仿作”中，里姆斯基－科萨科夫这部随想曲，恐怕最能满足向往西班牙风光的乐迷了。这的确是阳光耀眼热气腾腾的音乐！

俄罗斯民族乐派中有几位我们只好暂且略而不谈，但不能不介绍一下鲍罗廷。他是一位既行医又兼教课的业余音乐家，还热心于进步的社会活动。短促的一生中辛辛苦苦地工作，作曲也是忙里偷闲。但是他却留下了为俄罗斯音乐生色不少的杰作。

《波罗维茨舞曲》是歌剧《伊戈尔王》中的音乐。其中，女声合唱的部分具有一种迷人的魅力，而男声合唱部分犷悍而野性，两者适成对照，是虽然多听仍不失其新鲜感的音乐。

《夜曲》是他的《A 大调弦乐四重奏》中的一个乐章。它的音乐极为甜美，听了好像是一群知心朋友在沉沉长夜中高歌曼吟，浓情似蜜，是一种令人心醉的音乐。

民族乐派中并非只有二流人物。小小的挪威出了一个格里格。同样是国土不大的芬兰也出了一个西贝柳斯。格里格不曾写出重要的交响曲，西贝柳斯却以他的交响音乐雄视乐坛。19世纪末叶，交响曲领域难得有伟大深沉之作，西贝柳斯的崛起使小小芬兰成了“交响曲大国”！

从他的交响曲中人们可以感受到荒寒北国大自然的严峻与人民的坚毅顽强。音乐不但有北欧的民族色彩，作曲家的个性风格也与众不同。而那交响思维的丰富，气象的阔大，也处处叫人感到不同凡响，是贝多芬、勃拉姆斯等大师的交响曲传统的一个新发展。听西贝柳斯的交响曲，会打心里产生一种面对崇高事物的敬畏感！他写了好几部交响曲。其中，第一、第二这两部都可作为必读之作，反复倾听。

在民族乐派作曲家群星中，最灿烂夺目的一颗明星无疑是德沃夏克了。正像西贝柳斯不仅属于芬兰民族一样，德沃夏克也绝不仅仅是波希米亚民族的音乐文化代言人，而且他是应该列于西方音乐史中大师之林而毫无愧色的。因为像《自新大陆》这部交响曲，不但有波希米亚人的血液，而且吸收、融入了美洲印第安人与黑人音乐的因素，酿制成了全世界各民族人民雅俗共赏、最通俗易懂的交响音乐，这真是令人赞叹不已的！

不过，这部好听又耐读的交响曲虽然如此普及，人们几乎都耳熟能详了，然而要真正能深知其中所蕴藏的听之不尽的美，绝不是随意听听便能做到的。平易近人并不等于肤浅。它是一部最经得起广大听众与悠久时间考验的大作品。不但必读，而且要反复读，精读！

爱乐而不曾听《新世界交响曲》（一般人喜欢这样叫它，但《自新大陆》是原题，更确切地表达了作者向他怀念的故乡亲人传达自己所见所闻所感的信息之意）的，恐怕不会有；只怕也有不知道他另一部美妙的交响曲的。这便是《D大调第四交响曲》。此曲的味道和《自新大陆交响曲》很两样。但也有相似之处，即是都有层出不穷的可爱的旋律，丰富的和声、复调和精彩的配器。也许更值得用心倾听的是那种毫无造作之感的交响性和生动的气韵。

至于《G大调第八交响曲》，曲趣又不同于以上两件作品，也可以细读，只是它的终乐章似乎有些不大相称。

人们常常为大提琴协奏曲文献中高峰作品屈指可数而遗憾。德沃夏克的《b小调大提琴协奏曲》正是那屈指可数的几部中的一部，也许还是最美妙动人的一部。

这篇作品可以说是《自新大陆》的姐妹，它们的写作有同一背景。我们也不难从中听出作者相似的心绪。此作可谓一部用大提琴助奏的交响曲。它不仅乐想丰富深刻，曲调绝美，织体繁复而精致，配器色彩富丽；而且它那音乐的交响化效果也是令人叹为“听止”的！也像《自新大陆》，它是不厌百回读的！

除了舒伯特，没有谁能像德沃夏克的音乐语言这样的自然，毫不做作。它不但以其美妙吸引你，还因其饱含着真挚之情而打动你，叫你既一见倾心而又始终不厌。可惜的是，他有不少极其可爱的佳作还不一定已被爱乐者重视，这真是憾事！

例如，三联序曲《狂欢节》《大自然、生活与爱情》《奥赛罗》。世人听得比较熟悉的只是那篇《狂欢节序曲》而已。更美妙也深刻的另外两篇却往往被错过了。何况这三曲要联接起来一口气听，你会更完整地领会作者的深意。

室内乐作品往往显得深奥难解，令人不大好接近，德沃夏克的《F 大调弦乐四重奏》却像《自新大陆交响曲》一样深入浅出，平易天真，而又美妙惊人，永远不失其魅力！

他的两集《斯拉夫舞曲》，乐迷们至少也熟悉其中的几篇。然而他那十篇管弦小品《传奇集》，注意欣赏的人恐怕不多了。其实这里面有真正的波希米亚风味。曲虽短小，意境却幽深，堪称乐中妙品！

在民族乐风的吹拂之下，法兰西也出现了寻求本土特色的作曲家，那主要倾向也便是力求摆脱德奥乐风的影响，标法兰西文化之异。

圣－桑是位学识广博多才多艺的乐人。他多产，过去也颇受音乐会听众的宠爱，然而要推荐他的哪些作品列为必读，倒也煞费思量。

说实在的，他那些交响曲、协奏曲、交响诗，都是闪露才华之作，也是可以悦耳娱心的，但要当作经典之作来细细咀嚼，便会在新鲜感褪色之后暴露出平庸的内涵。例如那首受到提琴家和许多听客赏识的《第三小提琴协奏曲》吧，也只好把它放到"可听之曲"那一类去了。

又比如其钢琴协奏曲，我们也只好如此对待，因为它们纵然技巧圆熟洗练，也并不与前人之作雷同，还颇有一些新颖可赏之笔。即以管弦乐的交响化与配器而论，比起听肖邦的钢琴协奏曲来还可以获得较大的享受。可惜这样的音乐终究是只可偶一听之才能卒读，不耐反复倾听的。

假如根据这些印象便断定此公所作一无可取，那又不公平了，那又会错过真正的杰作。可以说，他有两篇真正的乐中神品，你如果无缘细读，简直是人生一件憾事。

其一就是许多人并不陌生但却未必珍视的《天鹅》。它是从《动物狂欢节》中折枝选摘的一朵奇花。那一部音乐是一种才子文章、游戏笔墨，有一种玩世不恭的谐趣。现在已同

《彼得与狼》（普罗科菲耶夫作）一起，成了少长咸宜的音乐童话。人们也忘了其中有作者向其同时代乐人施放的冷箭了（正因此，生前不予发表）。

平心而论，《动物狂欢节》当作儿童音乐漫画“看”是并不坏的。但是对其中的《天鹅》也那么闲闲看过，那却是亏待了一颗明珠了！

不要因其只是一篇小品而低估它，此曲是列于神品而无愧的标题乐杰作！既是那么造型鲜明如精工的浮雕工艺品，又超越了形似而有悠然不尽的诗意。曾有一部芭蕾小品《天鹅之死》，此曲成了舞蹈形象的根据。我却认为那是创作者的误读从而也成了对欣赏者的误导害得这篇音乐既走了样也走了味！

圣－桑的另一篇绝唱是小提琴曲《引子与回旋随想曲》。它好像一首中篇的协奏曲，写得精致的管弦乐对于烘托小提琴独奏或与之交响发挥了出色的效果。虽然篇幅不大，只抵得一般协奏曲的一个乐章，然而我们宁愿读他这言之有物的浓度很高的中篇小说，而怕听某些虚有其表华而不实的长篇大论。

虽然安上了个干巴巴的曲题，作者自己似乎也不曾透露过个中消息，许多人听它也许只知听其艳丽的曲调、铿锵的节奏与辉煌的协奏曲风的技巧；殊不知乐声中很可能隐蔽下一个哀感顽艳的爱情故事哩！

此曲也大可配上几幅法国画家德加画的舞蹈场景，但曲中由小提琴扮演的那个舞女分明有重重的心事满腹的哀愁，她那舞态与神情都浸透了一种凄苦之色。凑巧的是，这里面的人物、情节似乎都不难从莫泊桑的一篇短篇小说中去索隐。反正，圣－桑即使一生只留给我们以上二作，他也在我们心中不朽了！

不必望洋兴叹

——漫议欣赏曲目（六）

上一篇关于民族乐派的作者我们议论到圣－桑。他是以法兰西音乐文化的卫士自命的。尤其在普法战争法国失败的刺激之下，他竟偏激到排斥德国人的作品。其实以真正的法国味而言，比才才算得上民族味醇浓而又自有其鲜明个性的伟大作曲家。

提到这个名字我们就不会不想起超人哲学家尼采。他从对瓦格纳的狂热崇拜中醒悟过来，幻灭之余，忽然看见一片真正的阳光，不觉为之狂喜。那正是他听《卡门》的感受。从这段真实的乐史佳话便知道比才的音乐是何等的不凡了。须知尼采不但是一位了不起的思想家，也够得上大半个音乐家的。

比才的音乐是如此流行也无人不爱，很可能被误认为并不深刻也不高雅，只是动听而已。其实他这种音乐平易近人而又深入浅出，既不同于瓦格纳的玄奥繁复，也不流于古诺、马斯内等人的俗媚。你必得在同他的对立面相比较对照的精读中细细品味，才能体验其真诚自然之美。它固然是彻头彻尾的法国味，比柏辽兹和圣－桑更真的法国味；然而连德意志的高傲无匹的“超人”也能欣赏它，又可知其中之美是更高更普遍了。比才的音乐绝不故作深刻，充溢着温暖而并非温情也不过火的人情味。《卡门》是如此，人们已耳熟能详，不消再絮烦。《阿莱城姑娘》组曲的真正价值，恐怕有些爱好者还不甚了解。这一组音乐在风味上和《卡门》有所不同。《卡门》表达出一种激情;《阿莱城姑娘》则表达了温柔敦厚而又是悲剧性的人情，它原本是为法国作家都德的剧本所写的配乐。我们听那音乐时也不禁联想起都德的文情。瓦格纳的音乐往往叫人觉得是将历史与现实拔高而且用高倍放大镜放大了的，可敬可佩而不大可信可亲。比才之作总是人世的，没有什么同现实人生疏离的感觉，可爱亦复可信可亲。《阿莱城姑娘》组曲中的《田园》《小步舞》《钟乐》与《弗朗多尔舞曲》等等都是非常耐读而永不失其新鲜感的。

交响乐思维，似乎还是德奥乐人更拿手。到了所谓后浪漫主义时期，这又从布鲁克纳和马勒两位交响乐大师的作品得到证明。这两位都留给后人十部交响曲（前一位的十部中有一部未编号，后一位的最后一部未完成）。说句务实的话，要遍读细听这种庞大而且沉重的交响乐文献，对于经验还不多的爱乐者实在是一种很吃力的事情。布鲁克纳偏爱庞大的音响建筑，耽溺于瓦格纳式的宏伟殿堂的营造。听他这种音乐，没有很大的耐性是往往会想掩卷辍读的。那种始终无大变化的冥想气氛，也常常叫人疲倦而想透一下新鲜空气。

这样的殿堂，自然也应该去游览一番的。但我怀疑有多少现代人是真正流连忘返的。

至于如今看来颇有吸引力的马勒，他那些交响曲也是巨型建筑，音响的森林。构思复杂，头绪纷繁，配器精彩，音乐不落前人窠臼。他的作品比前一位大师更有听头。可惜的是，那艺术表现上的精彩终究弥补不了情感内容上的空虚。空虚迷们以致悲观厌世的情绪当然也是他那时代的反照，但是翻来覆去地倾吐个人的牢骚，以致归心彼岸，仰求上苍，而且用了夸张的过分激动的语言，反复诉说差不多的意见，那就很容易叫人听饱反而开始厌食了！

和他同时代的另一位交响音乐名家是理查德·施特劳斯。此公才气过人，从年轻时候起便连篇累牍地发表了名噪一时的大作品：《唐璜》《梯尔·艾伦斯皮格尔的恶作剧》[1]《查拉图斯特拉如是说》《堂吉诃德》《英雄的生涯》《阿尔卑斯山交响曲》……都显得他多么善于挥洒其管弦妙笔表现其形象思维，刻画各种各样具体内容。他曾自夸有无所不能描写的本事，倒也并不全虚假。例如唐璜一题，历来写得很多了，他这篇音诗

1　*Till Eulenspiegels lustige Streiche*，现在通常译为《蒂尔的恶作剧》。

可谓着墨无多而效果出色。在《堂吉诃德》中，写戆而可敬的骑士与狡而可喜的跟差的滑稽冒险史，斗风车，战群羊，等等，无不活灵活现，即使有时滑到庸俗的边缘，却总是不落凡套，带着文学原著的幽默味。他甚至才高胆大到敢于用音乐语言译释那本天书般玄妙的尼采名著。而听起来即使不一定能传原著之神，当纯乐来欣赏是绝不枯燥乏味的。在犹如一部有声自传的《英雄的生涯》中，大言不惭地作自我画像，尖酸地挖苦丑化私敌，铺排自己的辉煌业绩；像这种在他人恐怕是难于落笔的文字，他却从容写去，尽情发挥，弄出一大篇文章来，叫人听得饶有兴趣，虽觉有点好笑，却也不得不赞叹其技巧与才华。再如《阿尔卑斯山交响曲》，从登山写到下山，从拂晓写到天黑，中间又探幽，观瀑，遇险，加上雷雨风暴，简直像一幅流水账似的山水人物长卷。可他画得如此生动有致，始终可以抓住听者，不觉便追随作者游完了全景。到 19 世纪末，音乐中的写景文、山水画已经过剩，真难为他还能摆脱了陈词滥调，写得既有生气也不乏新意。

他还有一篇《七重纱之舞》，取自所作歌剧《莎乐美》。曲中运用高妙的管弦配器，烘托出阴森得令人毛骨悚然的戏剧气氛，也是值得一提的。

然而，如果要在这许多可喜之作中找出必读的来，那可又不大好办了。

意大利人雷斯皮基，他的作品虽不妨归在民族乐派里，但他又吸收融合了巴洛克、古典、浪漫派的成分。因此听他的作品，往往只感到那音乐出色与完美，竟不觉得那是哪个民族的色彩了。

他有三篇以罗马为主题的管弦乐作品，即《罗马的松树》《罗马的喷泉》与《罗马的节日》。前两篇称得上标题音乐中的上乘之作。

一部标题音乐作品，能做到刻画精工还不是最难的事，贵在既有画意而又诗情洋溢。我们从听标题乐作品中还不难发现，有些漂亮的音画，纵然逼真，可惜画中无诗、无情、无我。高明之作大抵是画中有诗，诗中又有我，而那个“我”既是静观者，又是真正动情的。

雷斯皮基这两篇作品便可谓既是写生的音画，又是怀古之音诗了。其中诗情画意之浓，交织交融，真正令人低徊不尽，联想纷涌，不觉为之深深陶醉了！在听不胜听的标题乐文献中像这样的作品并不多见。

《罗马的松树》的第一章还不那么吸引人，第二章便把人带进了古罗马基督教徒殉道者的地下墓葬。气氛于阴沉之中含着追念与虔敬之情，叫人遥想当时的史境，顿时激起一种对殉道者坚贞之志的肃然敬畏。

此作中的第三章无疑乃最精彩名贵的一篇。月夜松风，本来也就可供描画吟咏一番了，但作者于此并非只是平常地赏玩景色，而是巧妙又自然地让听者感受到画中有一个怀古之士在看月听松，同时也便似乎感受到了其人吊古伤今的那一番感慨万端的心情了。

中国古人曾发“古人不见今时月，今月曾经照古人”之叹。作曲家这里写的也可能是曲中人以眼中之月色想到了它曾映照过的古罗马英雄豪杰吧?

中国人听这一曲，假如不期而然地想到了大诗人李太白的名篇“明月出天山，苍茫云海间，长风几万里，吹度玉门关……”那是很自然的。因为曲中的这一片好月色还伴着万壑松风，有色有声，显得更立体，更富于动感，也更有情致了。

雷斯皮基无愧于他的老师——配器大师里姆斯基–科萨科夫。在这两篇音乐中，配器艺术之妙，对于渲染诗情画意所发挥的作用是有耳共赏的。就在对月夜松风的表现中，咏唱主要旋律用单簧管是极其允当的角色分配，这一运用可作为配器法的名例而不朽了！而衬托着单簧管的领唱，弦乐掀起了松风阵阵，那效果也是绝妙的！波澜迭起，跌宕多姿，风声、松声的起伏，其实又同景中人的心潮是呼应共鸣的！正是在这些地方，诗情画意打成了一片，听者也进入了乐境的深处而忘其为乐了!

《罗马的松树》最末一章也不俗，它展现的是古罗马军团远征归来的大画面。对这种场面作一般的描画并不难讨好，但最容易流于形似，热闹一场，没有什么画外之韵。此曲却有新意。它让我们仿佛看到了阿庇安古道，也听见了踩踏在古道上的大队人马的脚步声。作者调动了整个大乐队，其中包罗了一般罕用的管风琴和两架钢琴，用来制造那似简单而实复杂的沉重的脚步声效果，而这殷然如远处雷鸣的脚步声既富戏剧性又深含诗意，它也是历史的脚步声！没有深沉的历史感的，或者换了个不是古罗马人后裔的作者来写，也许写不出这样浓郁的味道。整篇音乐是一个安排精致的绵长的渐强，从隐约可闻逐步升级为最终的惊天动地。这是比那种所谓“压路机式”的“罗西尼渐强”更有震撼力的渐强！

《罗马的喷泉》中又有意境全然不同的妙笔。其中，第四段《梅地奇别墅的喷泉》是“压卷之作”，也同样是诗情画意中渗透了史感的标题乐，而更显得神韵悠然。此曲堪称摹写暮色的绝唱。音乐文献中似乎还想不起有可与之相提并论之作哩。于“夕阳无限好，只是近黄昏”的惆怅中又浸透了对往昔的愁思。人们听此曲会有许多历史联想，恍惚可见那景中人便是《罗马帝国衰亡史》的作者吉本。他正在凭吊旧墟，回顾沧桑。

值得提醒听众的是此曲中所写的暮霭不是静止的、凝固的画面。作者把日落黄昏时不知不觉便从绚烂的云霞淡出为苍然暮色那过程作了神异的表现。这是透纳和莫奈的画笔所无法追踪的！

作者在此曲中用上了多种多样的装饰性乐器，如钢片琴、钟琴，加上竖琴和钢琴，这多种色彩耀眼夺目的妙音又同细分的弦乐与木管铜管之声交织交融，织成一幅音的锦绣，像印象派画人的彩笔那样，点染出云霞的灿烂色光。更微妙的是我们在目迷五色的同时又似乎可以感受着薄暮时的大气的变化。渺渺残钟的余响摇漾着融入这大气中，升腾，弥散，于是又听到了用木管代言的鸟语，众鸟归巢，绕树三匝。百鸟惊喧中也啼叫出不胜惆怅之情。听到此，我们的心恍如也同那音乐一道弥散开去了！

不必望洋兴叹

——漫议欣赏曲目（七）

在前六次“漫议”中我们都是讨论“必读之曲”。现在继续以此为话题往下谈。乐土之旅是无有尽头的，但是我们现在又要在重大里程碑前面稍做逗留了。

从古典派听到后浪漫派，音乐的诸多方面变化之大是不难听得出的。即使听的是以继承、捍卫古典传统为己任的勃拉姆斯的作品吧，那感觉也是很不同于听贝多芬的，更不要说听瓦格纳、理查德·施特劳斯等人的作品了。

然而，一种更能使人有耳目一新、大开眼界的新变化发生在19世纪的“世纪末”。

试来安排一次“大会串”式的音乐会。节目都选那些在1894年（距今不过百年！）左右仿佛不约而同地同时问世的当时新作：德沃夏克的《自新大陆交响曲》、柴科夫斯基的《悲怆交响曲》、布鲁克纳的《第八交响曲》、威尔第的歌剧《法尔斯塔夫》和德彪西的前奏曲《牧神午后》。对照而听之，你就会惊讶地发现，《牧神》同另外几部作品（都是不朽之作!）之间的差异之大，大大超过了那些作品与前人之作的不同。

今天的人们恐怕很难设身处地体验百年前的听众初次听到德彪西此作时那种新奇亦复新鲜的感受了。新奇往往不过是一阵子，而真正有生命力的创新所产生的新鲜感是永在的。那些看惯了古典、浪漫派绘画的观众，头一回接触印象派绘画之际，同样会受到这种震撼。

因此，德彪西好像一座里程碑，它坐落在一个转折点上。似乎可以认为，从他所创的印象主义开始，西方的乐潮是在朝向同老传统迥不相似的方向涌流了。当然任何变化都不是突如其来的。在此之前，从瓦格纳《特里斯坦与伊索尔德》前奏曲开头那个迷离恍惚的和弦当中已可听出现代派和声的苗头了。

当初是离经叛道的“牧神”，现今已成了永葆其青春魅力的经典之作。它当然是每一个爱乐者的必读之作。

不过在倾听德彪西音乐时要弄明白，音乐中的所谓“印象主义”并不能等同于绘画中的印象派。德彪西的“音画”“音诗”里还蕴含着象征主义的诗境。《牧神午后》就是为象征派诗人马拉美的诗而谱。他却并不要像前人那样去图解那篇诗。一首诗常常是不可能译成另一种文字的，也不可译成散文。迷离恍惚的象征派作品就更无法译。所以要“音译”而且“直译”也不好办。《牧神》之美虽然并不难于感知，却又是只可意会而难以言传的。我们听众当然不妨对这篇音乐自由发挥自己的想象，然而不必从音乐中去追求标题乐的具体形象与情节。恐怕还是把它当作纯音乐作品来享受为妙。

《牧神》的乐境如同它所写的仙境一样，是极空灵缥缈之致的；而另一篇作品《伊比利亚》又让听者返回到尘世，欢乐的人间。两篇乐曲的境界不同，艺术表现各极其妙。听前一首，你好像来到了一个清凉世界，纵然有什么爱欲的联想也已被净化、升华了；听后者，则如同登上了“欢乐岛”，和夏夜中寻欢作乐的人群混在一起了。仿佛有香气袭人，中人欲醉。它也是有西班牙味的音乐。

德彪西是高明的“画家”，也是高才的“诗人”。他的那些代表作中浸透了诗情画意。然而我们又觉得那同前人用音来咏“诗”作“画”很不相似。他是用一种新的笔墨来表达新的感觉新的意趣。

我们知道，在钢琴音乐这个领域，自从莫扎特以来，经过贝多芬、舒伯特、肖邦、舒曼、李斯特和勃拉姆斯他们的不断开拓，已经把钢琴语言的思维与表现推进到一种极高的水平。要想有什么新突破，是难以想象的事。可是人们突然听到了崭新的钢琴语言，钢琴音乐出现了新局面！他同肖邦一样，不愧为一位钢琴诗人，然而他的钢琴“诗”是另外一种格调。他也像李斯特一样在钢琴上“作画”，可是他的钢琴“音画”同李斯特是两种路子。

他的钢琴曲数量很大，对于我们爱好者来说，那“可解度”是高下参差不齐的。有的平易近人，有的则玄奥异常。可作为必读之曲的至少有这样一些:《月光》。笔墨不多，便点染出一帧气韵生动格调高雅的画。不像那些用色浓重的油画，倒像是淡雅的水彩，甚至有中国水墨画的味道了！此曲似乎并不费解，其实其中蕴含的诗意（还可能有我们不大能领会的神秘寓意）是极耐玩味的。此曲有相当多的改编与移植。人们听得比较多的恐怕是小提琴曲。（斯特恩的演奏是最值得推荐的。）还有品质不同的管弦乐改编曲，其中似乎以斯托科夫斯基改编的最有回味，令人难忘。评家还认为，有一种用两把吉他弹的改编本效果绝妙。不过不管怎么说，我们只有从钢琴原作中才能赏其真味。

《水中倒影》是一篇用有声之音写出了无声之寂静的作品，参照着印象派画人莫奈对园林池沼景色的写生来听它，也许有助于领略它的妙趣吧？但我们又会觉得，比起似乎不怎么关注题材中的诗情诗意而看重捕捉眼前景物中的色、光、影的印象派绘画来，德彪西的音乐显然总是给我们更丰富的感受，更深沉的激动，更悠然不尽的回味。何况，像《平野之风》《沉没的教堂》《飘荡在晚风中的声音与香味》这一类音诗音画，其意象之微妙更是有形的图画所无能为力的了。

《亚麻色头发的女郎》也似乎浅显易懂，那曲调之美是一听便会吸引你，不能忘怀的。它也像一幅人像。但它绝非那种以温情脉脉来讨人喜欢的沙龙钢琴小品。它也远比许多冷漠的人像画更有人性更有人情美。这首小品的改编曲也有几种。非常值得注意倾听的是一种改编为电子合成器曲的作品。那虽然已是某种程度的再创作，却很可以启示我们再去深读原作，从中发掘、发现更丰富、微妙的内涵。

比上面说的这一曲更加貌似平常却有不寻常的情感密度与复杂意象的，是《阿拉伯风格曲第一号》。它也许很容易被误认、误听为像个练习曲一样的小曲，无足轻重吧？其实我们如果能于倾听之中触发共鸣（不必都来自生活中的直接体验，也包括读书、读画、读剧中的间接体验），你就会惊讶于它的可以唤起复杂的联想了，也会觉得好像重新发现而也才真正认识了德彪西，理解到这绝不是那种只用冷心冷眼靠“印象”写生的“画家”。这是一个极其深情的人！这两首都是曲短情深，于平淡中寓深情的杰作！

把自己的才气与笔力发挥到了巅峰状态的力作是《大海》三章。他自谦地题之为“交响素描”，其实是色彩眩目气势不凡的宏伟“壁画”！可以说，同历来那些为大海写真留影的美术名作相对照，德彪西的“音画”更显得形神兼备。它展现了大海的万千气象，似乎还让听者体验着海洋上面与深处的汹涌与悸动。海在他笔下简直有了生命与灵性，化为神话中的巨灵了。听了此曲，再看以海为题的名画，固然觉得还是音乐艺术能量大；再听同是写海的乐曲，也便有“曾经沧海难为水”的感觉了！

最不可思议的是，画家莫奈为了画海景，到海边住下，观察、写生，辛苦备尝，才画成了那几幅名画；里姆斯基－科萨科夫所以能谱出《辛巴达航海》那样的音乐，是得力于他在军舰上度过的几年海上生活；而德彪西于其一生之中据说仅仅到某地海滨度过短促的时光而已。这也叫人联想到他并未有西班牙之旅，只不过曾到法、西交界处一观斗牛之戏，但却写出了西班牙风味颇浓的音乐（如《伊比利亚》《格拉纳达之夜》），博得西班牙作曲家法亚的惊佩，认为比西班牙人自己写的还够味呢！

从贝多芬读到德彪西，我们尽管只能选取那些精华中的精华来品尝，已经犹如来到山阴道上目不暇接了。其实这在乐史上所占的时间不过才一个世纪而已（18 世纪末，贝多芬发表了他的《第一交响曲》；19 世纪末，人们听到了《牧神午后》）。然而在西方音乐史上这的确是一个最热闹的百年，是一部集无数音乐之大成的真正的“交响乐”。（也许更恰切的比方是“乐史交响曲”中的一篇“快板乐章”，下一篇则是“谐谑曲”，而这部“交响曲”永远不会有“终曲”。）走到这一步，在德彪西等人的启动之下，在新一代乐人及一部分听众听起来，以往的音乐语言已经成了无味的陈言，音乐创作有一种山穷水尽的意味，而德彪西等人的试验也便给人们带来了柳暗花明的喜悦。但是这样一来也打开了弃旧图新的闸门，音乐新潮一发而不可止地冲向了20世纪。

有趣的现象是，当此两个世纪交替，新潮迭起，众多“非常异议可怪”之乐刺激着人们的听觉与审美观之际，爱乐大众的怀古怀旧情绪与兴趣也越来越浓厚了。

以往有那么一段时期，人们居然把老巴赫给遗忘了！所幸，前有门德尔松、舒曼，后有勃拉姆斯一派人，大家虔诚地发掘、抢救、鼓吹，世人才又重新发现巴赫、认识了他的价值。不但如此，他的音乐越来越吸引了更广大的听众，他的地位越来越崇高，终于高踞于古往今来的乐坛首位了。

莫扎特的音乐在浪漫派、标题乐、瓦格纳“未来音乐”大受欢迎之际，是曾被音乐会听众认为平淡无奇的，终于也由于演奏家的精心演绎和听众鉴赏力的提高而重放光彩。

更有意义的一种文化现象是人们不但重新发现了巴赫和亨德尔，而且发现了他们以外的巴洛克音乐大师们的音乐，并且追寻起巴洛克以前的古乐。简直如同考古发掘队打开了一座久已埋没的地下宫殿，人们惊喜地进入了音乐的宝藏。

这也并不完全是因为吃腻了浪漫派、标题乐那种美食，也不完全是因为二者的末流常常蜕化为言之无物的陈词滥调，所以才既喜新又念旧；而也说明了往昔的音乐确有其不可磨灭也不可取代之美，所以古乐虽旧，后人反倒觉得耳目一新了。何况，水有源来树有根，今之乐是从古之乐流变而来的。识其源，才能观其变，所以人们对巴洛克音乐大感兴趣是有道理的。

让我们也来把音乐史翻回去读，看看如何选听贝多分以前的作品吧。

不必望洋兴叹

——漫议欣赏曲目（八）

选听贝多芬的重要作品，我们感到顾此不愿失彼，难以取舍；要从莫扎特的六百多号作品中挑选出必读之作来，那就更是煞费思量了。“莫扎特的音乐无一句不美！”这是指挥家索尔蒂情不自禁脱口发出的激赏之语，当然不宜太当真。莫扎特也有可听可不听之作。但是他在如此匆匆的一生中留给后人享受不尽的伟大作品实在是多，叫我们如何舍得割爱呢！

贝多芬之乐是一种威力。莫扎特之乐则有一种绝大的无可名状的魅力。假如要我们在二者之间作出抉择，那是办不到的。从英国大文豪萧伯纳写的一篇乐评中可以知道，对于这两位大师谁更伟大、更可爱这个问题，要他作出评价，他竟为此感到犹疑、苦恼！

也许如今的中国乐迷，尤其年纪不大的，不会投莫扎特的票，不会为他的唱片发高烧。这也难怪，要尝到其中滋味是需要一种“心路历程”的。而只要真正尝到了，你也就会发现，自己原先迷醉过的许多作品在莫扎特面前显得是何等的不自然和凡俗了。

所以，正如钢琴家吉塞金[1]说的，莫扎特的作品“既好弹也非常难弹”，他这种听上去何等平易的音乐其实又是并不好懂的。这其中的原因之一是因为它多半是纯音乐。听的人如果偏嗜标题乐的形象思维，不习惯纯音乐那种“无形而有像”的音乐逻辑，听起来自然会不知其妙，只觉得淡而无味了。

莫扎特在乐艺的各个方面都留下了不朽之作。首先谈他的交响曲。编了号的一共有四十一首。比起写了一百零四部的海顿来，可说是青出于蓝，后来居上。公认为顶峰的是那最后的三部，也即第三十九、第四十、第四十一这三部。而在这三部用短促的时间相继完成的杰作之中，最有深度与个性的是《g小调交响曲》和《C大调交响曲》。莫扎特一生中所作的音乐，大多有一种乐观的精神，《g小调交响曲》却像在向人们披露他内心深处的烦忧。尤其是第一乐章。它是一位不幸的大天才的独白与自画像。

《C大调交响曲》的外号“朱庇特”（雷神）对我们理解作品的内容没有什么用处，顶多可以形容其气势磅礴而已。在这部最后的交响曲作品里，气魄之大不但在前人之作中听不到，

---

1 Gieseking，现在通常译为吉泽金。

即使在莫扎特毕生所作中也是高峰。它的最后一个乐章是一座用复调手法建造起来的宏伟壮丽的音乐殿堂。

只听这最后三部，还不足以认识他的交响曲艺术之丰富多彩。还有几部也应该仔细倾听。即所谓《林茨》《哈夫纳》《巴黎》与《布拉格》。被别人标上此类别号，都是事出有因，而且也可联想其身世，至少也比光记调名、曲码方便，但它们同乐曲内容是无关的。

莫扎特的创作，最重要的无疑是歌剧艺术，可惜本文不能谈这方面的问题。但他有两篇歌剧序曲，是极重要的必读曲。

一篇是《费加罗的婚礼》的序曲。这篇乐曲篇幅不长，速度又是用的急板，一般只要四分钟左右便奏完了（从萧伯纳的乐评中可以知道，19 世纪英国有个传统，它必须在三分半钟之内奏完）。然而那不过两百多个小节的音符中所蕴含的能量之大，简直找不到话来形容。它虽然是放在开幕前演奏的序曲，却只是作为一种情绪上的提示，精彩地预告了这部喜剧中将要具体展现的精神状态。但是我们后来人反复倾听而不厌，还可以从中感受、联想到比戏剧人物、情节更为深刻的东西，也就是莫扎特刚来得及赶上便不幸短命死了的那个伟大时代，那个狂飙突起的大时代！听此曲，令人精神振奋，也感到对音乐美的极大满足！

除了童年时期，他的一生绝非幸福愉快的，竟然写出了《费加罗的婚礼》序曲这样一篇浓缩了力量、喷发出欢乐的音乐，的确是这位不可思议者的又一个不可思议的例子！

另一篇值得独立演奏与欣赏的歌剧序曲是《唐璜》序曲。向来流传着有关此曲的一则佳话是，直到那部歌剧已经全部排好，正待开台上演的前一天，作者才在剧场与夫人的催促之下开了个夜车一挥而就，并未耽误演出。现代的乐史家订正了此说，认为准确的说法应该是开演前两天中写成。

我们知道，莫扎特最伟大的歌剧便是《唐璜》。而这篇从总谱上看来非常简单貌不惊人的序曲，评家们也极口赞叹其高妙：从一开始便概括而深刻地预示了全剧的情绪、气氛。

前面谈的那篇序曲是一片阳光灿烂，《唐璜》序曲则是鬼气森森的夜，有一种不祥之兆的气氛。

莫扎特天资过人，音乐上几乎无所不能：既是多品种又高产的作曲家，又是古钢琴、钢琴和小提琴的演奏名手。他写的小提琴协奏曲，演出时由他自己担任独奏。钢琴协奏曲的新作，也由作曲者以亲自弹奏的方式向公众发表。

二十七部钢琴协奏曲，除了早期的四首以外，是莫扎特全部作品中极重要的部分，其中最精彩的几首可以同他最好的交响乐作品以及歌剧平起平坐。所以，听莫扎特不可不听他的钢琴协奏曲！

当时的钢琴这乐器尚在青少年时代，只有六十一键，音域窄而音量不洪。这些弱点本来会有碍音乐思维的尽情发挥的；然而莫扎特能造奇迹。他运用这有局限的乐器谱写出了至今还无人能超越的协奏曲！

其中至少有十部左右是绝妙之作。如果来不及都听，那么有五部是不能不听的，即第二十、第二十一、第二十三、第二十五与第二十七。这数字只可增，不能减了。

这五部作品虽然同为钢琴与乐队的音乐，又各有各自的面目，绝不相互雷同，当然又都是莫扎特！

他的钢琴协奏曲，独奏乐器始终是主角，然而管弦乐也并非跑龙套的角色。他那使协奏曲交响化的艺术是巧妙而恰到好处的，并不像后人所犯的毛病，把协奏曲化为加上助奏（obligato）的交响乐。我们听时应该兼顾那“红花”与“绿叶”，才能充分领略其中的美妙。

他的协奏曲基本上是纯音乐。人们不必强作解人，索隐其中情节。但也有评家认为他是把它们当作无题、没有说明书的歌剧来写的，从中不难听出形形色色的人物、场面云云。

莫扎特的音乐世界是一种多样多彩，“现种种相”的世界，让人们见仁见智，各取所需吧！

他的小提琴协奏曲是如此流行，也就用不着多余的介绍了。值得提醒一句的是，那是一些他的前期之作。而他虽然早逝，虽然从童年起便显出了奇花怒放般的天资，但他的乐艺是有一个越来越成熟，达到更为圆熟更为完美的境界的过程的。所以我们更应该注视他那些后来的杰作，最有价值的作品都是最后十年中的产物。

比较起来似乎不怎么受到爱乐者注意的，有一部《小提琴与中提琴交响协奏曲》。这可是一部绝对不可错过的，也许比小提琴协奏曲更值得反复倾听的杰作。有评家认为，此作是一种真正富于交响性的音乐。作者做到了将最大限度的技巧性（意思是，再过分便流于炫技了）和最高度的音乐表现融而为一，使二者互不妨害而相得益彰！

还有一部也是为一双乐器写的协奏曲:《长笛竖琴二重协奏曲》。往昔我们听不到此曲，如今却有了各种版本的唱片。专业的乐人对它未必看重，这里倒要极力向爱好者郑重推荐。

从谱面上看，两种独奏乐器配一支小小的乐队，很简单，也不见密密麻麻的音符。这同那个有名的故事中的情况适得其反。当年奥皇听过他的歌剧以后批评他“用的音符太多”。莫扎特回嘴道:“陛下，一个不多一个不少！”他的伟大杰作正是像古人形容的“增之一分则太肥，减之一分则太瘦”的绝世佳人！

诚然,《长笛竖琴二重协奏曲》并非深刻之作。艺术技巧也是简单朴素的。然而这是非常有魅力的音乐。是一种天真烂漫的音乐，一种能令人心花怒放的音乐！

从这首作品的创作背景看，也确实像是一种不经意之作。当时他四处奔走谋职，为的是好摆脱那个束缚他的天才的环境——萨尔茨堡大主教的宫廷。流寓巴黎之际，碰上一个悭吝人小贵族，请他教女儿作曲。此公却爱吹长笛，女儿虽不是作曲的料子，竖琴是会弹的。此曲便是要莫扎特写出来让父女俩在沙龙里去卖弄的。谁知交货之后几经上门催索才取得一点点酬金，还说什么让你来府里教小姐已经是看得起你了。

然而这也是那种在穷愁潦倒的处境下写出来，却为后世人提供了形容不尽的欢乐的音乐。

容易被爱好者错过的另一类作品是他的小提琴与钢琴奏鸣曲。他写的这一类乐曲虽然不如后来贝多芬的作品那么深刻，然而也是音乐宝库里的明珠宝玉，爱好者如果对其无知是很可惜的。其中有一篇《G大调小提琴奏鸣曲》篇幅最短，才两乐章。结构十分简洁，而那音乐流利自然，明快到了极点！这种纯真的音乐是那种性灵自然流露之作，是不可能勉强做出来的。从这短短一曲中，我们可以对纯音乐之美有所体验。

听他的交响曲，是一种气派；听他的协奏曲，又是一种风度；再听他的奏鸣曲和室内乐，那语言又像是换了一种！莫扎特的音乐是如此气象万千，变化莫测！然而他的个性又是如此鲜明，一听便能认出来；那些想模仿他风格的音乐，也总是令人不耐。莫扎特只能有一个！

不必望洋兴叹

——漫议欣赏曲目（九）

上一次我们漫谈到了莫扎特的作品。从莫扎特再上溯乐史之流，我们必读的便是巴赫和亨德尔的作品了。这在我们的听觉和心理上都必须来一番很大的调整才能够适应。

这是因为，我们是从主调音乐回到了复调音乐时代。巴赫和亨德尔那时代是复调音乐极盛的时代。从那以后，音乐潮流转向了主调音乐。人们今天听得比较习惯的还是这类音乐。这两种时代的音乐，写法大不相同，听法也有点两样。听主调音乐，你假如听清了其中的主旋律，跟住那条线索，即使把那和声丢掉了，你也算听到了一部分，会有所感受。但在听复调作品的时候，不同的几个声部中几条不同的旋律线，同步或参差不齐地进行着，交织在一起。此时，如果你仍只盯住其中的一条旋律线，顾不上听其他的，那么你就听不出多大意思，会感到索然无味。所以这种多声部复调音乐，不是一上来就能听得惯的。

巴赫和亨德尔的时代也就是所谓巴洛克时代。除了复调，巴洛克音乐也还有一些其他特色，例如乐器、乐队、乐曲的形式，都跟后来的音乐不大一样。乍一听巴洛克时代的音乐，你会有耳目一新之感。但是，这种“新”，其实是古，正所谓古意盎然，却也就要求我们的听觉和心理去适应它，方可能听出名堂。

要从巴赫、亨德尔的作品中挑选出必读之曲也很难办。他们的重大作品不但太多，而且又不容易读。我们时光有限，听赏知识与经验太不足，如何能不自量力去硬啃？唯有望洋兴叹而已！

这里所说的“洋”倒并非浮夸之词。巴赫这个词，德语是“Bach”，原义是小溪。翻开贝多芬《田园交响曲》第二乐章的管弦乐总谱，你会看见那个由作曲家自己写下的标题：“溪边景色”。其中之“溪”，原文正是“Bach”这个词语。也正因为此词原义为小溪，所以才引出乐史上那句“世说新语”式的警句：“他不是小溪，他是大海！”这话是贝多芬说的。

巴赫的乐境浩瀚深沉，令人莫测，作品数量之大也是可惊的。按作品的编号来看，贝多芬有正式编号之作是一百三十多号，加上此外的，总共才三百左右。莫扎特的作品编到六百多号。然而老巴赫的作品号码竟突破了一千大关！

当然，在这洋洋大观的巴赫文献中，有许多作品，即使对于专业乐人来说恐怕也只有乐史价值，除非是专门研究巴赫的学者；我辈凡人本来就不可能也不必去问津的。不过，值得读也应该读的部分仍然是一个相当大的数目。

比方说，单是那部《十二平均律钢琴曲集》，也就是被尊为钢琴家的“旧约圣经”的，全部四十八曲。以每一篇而论，篇幅倒不长，比起贝多芬的奏鸣曲短得多了。然而要把这四十八篇都来通读一遍，我们也没有那么好的消化力。如果硬要那么干，你恐怕也会消受不了，只得掩卷叹息的。

复调音乐的听赏，要求更多的精力，聚精会神，来不得半点心猿意马。而巴赫的作品，听起来比亨德尔的作品更难懂，更需要高度集中你的注意力，也更需要反复倾听。复调音乐对于思维有特殊的要求，因此，在键盘乐器上弹奏它固然不容易；坐着听，也不是什么轻松的事。如果毫无经验，那竟会变成一种苦事。

外号叫做“四十八”的《十二平均律钢琴曲集》中，开宗明义第一篇是《C大调前奏曲》，倒不那么令人望而生畏，反而显得似乎很简单。其实不然，就从这不过三十四小节长的短小乐曲中，我们也可以感受到巴赫的风格，一种静穆、崇高的风格——当然，这只是他的一个方面。初听之下似乎简单平淡的这篇乐曲，却经得起不论多少次的反复倾听。不同的演奏家也可以从中演绎出不同的意境来。也许正因其内蕴的丰富，触发了古诺的灵感。他将此曲当作伴奏，而另在高音声部上安排了一行旋律。这样便作成了那篇《圣母颂》。古诺填上去的曲调和原有的前奏曲和谐一致，像是老巴赫老早就为这首歌曲预制了伴奏一般！

《十二平均律钢琴曲集》中，前奏曲与赋格曲写法不同。前者基本上是主调音乐，后者是纯粹的复调音乐，二者适成对照。赋格曲是非常紧凑的复调乐曲，听起来难度更大。然而在巴赫作的赋格曲中，也有我们比较容易听出意思的。如今，他的管风琴曲《d小调托卡塔与赋格曲》相当流行。其实，他还有两部管风琴赋格曲更耐倾听。它们都是g小调的，一首大一点（BWV542），一首小一点（BWV578），由此在曲题上被人附注了“大”或“小”的标记。以上两首作品，还有管弦乐改编曲。对照而听，可以对管风琴的表现力加深感受，而管风琴这“乐器之王”正是巴赫的喉舌。

巴赫写的几部无伴奏小提琴奏鸣曲，称得上是小提琴家的“圣经”，乐意深邃，技巧艰深，是小提琴文献中的重大作品。其中有一个乐章是《恰空舞曲》，演奏家往往将它抽出来作为一个节目演奏。

在一把旋律性的乐器上独自演奏多声部复调音乐，这对于演奏者是艰巨的劳动，对于我们听赏者却也并不容易，因为这同听赏一般的小提琴独奏曲在感觉上是很两样的。

这首《恰空》在一支貌不惊人的主题上衍化出多段变奏。它们是一个有机组成的整体。巴赫这位音乐“建筑”大师好像是用音符的砖石在营造一座大厦。从孤零零的一支小提琴上流淌不绝、变化莫测的乐声，引导着我们一层层深入乐境，最终让听者恍如游览了这座大厦的落成。像这样宏伟的音乐殿堂，无论如何是应该去瞻仰的。

巴赫的代表作大都是巨型建筑，但也有比较短小的作品，同样引人入胜。他的两集《创意曲》，已成了所有学弹钢琴者的必修课。其实，也是我们爱好者的必读书。你会从这些复调小品中得到莫大的乐趣。这三十篇精妙的小曲各有其不同的情绪和意趣。认真倾听这些言浅而意深的音乐，既可有助于我们由此进入复调音乐之门，而且还可以从中感知这位巨匠的心曲。

同巴赫在乐坛上并肩而坐的巨人是亨德尔。同年同岁同届德意志人的这两位大师，同处于巴洛克时代，但是他们的音乐风格却是如此的不相似，你用不着听他们的很多作品便能发现这一点。

留心倾听这种差异，感受它，辨认它，是一种很有意思的体验。也正因其有这种不同的风格，所以人们对于巴赫与亨德尔的作品往往是各有所好的。例如，钢琴家傅聪的父亲、翻译家傅雷，便曾说过自己喜欢亨德尔而不喜欢巴赫。这也是可以启发我们自己去体验与思考的一个问题。

要简单地说明一种音乐风格是很困难的事，更何况是像巴赫和亨德尔这样包罗万象的音乐。但我们大家会有同感的是，亨德尔的音乐有一种最明显的特点是明朗、壮阔，虽然是那么气象宏伟，却又那么平易近人！

他的音乐绝不晦涩费解，然而它的通俗易懂并非是由于肤浅。

他同样是一位多产的作曲家。其作品没有什么编号，但那些曲目可以排满二十几页，不过现在仍然经常演奏的已经不多了。

在他的所有代表作中，最了不起的，无疑是那部《弥赛亚》了。这是一部清唱剧，每年到了基督教的圣诞节，世界各地便可以听到这部不朽之作的声音。

《哈利路亚》是其中的一篇大合唱，是这部清唱剧中最精彩的一曲。我们如果不可能细听全剧，那么仅从这篇大合唱中也完全可以感受到亨德尔的音乐是何等的感人至深。在宗教徒耳中，他们自然是从对天国的信仰中获得了共鸣；但在同宗教不相干甚至相信无神论的爱乐者听来，这音乐也是美妙而不能不为之感动的。这是因为，亨德尔运用他那明快而流畅的复调语言表达了那种对光明幸福的向往与颂赞。人们在听这篇大合唱的时候，如果联想到贝多芬《合唱交响曲》中的《欢乐颂》，那也是很自然的。

对于已经熟悉亨德尔的《水上音乐》和《焰火音乐》但也许还不知道《布谷鸟管风琴协奏曲》的人，我要劝他听听这后一曲。亨德尔为管风琴写了好多首协奏曲，其中以这一首最为雅俗共赏了。管风琴的音响常常是同庄严的宗教形象相联系的。有些以“田园”为题的管风琴曲，又总是恬淡平和的。此曲却很不同，管风琴放开嘹亮的喉咙，尽情欢唱一首春之歌，洋溢着一种清新的气息，又不失其典雅之美。

即使仅仅选读巴赫和亨德尔的作品，我们的时间已经不够支配；然而他们只是巴洛克音乐的两位代表而已。那个时代是一个人才辈出、大师如林的音乐盛世。许多乐人不但才气惊人，而且作品产量之高也令人不可思议。这些人的声名及其所作，一度曾经被前两位巨人的身影所遮蔽，因而少为人注意。近世以来，古乐应运复兴，巴洛克音乐回潮，并且大热。于是，爱乐的人们不光要听巴赫、亨德尔，同时也重新发现了斯卡拉蒂、泰勒曼、维瓦尔第等人的作品了。

不过，按照我们一开始便向大家申明的思路，对于选择“必读曲”的谈论只好就此打住。因为，我们将转入有关“可读曲”的新话题了。

不必望洋兴叹

——漫议欣赏曲目（十）

到此为止，我们议论的都是“必读”之作，现在要谈“可读”之作了。

提醒一声：“必读”之作中，绝大部分可以认为是音乐文献中的经典之作；但是“可读”之作倒并不见得都算不上是经典作品。只是鉴于一般的爱好者虽然爱乐心切，却又苦于闲暇不多，再加上其他种种条件的限制，因此有些作品本来可以纳入“必读”曲目的，只好移到“可读”曲目中，让读者各取所需了。

不难想见，既然有那么多的非读不可的经典之作我们都来不及读，那么，除此以外的值得我们浏览泛读的好东西，岂非更加读不尽了吗！所以，还是只能选。选，就得有个路子，不必见曲便听，尤其不必赶时髦。

大体上按照音乐史与重要作曲家的脉络来进行一种心中有

数的选读，仍然是可取的办法。这样做也有利于深化我们对于已经读过的经典名曲的感受。

我们试按这一思路来商量“可读曲目”，以巴洛克时期说起。

巴赫的《a小调小提琴协奏曲》自然是一篇可听之作。除了从它本身的乐意是如何展开这一方面来领会，你必然也会感受到它和后来的协奏曲（例如莫扎特之作，更不用说浪漫派人的作品）是多么地从面貌到风味都很两样，而这样对照而得的感受是能有助于我们建立乐史感的。

比这一作品更值得听的是《d小调双小提琴协奏曲》。这是更有吸引力也更值得反复倾听的音乐。吸引力多半来自那两支小提琴的“女声二重唱”。其中的美妙又不仅在于曲调之悠扬宛转，更在于那歌声传送了一种非常诚挚亲切的感情。它既不带宗教情绪，又似乎不受时间距离的阻隔。老巴赫朴实的真情，直诉于三百年后人的心！

我们还可以从两个“歌喉”的一唱一和中感受到许多美妙的效果。

《G弦上的咏叹调》之所以有吸引力，成为雅俗共赏的一篇流行小品，主要也是因为曲中有真情，而这情感又能得到古今共鸣的缘故吧！

但是一般爱乐者即使已熟悉了这首小品，很可能还是只知其一，不知其二。

流行的本子多半是那种经过小提琴家维尔海姆改编的小提琴曲。主旋律从头到尾都在小提琴的G弦上进行。在这乐器的四条弦中，G弦最粗，音色浑厚，像是女低音。拉到高把位上，更带有一种紧张热烈的情绪。这也就为此曲增加了表情色彩。何况，“独弦操”式的演奏也是可以唤起听众的兴趣的。

可是要忠于巴赫原著的精神的话，这就大失原意了。原著并非改编曲所改用的C大调而是D大调。不同的调性有不同的色彩，这对我们非专业者未经专业训练的耳朵说来是很玄的问题，且不去管它。巴赫也并不只用G弦来奏这个曲调，而是用了其他的有不同音色的弦音。因而它的效果，按照音乐学者托维的说法是“女高音的天使般的音调”。这就和改编本的深沉的“女低音”是两种意趣了。

最成问题的——至少对于苛求的专业耳朵来讲，改编者把主旋律转移到较低的声部上，却又让原谱中的其他声部保持原样，从而也违反了和声学原则，当然也违背了巴赫原来的意图。难怪那位一力维护音乐艺术尊严的托维先生要光火，大骂改编者“给这首巴赫最纯净、动人的作品之一强加上四五处严重的错误，造成谬种流传”了！

原作即是《D大调第三管弦乐组曲》。它的录音在以往的时代是难得听到的，如今却常见。拿原作来同你更熟悉的改编本对照着听听是会对听赏力的提高大有益处的。正因此，这里不免多谈了几句。

巴赫的创作精力惊人地旺盛。你看他那作品编号“BWV”下面的数字竟突破了一千！即使把听乐的时间全部投入，我们也消受不了他的所有重要作品。其中有许多是连一般的专业乐人也会因其艰深玄奥而不敢问津的，遑论我辈门外汉！可是它们又放射着某种磁力，无论以其名声之显赫抑或它们的真实身价来说，如果对其一无所知，那又实在叫人心不自安！

“与其一知半解，毋宁一无所知。”此话显然不好套在音乐欣赏这个问题上。对于巴赫的作品，能多增进一分见识总比无知好。也难说某些作品对你竟还有些缘分（指的是由于种种带偶然性的主、客观因素而促成的共鸣），它会吸引你，从此你成了它的知音也是可能的，而且从当代众多听众中增长的巴赫热也可以得到证明。

巴赫写了一套无伴奏大提琴组曲。它同本文前已提到的无伴奏小提琴曲，像星空中的“双子星座”似的辉煌。当年，大提琴演奏家、西班牙人卡萨尔斯灌这套作品的唱片，一年只肯录其中的一部分，执拗地细琢细磨他那其实已经炉火纯青的演奏技巧，反复斟酌如何做到忠实的诠释，唯恐贬损了这件他视同神圣的艺术品。

我们不能不对这古今两位大师更加肃然起敬，自然也越发对此曲神往了！

遗憾的是，我们这样的“素人”，要想不费什么气力便能听出其中之味，很难！反而会有枯燥之感也说不定。奇妙的是我也发现，某些并非老经验的青年爱好者对它发生了浓厚兴趣，听得津津有味。

《勃兰登堡协奏曲》在巴赫的作品中是引人注目的重要之作。假如没有时间细听全部六首，可以听那第五首，那是最为精彩、引人入胜的一首。《勃兰登堡协奏曲》是所谓“大协奏曲”。写法、乐队、演奏效果都同后来的协奏曲是两样的，而巴赫的大协奏曲又自成一家，味道和同时代的别的大师有所不同。其中那种高密度的复调织体要听清楚当然需要付出高度紧张的听力，但当你熟听之后，那辉煌的艺术效果又是莫大的享受！

他有三部分量十分沉重的大作品，即《哥德堡变奏曲》《赋格的艺术》与《音乐的奉献》。从前即使你有虔诚的愿望渴想一听也是难以如愿的。因为如此深奥、晦涩的音乐是曲高和寡，也就不容易上唱片的，恐怕连专修乐艺的人对它们也只有仰慕而已。现在这几部作品的唱片却已可望而也可及了。假如你热衷于巴赫，那么不妨也涉猎一番。然而，还有《b 小调弥撒》，还有《马太受难曲》《约翰受难乐》，等等，都是声名显赫的音乐文献，我们也只好“虽不能至，心向往之”了！

除了从原作中去认识、感受巴赫，我们往往还能从改编曲中受到感染与启发。即使不全是正面的效应，然而总是能推动我们更加用心去倾听。前面谈过了《G 弦上的咏叹调》这有争议的例子。再如古诺的《圣母颂》，它岂不也唤起了我们对巴赫原作《C大调前奏曲》的新鲜感吗?

巴赫的管风琴曲如《g小调赋格曲》《帕萨卡利亚》有管弦乐改编曲。它们并非原作的摹本，配器法的运用赋予音乐以不同的色调。然而管风琴原著却也不能被取代。

移植到古典吉他上的《恰空》(在谈“必读”曲目的前文中已介绍了这首无伴奏小提琴曲)，假如有高手演奏，听起来并不比小提琴上的效果逊色。

说到扩充听亨德尔的曲目,《水上音乐》《焰火音乐》几乎无须多说，因为大家恐怕早就耳熟了。

至于那篇《广板》，同样是流传极广之作。此曲原本并不是广板的速度，是稍为放快一点的小广板。这一改改得好，显然更符合那音乐的情感，使之成为怎么也听不厌的音乐了。它的各种改编曲数量之多是突出的，足见它是何等受人喜爱了。

亨德尔作了很多首管风琴协奏曲、大协奏曲、小提琴奏鸣曲。其中值得一听的不在少数。这样的认真而不是心不在焉的浏览，不但是为了认识亨德尔而已，也是为了从对照之中更加具体地感受那另一位巨匠巴赫的不同风格。不妨说，不认识亨德尔，你就不能更好地认识巴赫，反过来也同样如此。这是很有意思的!

那么，为了更好地感受这两位大师的音乐，当然也为了了解巴洛克音乐，我们还要听听另外一批巴洛克大师的作品。

斯卡拉蒂的钢琴奏鸣曲是很值得听听的。这种所谓奏鸣曲并不像人们熟悉的古典派奏鸣曲。它们短小精悍，简洁而并不简单，明快流利而并不肤浅。我们初次接触他的这些作品，会觉得耳目一新，很有新鲜感。

他的音乐不但不像我们听惯了的近代作品，而且也明显地不同于同一时代的巴赫与亨德尔。这是一种品尝不同风味的艺术的大享受，也使我们感叹音乐文化的丰富的多样性。

再听另一位巴赫同时代人泰勒曼的作品，那么你又接触到同以上这几人都有所不同的风格了。泰勒曼也是一位多产的作曲家。往昔的老乐迷不知道他的作品，如果想见识一下也不可能。随着巴洛克热潮的增长，泰勒曼又像他生前那样令人感兴趣了。

除了从风味的不同来品尝，我们还可以从另外一些角度来留心倾听。比如，巴洛克音乐用了一些古乐器，如古钢琴、竖笛、古提琴之类。

还有，所谓“通奏低音”是形成巴洛克风格的重要因素之一，我们也需要习惯它。

总之，我们在听巴洛克音乐当中既像是回到了一个音乐文化的旧时代，却又像进入了一个听觉的新天地，我们既从整体上感受到它和后来的音乐之间的“异”，然而从它自身之“同”中也发现了种种之“异”。

也许你会怪我不该漏掉维瓦尔第，他的确是又一个绝好的例子，说明巴洛克音乐中的同中之异。但他的《四季》是如此流行——可能过度流行了——也就不必多提了。

在此倒可以提另一个名字：帕赫贝尔。此人作品现在上了唱片的几乎只剩一曲《卡农》了。以其庄严、深沉、耐人寻味的品格而言，它也许还应进入“必读”曲目！

不必望洋兴叹

——漫议欣赏曲目（十一）

上一期，议论“可读曲目”的话题是巴洛克时期的作品。接下来要谈古典派。我们在谈“必读曲目”的时候没有提到海顿，不免有点委屈了这位古典派的长者，正好在这里补课。

海顿也是一位产量很高的大作曲家。产量高，当然证明他肚子里货色多；但也有时代背景与实际需要。那时候的欧洲正处于法国大革命的前夜，是新与旧“方生未死”的时代。一个音乐家，不管他有多大的才艺，要有饭吃，要出名，不投靠一个保护人是不行的。他们的处境好像是介乎倡优与清客帮闲之间吧。

例如“海顿爸爸”这样一位可敬可亲的乐人便是奥匈帝国一个亲王府中雇用的乐师。他必须身穿号衣，同府中的低级仆役们坐在一起就餐。每逢王爷举行宴会舞会之类活动，他就领着乐队奏乐助兴。他还必须听候主人的吩咐，不断供应新节目，包括交响曲和室内乐作品。要及时赶写出来派用场。这样的“遵命音乐”往往是成批生产的。因此音乐家几乎也变成了定期交货的手艺人。他们很难只在有了不吐不快的创作冲动的情况下才欣然命笔。可怜老海顿便是在这种环境中熬出来的！

一百零四部交响曲！这位“交响乐之父”留下了这个后无来者的纪录。今天的乐迷对海顿感兴趣的仍然不少，虽然不见得有胃口通读那一百零四部。

海顿的乐风，乍听起来很像莫扎特，有时颇难分辨。其实，是年轻的莫扎特先受他影响，然后是年长而且谦逊的海顿向青出于蓝的后辈吸取营养，而更基本的原因是他们同处于一个时代。

海顿的交响曲，有各式各样的标题。其中，所谓的《惊愕》《告别》《时钟》《军队》这几部是最流行的，也是我们可以首先选读的，这些标题都联系着同那篇乐曲有关的小故事，可以为听赏增添兴趣，当然也不必当成理解音乐内容的根据。还有许多交响曲的外号如“玛丽亚·特蕾莎”“法国王后”“晨”“午”“暮”等等，举不胜举，是当年乐谱出版商以意为之的，更不足为据了。

《玩具交响曲》这部作品的“知识产权”，倒是一个有意思的话题。这部作品，作为“可读曲”还有点委屈了它，虽然那么短小而似乎简单。所用的乐队近乎省掉了木管与铜管的弦乐合奏，但却奇特地加进了好几样玩具，有的模仿布谷鸟、画眉的啼叫，有的代替打击乐器，增加一点热闹气氛。这本来很容易流于浅薄甚至俗气的，可是它有一种宁静素朴、天真烂漫之美。初听便不觉受其吸引，久听更觉其中意境悠远。它是一种成人可以从中认取自己的童心的音乐。也不妨把它当作一篇小小的“田园交响曲”来听。

如此美妙的一篇管弦小品，以往都（今天仍有人）认为是海顿之作。还有他如何童心发作，在集市上买了那些玩具回去，随即谱成此曲的故事流传。这倒是相当符合“海顿爸爸”那慈祥幽默的性格的。可是经过现代学者的考证，看来此作的版权还要归属老莫扎特，也便是列奥波德·莫扎特，也就是那位旷世天才的老父。他不但是小提琴教学法的专家，又是一位著作等身的作曲家。交响曲、小夜曲、嬉游曲、室内乐……那数量之多是令人惊讶的。在一些标题性的乐曲中，他喜欢加进非常规性的音响，例如风笛、手摇琴。有时甚至用上戏剧性声响效果，在描写狩猎的音乐中传出了人呼、犬吠之声。由此可见，《玩具交响曲》中加进玩具是符合他的习惯的，并非突然。

除了交响曲，海顿的作品可听的还有不少。他为大提琴写的两部协奏曲，属于大提琴文献中屈指可数的重要作品，也是大提琴家们的保留节目。也许，由于莫扎特和贝多芬都不曾为独奏大提琴写过协奏曲，海顿之作更显得有欣赏价值了。

海顿不但是“交响乐之父”，对于弦乐四重奏的发展成为最完美的室内乐音乐形式，他也是功在乐史的。而且他在这方面的高产也是突出的。数量之多，令人听不胜听。有趣的是，它们也像其交响曲那样被别人加上了一大堆标题。像“狩猎”“鸟语”“梦”之类是比较平常的。题得古怪的如“蛙”，又名“失火”，也名“维也纳之乱”。更离奇的也许是那篇“剃刀”四重奏了。据说此名之由来是，海顿正为剃刀太钝烦恼，嘟囔道：我情愿用一首四重奏换把好刀！此时正好乐谱商登门求稿，于是那首成交了的作品便得了这个绰号。

室内乐更适合于“纯音乐”，而不大适合标题乐，何况这些标题是别人妄加的。所以我们听这些四重奏，对那些标题可以一笑置之。

在他写的八十四首弦乐四重奏中（最后一首未完成），我们不妨先挑出两首来听听。一首是《云雀》（作品64之5），一首是《皇帝》（作品76之3）。

他有一篇《小夜曲》是无人不喜爱的。其实本是《F大调弦乐四重奏》中的一个乐章。他用三件乐器的拨弹衬托着一把提琴的曼声歌唱，唱出一支朴素清新的歌调，雅俗共赏，永葆青春！

他的《降E大调小号协奏曲》也是值得一听再赏的音乐。为小号这样的乐器写的独奏曲，能写得这样灿烂、流利，而又不俗，耐听，实在难能可贵。

我们在读海顿之作时，一开始会感到他、莫扎特和贝多芬三人之间的风格与音乐语言上的相似、相近，然后又发现三人之间的不相似。你也许会觉得，要认出某一作品是海顿还是莫扎特写的，往往并不容易。有时我们又会从海顿的作品中认出贝多芬来。但三个人又都自成一家。这些都是值得留心玩味的。这正反映出时代的影响，流派的形成与发展。

莫扎特的作品，我们在“必读曲”那一部分已经举了那么多，实际上，可读的举不胜举。

例如，他写的钢琴奏鸣曲，其语言和所表达的情绪同他的钢琴协奏曲是两样的，显得比较内敛、含蓄。粗粗地听几次，也许引不起什么兴趣，但是在那表面的平淡后面包含着相当深沉的思索。多听就觉得非常亲切有味，那味道又不同于他的交响曲和协奏曲。我们如果能比较广泛地涉猎一番他写的各种味道不一样的作品，就会更加感到他的内心世界何其广博，他的音乐语言是那样地变化莫测！

有两首奏鸣曲，可以优先选读，即 K.332 与 K.333。

莫扎特几乎为每一种适宜独奏的乐器写了协奏曲，它们都成了协奏曲文献中的经典作品。为长笛，他写了两部协奏曲。为单簧管写了一部。都是既美妙也有深度的名作。大管协奏曲和四部圆号协奏曲也值得了解一下。他又曾写过几部由几种管乐器主奏的交响协奏曲，可惜有的已经遗失。今天我们能听到的一部，据说还不一定是原作。

莫扎特的作品，可听的实在太多，因此我们还是要注意优选，也就是要优先选听那些更值得先听的作品。例如，他有好多部嬉游曲和合奏用的小夜曲。我们大可不必在那上面多耗时光，留待将来你成了莫扎特迷时再通读细读也不迟。

在他所作的这类小型乐队合奏的小夜曲中，最流行的无疑是《G大调小夜曲》（K.525）了。正是由于它的广泛流传，过度的反复演奏与听赏，反而降低了它的品质。它的有一种被妄加了打击乐器的改编曲还被用来为商业广告配音。本来是典雅秀丽的音乐，今天给人的印象已经成了肤浅的消遣节目。我们应该忘掉这一切印象，重新审听这篇佳作。

除了《唐璜》和《费加罗的婚礼》这两部歌剧的序曲应该作为必读曲以外，莫扎特的十多篇其他歌剧的序曲也是很可以欣赏的。这些序曲中，有的演奏时间还不到两分钟（《巴斯蒂安与巴斯蒂安娜》序曲），其他的大多同《费加罗的婚礼》序曲的篇幅差不多，其中最有深度的当然要数《魔笛》序曲，那是需要、也值得好好地倾听的。《女人心》和《后宫诱逃》也是他的两部重要歌剧作品，它们的序曲也是有分量而且各具特色的。还有一部人们并不重视的歌剧《剧院经理》，却应该提醒爱好者留意：它的序曲是不可以放过的！因为在它那喜剧风格的音乐中，像《费加罗的婚礼》序曲一样，洋溢着一种乐观的、幽默感的精神。音乐非常明快、泼辣。你无须多问剧中情节，自然会受到感染而不禁精神为之一振。它是既有吸引力也经得起反复听的音乐。

莫扎特的灵感结晶，不少是散落在零珠碎玉之中而容易被人忽视的。例如，他因为供职宫廷，常常不得不为了贵人们的宴舞提供一些余兴音乐。其中往往可以发现绝妙的笔墨。在其《德国舞曲集》中，有一首C大调的，便是一例。曲式、和声、配器，都是简约不过的，然而是真正的莫扎特，那美妙是超出了语言文字的表达能力的！

如果细看他的全部作品目录，你会发现其中还有几种稀奇古怪之作。一种是为自动管风琴写的乐曲。（如《幻想曲》，作品K.608）此种机械乐器，自中古以来便在欧洲流行了。

另一种是为“玻璃琴”而谱的几篇乐曲，如作品K.356《柔板》。玻璃琴是那年头在欧、美风行一时的新发明。音响奇幻，近似于本世纪曾有人玩过（今天仍有爱好者）的锯琴。歌剧大师格鲁克、大文豪歌德、政治活动家富兰克林都对它十分欣赏。莫扎特也大感兴趣，为这新奇乐器和它的演奏名手、一位叫玛·克其格斯纳的女子写了乐曲。

有机会见识一下这种音乐，可以对这位绝世奇才的多才多艺增加不少联想，虽然那作品本身倒并没有多大价值。

下一回，我们要谈贝多芬的可读曲。

不必望洋兴叹

——漫议欣赏曲目（十二）

两年来，我们一连用了十一次漫谈，议论欣赏曲目，从必读之曲谈到了可读之作。有关后面这一话题的讨论其实只是刚开了个头，初步展开。

可惜的是，这种饶有兴趣而也可能引来异议的长谈，本期必须进入终曲，奏响终止和弦。

曲海浩茫，无边无际。我们纵然只是海边拾贝，取一瓢饮，仍然是难以解决一种矛盾：音乐文献的无涯与人生之有限这二者之间的矛盾。这对于爱乐者来说，永远是绝大的惆怅。

这一矛盾的存在，最根本也最实际的原因当然是：音乐就是时间。要享受音乐，就不得不支付时间。人们可以拥有千张万套 CD。无奈你千金也难买寸光阴！

何况，我们业余爱好者还受到另外的一些限制。我们唯有格外珍惜时光，更加精打细算地优选我们的欣赏曲目。

我们最后一次漫谈的话题，是关于贝多芬的可读曲。

设想将音乐欣赏的过程当一部奏鸣曲来看。从贝多芬开始，好比是“呈示部”。那么中间的“展开部”便是对音乐史的回顾与前瞻。“再现部”又回到了继往开来的贝多芬。这样来宏观而贯通地听赏、体验，正是为了知其源也识其流，并且不至于“如堕烟海”。

我们可以从几个方面来扩充我们对贝多芬的了解。

首先，在交响音乐这方面，可以遍读他所写的所有管弦乐序曲。其中，特别值得用心听的是《菲岱里奥》序曲和《莱奥诺拉序曲》一号与二号。这三篇作品，加上我们已经在“必读曲目”中谈过的《莱奥诺拉序曲》三号，一共四篇，全都是贝多芬为歌剧《菲岱里奥》写的。他前后花了九年功夫构思，不断改写这部他毕生所作唯一的一部歌剧。而为了给这部伟大歌剧配上最合适的开场音乐，以引导观众更深入地理解、感受剧中的内容，他竟然如此不惮烦地一而再再而三地写出了四篇序曲。这在音乐史、歌剧史中既无前例也没有后例。仅仅以这种追求艺术完美的精神与毅力来说，便足够令人惊叹而极想了解这四篇作品的异同之处了。何况它们并不重复雷同，几乎篇篇是杰作呢！当然，最了不起的是《莱奥诺拉序曲》三号。这已经做过介绍了。其次便是《菲岱里奥》序曲。它篇幅不大，甚至叫人觉得怎么还没听够便收场了？然而它的语言同另外三篇又是全不相似的，贝多芬真是敢于也善于另起炉灶！

《菲岱里奥》序曲的章法也是简明扼要一目了然。但是那气派的宏大给人一种雷霆万钧的感觉。这就超越了这部歌剧的内容而不能不叫人好像面对着当年那个伟大壮观的大时代了!

《莱奥诺拉序曲》(二号)虽然同“三号”有共同的乐想和布局,然而也有别出心裁之处。

“一号”同《菲岱里奥》序曲一样比较短,也同样适合放在全剧之前作“序”。“三号”最完整而深刻,像一部有独立演奏价值的交响曲。但这样反而使它不适宜当序曲使用了。因为这会造成第一幕的场景与气氛显得不协调。在听过如此宏伟热烈的序曲之后,如何衔接上第一幕开头的狱卒女儿的爱情故事呢!

因此,后来的歌剧演出都以《菲岱里奥》序曲为序。而“三号”这篇最完满最深刻的作品成了音乐会中独立演奏的节目。不过也有人把它放在歌剧的最后一幕之前演奏。

往昔的乐迷,无论在音乐会里还是在老唱片上,恐怕只能听到这四首序曲中的两首。“一号”和“二号”是只闻其名而已。今天我们却可以在一张 CD 上一下子便把这“四位一体”的乐史名篇欣赏全了。如此也便能够更好地领略贝多芬的艺术,这真是前人享受不到的耳福!

《科里奥兰序曲》这篇音乐,简洁明了,深入浅出。只要知道了标题所提示的内容,听起来是很容易感受那里面的戏剧性和人性的。

以往我们甚至无从悬想:《剧场落成序曲》是怎样的一首曲子？因为既听不到，也看不到有关的文字介绍。现在，人们如果有兴趣见识一番这篇编号为124的贝多芬较晚期之作，它的录音并不难觅。一听之下，你就会感受到它的气势不凡，确实有一种像指挥家兼乐评家托维所概括的特点:“岿然如山”。

它是一部长期受到不应有的冷落的杰作。

托维一方面声称他从来不曾遇到过比此曲更难描叙的音乐，但他所做的介绍已经十分引人入胜了：庄严的进行曲。远处隐约可闻的匆匆脚步……有一会儿鸦雀无声，庄严肃穆，突然一阵劲风从远处吹来最初的微弱的骚动声，于是我们便卷进巨大的赋格曲洪流中，从一个高潮进入另一个高潮。戏演完了。剧中人的苦难已经结束。观众进入剧场以外的世界……

托维在他的《交响音乐分析》中用了长长的篇幅所做的不厌其详的分析与评论，读起来是很有味道也大有教益的，不只是对此曲的精彩的导读而已。

从贝多芬的大块文章如交响曲和奏鸣曲中，我们感受到炽烈得如风、火、雷、电的激情在尽情喷发。然而在一些篇幅不大体裁不同的作品里，人们又常常可以听到这个巨人的另一种心声，那又是何等天真、纯朴、真挚、温柔的声音！《F大调浪漫曲》中便有这种叫人觉得同贝多芬已全无隔阂的深情。它是一篇用管弦乐协奏的小提琴曲。可以看成是一篇小小的小提琴协奏曲，然而它毫无夸饰，只有深情！

他的十首小提琴与钢琴奏鸣曲篇篇可读。最末一首即《G大调小提琴奏鸣曲》，也是这样一种天真烂漫的音乐，却又是一颗巨大心灵的天真烂漫！

至于他的三十二首钢琴奏鸣曲，却又并非那么篇篇可读了。属于中期的那几篇，如《悲怆》《月光》《暴风雨》《热情》《黎明》《告别》，都是必读之作，前文早已谈过了。除此之外，早期之作与晚期之作却都是我们凡人难念之经、难参之禅。

然而我们也许更应该把这当成是一种挑战，力求能多读几篇。当你在已经比较熟悉了那几篇必读之作的基础上，进而向其他奏鸣曲“探险”的时候，每接触一篇前所未知的奏鸣曲，你就会感到诧异：贝多芬哪来这样多的毫不自相雷同的语言，而且表达着不相雷同的思绪！

尤其是晚年所作的那几部。假如我们阅世不深，缺少可与暮年贝多芬沟通的体验和心情，加上我们倾听与理解的经验、能力都欠缺的话，那么，恐怕硬是听不出所以然的吧？作品106是最突出的一例。这也是用不着灰心丧气的。

三十二首钢琴奏鸣曲中，也有两首是平易近人的，即作品49之1与之2。如果由一位高手来弹奏，它们同样有值得认真品味的贝多芬味。

贝多芬的钢琴音乐并不限于三十二首奏鸣曲和五部钢琴协

奏曲。假如有兴趣，我们还不妨涉猎一番他的变奏曲作品，那同样是他在谱纸与键盘上驰骋他的乐思的一大领域。

几部大型的变奏曲，在其全部作品中占有重要地位。例如《迪亚贝利变奏曲》便是他的一部规模宏大、有深度有功力的力作，也是很值得我们见识一番的。迪亚贝利这个作曲家兼出版商出了个点子：约请众多有名作曲家为他自己写的一支圆舞曲节奏的主题各谱一段变奏，用来汇成一集出版。贝多芬应邀参加。他乐兴大发，一发而不能自休，不是只谱一段变奏曲，而是连作了三十三段交卷。这样一来，只好单独成为一部作品问世了。迪亚贝利的那支主题，其实平凡，可是贝多芬的变奏，化平凡为不凡，三十三段，乐想层出不穷，愈出愈奇！我们也许不能充分领略贝多芬变奏与展开主题的艺术手段是如何的高妙，但我们可以在倾听中认出他的性情、声口，其中有一段简直像是听到了贝多芬爽朗的笑声！你应该想一想，虽然音乐文献中如歌似泣的篇章多的是，但是能像贝多芬那样用乐语表达谐趣，发出含义不同的笑声的，很难找到第二人。

他的可读之作，真是举不胜举。全部协奏曲，除了已列为必读者那三部以外，另外的几部钢琴协奏曲（即第一到第三首）都可读。那部为小提琴、大提琴与钢琴而作的三重协奏曲也是应该收进我们这曲目的。

全部弦乐四重奏，都值得我们做一番巡礼，当然其中最吸引人又令人心怀敬畏的，又是最后的五部。

假如有谁人迷到只想专听贝多芬，那么不能不提的作品就多了。不过我并不赞成你听贝多芬全集，也不主张买莫扎特全集来通读。那样的话，又会把自己的天地缩小了，而且也不利于深知莫扎特和贝多芬。

因此，虽然还有从舒伯特到德彪西，大大小小一大群作曲家们的可读曲可谈，其中不但有那些至今流行不衰的，也有相当多不知怎么已经打入冷宫，但其实很值得一读之作；然而只好到此为止了。

假如你对我们这种有关“听什么”的拉杂长谈有兴趣的话，笔者在此仍想重复提醒你，在博览的同时，不厌其精地反复倾听那些最值得咀嚼的作品是最要紧的！

不瞒你说，在思考“必读曲”与“可读曲”的曲目这问题当中，19 世纪尤其唱片文化大兴以来，许多人对“音乐太多了”以及由此造成的“人们越来越不会听音乐了”的种种感叹，不断与自己的切身感受相共鸣；以致笔者很想为真心爱乐者另外编一份曲目：“可不读与不可读曲目”。

但，这问题还是留给大家自己去考虑吧！

求真难得真

——听莫扎特钢琴四重奏有感

笔者虽然对听音乐相当着迷（当然也只是在门外听听），但是对于时下盛行的讲求唱片“版本”之风，却不敢置一词。孤陋寡闻，眼（耳）界狭隘，也便没多少独到之见值得夸夸其谈的，此其一也；收藏家、鉴赏家们如数家珍般列举出来的那些“名盘”，多半不难从市上购得，无奈没那么多阿堵物！此其二；就算是能够搜求得某一名曲的“十大版本”，有那么多过剩的闲暇去细细地品尝吗？那岂不又会影响了对更多好作品的博览？不划算！此其三；最后，“但不是最不重要的”，对于“版本”之“学”，自己也有点心存疑惑。这其中牵涉一个“求真”的话题。

我这莫扎特迷常常憧憬着“真实的”莫扎特音乐，也就是想品尝“原味”。前不久，于无意之中听到一张唱片，大为惊喜，觉得似乎是向那个“真”靠近了一两步。

这是一张DECCA唱片。录的是莫扎特的两首钢琴四重奏，一为g小调，K.478；一为降E大调，K.493。演奏者中有钢琴家希夫（Schiff）。

关于此二曲的写作，也有值得一说的情况。1785年，正当莫扎特投入歌剧《费加罗的婚礼》的写作之际，他又写了这两首室内乐作品。

查一下他的作品目录，这种有键盘乐器加入的四重奏也仅有这两篇。其实他原先同出版商约定还要来一篇的，然而作罢了，原因之一是钢琴四重奏这种组合形式，当时在维也纳还是一种人们陌生的品种。人们欢迎的是钢琴三重奏。加以在这两篇作品中，钢琴部分写得相当钢琴化，演奏者需要一定的功力，对听众也要求仔细倾听，方知其妙。一般的庸手对付不了，而音乐会中的庸人听众也哈欠连天。

第一首作品问世，销路不佳，亏了本的出版商便改变了主意，连第二首也不想出版了。他将已镂好版子的小提琴部分给了作曲家作为取消合同的补偿。莫扎特去找了另一家出版商，才把第二首四重奏印全了。这一首的销路一定也不见佳，因此，那原来要写的第三首也便没有了下文。莫扎特短促的一生写了626号作品，世人惊叹他那创作力之旺盛；殊不知还有不少他想作而未作的音乐是胎死腹中的！此处提到的“第三篇”钢琴四重奏是其一例，令人不胜感慨系之！

我何以顿然有同我“心中的太阳”靠拢一步的感觉呢？原

来，此片的不寻常之处是其录下了一种再现往昔经典作品原汤原味的演奏。它所用的是当时的乐器。不但那三件弦乐器都是18世纪中叶德、意地区的制作，而且那小提琴是大师自用的一把。中提琴据考也曾为他所有。

当然，弦乐器这一族，哪怕是16—17世纪的名匠们手制的名琴，在今日爱乐者的耳朵里，那声音也并不陌生。演奏家手持的几乎都是这类名贵之器。唱片上发出的也是名琴的音响。所以，莫扎特此曲中的弦乐器，我们并不期待它们发出什么特别的声音。只不过一联想到那百余年前的乐器上残留着天才神童的手泽，那么，一种历史感的泛音与和声便使那琴声添上了一抹异彩了。

真正惊人的是四重奏中那架钢琴的声音。它既非一架斯坦威，也不是什么波森多夫，却是只有五组六十一键的一架维也纳琴，制作者乃安东·沃尔特。

你可曾想到，我们如今所听到的莫扎特钢琴音乐，同当年维也纳人耳中所闻的有距离吗？今日之钢琴是19世纪中叶以来日趋完善并且定型的乐器。莫扎特时代的琴，尤其他最中意的维也纳型琴，发音清脆流丽，顶适合弹那种要求所谓“颗粒性”的乐句。用西方说法是“珠子般地”，也即我国古人所形容的“大珠小珠落玉盘”了。此种特色自然同它那击弦机与共鸣装置有关。

这种维也纳型钢琴正适合莫扎特的钢琴音乐语言，正如后来的英国勃罗伍德琴之投贝多芬所好。前者之声，珠圆玉润，后者则是浑厚深沉。

因此有人认为，为要再现当年维也纳人听到的莫扎特钢琴音乐，条件之一便是用当时的乐器来演奏。

本人也一直憧憬着那种莫扎特原味，最起码也要听听这种琴音到底是怎么个味道。如今一朝如愿以偿，外加上这架琴又是他日夕抚弄过的，便更多了一层亲切感了！

细听唱片中的琴声，低声区的音响似乎并不见佳，有欠浑厚，而最高的那一组则失之于不够润。但是中、高音区的音响的确与今不同，脆而明亮，口齿伶俐。对照之下，平时听惯的琴音便显得圆润有余却有点含糊其词了。我想，莫扎特钢琴协奏曲中许多快板乐段，用此种钢琴演奏，肯定比现代钢琴上的效果更加漂亮。

然而又有想法，他的某些钢琴曲，显然又要求比这音响更丰满、音色更富于变化的乐器，才能表达他的乐思吧？第二十、第二十一钢琴协奏曲就是两例。前一首的第一乐章中那种郁雷般的声音，后一首的慢乐章中那出现于低声部的深沉的咏叹，都不像是维也纳型乐器所能胜任愉快的吧？

也可能，历经沧桑的这架琴，保管得再好也难葆其当年的青春。但我更相信，早期钢琴性能的不尽如人意，岂不正是对它不断革新走向完善的一种促进？

人们应该感谢莫扎特的未亡人康斯坦莎，她把这件亡夫遗物传给了儿子卡尔，并未因生计困难而卖掉它。卡尔也应受到感谢，他将此琴捐给了在 1841 年建立的莫扎特学院，至今陈列在该处，供后人凭吊。虽说他没能继承父业，而是先经商（想开一家琴行，本钱不够，乃罢），其后又去意大利混了个小官职。

这可谓一张记录、并传达了乐史感的唱片，其可珍程度是不下于那些前辈名手的演奏录音的。

我之深庆自己耳福不浅，还因为它引起我对读乐求真这一问题的思索。

其实不仅是对莫扎特的作品如此。例如，用拨弦古钢琴弹巴赫的《平均律》，按巴洛克时期的乐队编制演奏那时的乐曲等等。有趣的个别事例还有：霍罗维茨[1]在博物馆藏的钢琴鼻祖克列士多费里手制乐器上弹斯卡拉蒂的奏鸣曲。几年前，有新加坡琴人用贝多芬遗物——一架勃罗伍德琴弹了一曲作品 106。那琴是从匈牙利运到英伦去展览的。

任何一个真心爱乐者，对此类实践肯定是大感兴趣的。不是好奇，也不只是怀古，而是求真。而这种求真的兴趣，同那种今日盛行的只斤斤于录音音响之真，又是有所不同的。

不过要认真做起来，却又问题不少。

且以这张唱片来说，不但在乐器的使用上可算求真；还有

1　Horowitz，现在通常译为霍洛维茨。

一点，也许是听者不会注意到的。假如同另一张录了同一套作品而用现代乐器演奏的片子对照而听之，就立刻会听出二者的音高不一样。用钢琴核对，g 小调变了降 g 小调！低了半个音。另一首降 E 大调的同样如此。

这又是怎么回事？很容易解释。音高的标准，古今不同。今天国际公认的标准是 a^1=440 Hz。你去听音乐会，就会看到，开演之前，乐队先要由双簧管或长笛吹出一个音，别的乐器以它为准。那个音便是每秒 440 Hz 的 a^1 了。听说在音乐之都维也纳，只需拿起电话拨一个号，便能听到这个音高标准。

可是 18 世纪欧洲通行的音高标准比今天的低了半个音。

这张唱片中的音高调低了半个音，可以说是注意遵古而求真了。但也可能是照顾那架乐史文物的实际状况。因为钢琴的弦框当初是木质的，到 1825 年后才换上了铁弦框，乃钢琴史上一大革新。改，就是因为木框经受不起太大的琴弦张力。更何况莫扎特这乐器已高龄不止百岁了呢？即便勉强拔高，那么音质可能起变化，而且是劣化。

所以按历史音高处理，不但是明智之举，而且又让我们领略到这个乐史中并非无关重要的细节的实际效果。

但我又禁不住顿起疑心：照此看来，我们听得很熟的莫扎特（还有海顿、贝多芬等）的作品，也都是比当时的音高提高了半个音的；那么由此而产生的乐器音响的改变、音乐调性的变化，岂不也非复当时之“真”了？失真，也难免失美了？

联想到中提琴这乐器，音色特殊，更经不起琴弦松紧的改变。莫扎特最富魅力的一首作品中（《小提琴、中提琴交响协奏曲》），为使独奏中提琴突显于乐队中的中提琴之上，作者有意也是匠心独运地将其定高了半个音，改变了它的音响。那么到今天，它的音高便又提高了半音，其所引起的音色变化，让那个有一副听觉超人的耳朵的大师听到了，会不会皱眉苦笑呢？

有关演出往昔音乐如何保真的具体问题是说不胜说的！

即便在演出手段等方面，一切依旧、仿古，假使演奏者未能掌握乐中内蕴的含意、时代风格与个人风格之真，将其表而出之，那么也有可能像今人布置的一些仿古景物旅游点中的东西，有伪无真。

最后还有一点。即便演出与演释在求真上尽善尽美了，但那信息送到那种只嗜好什么《大峡谷》中配真雷，《一八一二年序曲》中用真炮的耳朵中，那么，向乐中求真又未免是多事了吧？

乐无定版

曹禺说过：小说可以定稿，剧本永远不会。它在演出中完成，而又跟着导演、演员、观众们不断地改。

的确如此，一部《雷雨》便是绝好的例子。

乐曲何尝不是这样。

乐无定版！

交响乐是他的自由王国

——贝多芬为同一歌剧写的四首序曲

贝多芬崇拜者要为之山呼万岁奔走相告的一条“特大喜讯”出来了！DG公司八十七张CD一套的“贝多芬全集”行将问世。

这其实已经是第二套。人们当然不会不记得，1970年发行的两套LP，一套一百一十张，一套七十六张（外有磁带七十盒）。那才是并列的第一套全集吧。

不过那两套“贝全”我也是只闻其名而已，对于我辈无论是钱袋、闲暇，还是听力都很贫乏的普通爱好者来说，一方面是“高山仰止——虽不能至，然心向往之”，一方面只有“望洋而兴叹”。

忽然想到，“全集”中的作品，能证明“乐圣”是乐艺全才吗？恐怕不能。从乐史记载来看，“全”中仍然不免有遗憾，而且是不小的遗憾。他在乐艺的实践上虽然心雄万夫却并未能事事如愿。例如，他毕生只写了一部歌剧，即《菲岱里奥》。然而此剧并非完美之作，虽然已成“经典”，至今在舞台上也有生命。

瓦格纳是搞歌剧革命的，评价歌剧，他是一大权威。他是“乐圣”的热烈信徒，那么他对其作品的评价不会有意贬低是无疑的了。但他在盛赞《莱奥诺拉序曲》第三号时说，“同这篇序曲一比，歌剧《菲岱里奥》便显得微不足道了”云云。

谁要怪贝多芬没有认真对待此事，那就太冤枉他了。从1804年他便动手写，初演不利。1806年做了修改，再演仍然反应冷淡。1814年，再次改写，大动手术，才成为现在人们看到的这样子。

有关此剧创作与演出的种种人事纠纷麻烦且置不论，单就写作本身来说他也是绞尽了脑汁的。人们都知道他那作曲的情况同莫扎特适得其反。莫扎特作曲，只要酝酿好了腹稿，成竹在胸，一般是落笔如有神助，一挥而就的；贝多芬则是写了一稿又一稿，翻来覆去改个不休。《菲岱里奥》中有一首合唱，前后写了十种不同的开头。剧中男主人公弗罗雷士坦的一支咏叹调，改得更凶，竟有十六稿，一说十八稿！

此剧写得不理想，剧本的平庸是一个重要原因。它是一出所谓的“拯救剧”。那年头，此类戏剧颇投观众胃口。这种套子无非是好人遭陷害，英雄人物挺身搭救，又有大人物关怀，于是好人得救，皆大欢喜。《菲岱里奥》就是这种老套子。其中又突出了传统的夫妇之爱。剧中女英雄是为了搭救亲夫，乔装打扮，深入虎穴的莱奥诺拉。故此剧原名《莱奥诺拉》（*Leonore*）。她改了名字叫菲岱里奥，所以后来此剧也用此名。

但问题也不全是剧本的平庸。对于歌剧的写作与舞台艺术，他还缺乏经验。如果让他有选择、修改剧本的自由（莫扎特在这方面的情况便大不相同），让他再写几部戏，结果可能大不相同。可惜他的歌剧创作实践仅此一次。

有意思的是，他在歌剧艺术上留下的遗憾，在他最拿手的交响音乐写作中得到了绝妙的补偿。前文中提到的瓦格纳的话，正好说明了这一点，虽然不免有点夸夸其谈。

此事的确是可人无双谱的乐史美谈：为同一部歌剧前后谱制了四篇不相雷同的序曲。四篇都可称杰作。而且其中的《莱奥诺拉序曲》三号是杰作中的杰作，其价值竟超越了那部付出了十年辛苦的歌剧本身！

这一组堪称“四美”的序曲，三首都名为《莱奥诺拉序曲》，以一号至三号区别之（以下简称为“莱一”“莱二”“莱三”）。第四首是《菲岱里奥》序曲。

前三首的号数被编乱了，这也是名曲文献中少见的。“莱二”实际上应居第一，它便是1805年初演时用的一首。“莱三”应为第二。“莱一”则是1807年为了此剧将在布拉格演出而另作，演出作罢，也便没派上用场。谱稿落在一个抄谱手的手里，直到贝多芬去世之后才被发现。人们推测它是贝多芬最早写的一稿，便将其排为一号了。后来将错就错直到如今。但我们为了对照比较以了解作者的思路，必须理清这个头绪。

既然“四序”并存，又是“四美”，后人演出此剧时又如何选用？这又是颇有兴味也有其意义的一个乐史话题了。

贝多芬当初要一而再再而三地准备新的序曲，不仅是追求序曲本身的完美而已，显然还考虑到它和歌剧之间的衔接，将二者统一为一个有机整体。严肃的歌剧艺术绝不想把序曲降低为一种填空子、等看客入场就座的音乐。

英国人托维，音乐学者兼指挥家，最热心于严肃音乐的普及。在其名著《交响音乐分析》中认为，“在演奏了如此宏大的序曲之后，如何接上第一幕开头那场谈情说爱的戏，真是个难题！”他认为“莱一”（按：本应为“莱三”）比较短（按：约十分钟不到），也许更适合放在剧前演奏。

“莱三”不但是四序之中公认为最完美的，也是全部交响音乐文献中伟大名篇之一。但正因其太宏大了，如其作为开场序曲，对比之下，绝对会将第一幕的效果破坏无遗。

指挥大师魏因加特纳则以为，“莱二”是最合适的引子。“莱三”只该拿到音乐会上去演奏。“这绝不是说它缺少戏剧性，正相反，是因为它具有十倍于任何舞台上有可能制造出来的那种戏剧性。”

现代乐史家朗在其名著《西方文明中的音乐》中有同样的看法：“《莱奥诺拉序曲》三号完全不适合作为歌剧的前奏，因而被放弃了。第四首（《菲岱里奥》序曲）的性质和规模完全不同，绝妙地符合了意图，终于取前三首而代之。前三首则作为交响诗保留了下来。”他怕人不理解自己的用语，特地加上一句：“在这里，‘交响’一词的含意是不折不扣的！”

历来演出此剧时有种种安排。一种是剧前演奏那第四首序曲。理查德·施特劳斯、马勒、托斯卡尼尼、比彻姆等都如此。但他们在两幕之间演奏“莱三”。

也有些人将“莱三”用在最后几场戏之间。

19 世纪的名指挥勒威却在剧终之后把“莱三”演奏一遍。更特别的是一位不太出名的指挥家，索性把三首《莱奥诺拉序曲》全都派了用场。

从这种种安排上更可见这“四序”的身价不凡。

老柴这位大作曲家，写乐评也是一把好手。更难得的是他那态度的诚恳和坦率，不瞎捧也不乱骂。他对此剧及其序曲的看法是令人信服的：“在题材选择以及音乐的刻画上，贝多芬显然是一位对歌剧风格的表演法则缺乏鉴别力的作曲家。”“但是，他的创作才能从来也没有像在四首序曲中表现得那样强劲有力。”

当年，笔者认识和熟悉“莱三”，靠的是一张每分钟七十八转的粗纹老唱片，是朋友从一堆废品中捡了来送我的。那是布鲁诺·瓦尔特[1]指挥维也纳爱乐乐团的录音。从那时起，

1 Bruno Walter，现在通常译为布努诺·瓦尔特。

这首伟作便成了自己感受贝多芬的力与美的一个泉源。我愿为前引的魏因加特纳的话做个小小的证人。此曲中有强大震撼力的戏剧性，我是在几十年的反复倾听中多次体验了的。虽然我绝不可能体验得像他这位贝多芬作品演奏权威那么深刻。举一个例，曲中有一段有名的小号独奏，可以说明贝多芬是如何将一支简单已极的号角声曲调（只用了无活塞的自然小号能吹出的几个音）点化为极富戏剧性的主题。那是在千钧一发之际突然响起的警号，宣告“救星”（但也许是“催命符”）的来临。这种号角主题并不是他的首创。但在“莱三”中，由于贝多芬音乐语言逻辑的威力，这段音乐产生了几乎令人屏息、战栗的效果！

虽然贝多芬也给平庸的剧情注入了新意，但只有在可以运用自如不受拘束的交响音乐空间中，他才能展翅腾飞。他将他本人与命运搏斗的无畏精神赋予巾帼英雄莱奥诺拉了。有人说，剧中的真正主人公是她，而她的精神形象又是更像贝多芬本人的。

的确，序曲中莱奥诺拉这主题，或许是贝多芬主题宝库中最美妙又最雄辩的主题之一。一下子便将一个形神兼备的人物形象树立在你面前。于高贵庄严之中仍带着一种英武的妩媚，正符合我们对巾帼英雄的想象。

这一主题先是在弦乐上轻声呈示，正像是女主人公悄然登场了。似乎有凛然不可犯的神态，立即给人以深深的触动。到了乐曲中间，这主题由长笛以清澈浏亮的声音完整地奏出，高唱入云，展现一种光华灿烂的境界。尔后发展到高潮，这支主题的片段又以不同的节奏反复地尽情高唱。（你并不会嫌他重复，而只觉得这重复是完全符合自己的情绪的。）歌声终乃汇入万众欢腾的风暴之中。不少作品，听到结束处，常常叫人有作者意尽而又非加个结尾不行之感。一部交响音乐，最难做好的也许便是一头一尾吧？然而“莱三”的结束真正是痛快淋漓，酣畅极了！

这种音乐，正是罗曼·罗兰喜欢说的贝多芬的英雄主义的声音，也正是那个狂飙时代的气氛。那也是伏尔泰所期待而来不及见到的“灿烂的爆发”！

往昔的许多“贝迷”，当然也包括区区在内，只能从书本上知道那另外两篇《莱奥诺拉序曲》《菲岱里奥》序曲听到的机会也不多。平生可遗憾之事甚多。其中有一件是，在听到唱片之前十多年，我本来有机会听到“莱三”的现场演奏的。可是迟到了一步，赶到上海兰心剧场时，进场处的帷幕已经闭上了，要等一曲奏完，才可入内。而那第一个节目正是此曲！隔帷而听，只是隐隐约约听到了一些乐声。

如今的“贝迷”有福了。他们可以听到将这“孪生”的四首序曲收在一片中的录音，这岂是往昔的人能梦见的吗？

对照而读，就知道“莱二”“莱三”的材料、语言，大致相同；写法却有很大变化。“莱三”正是从“莱二”中脱胎发育而成。托维特别提到，那支发挥重要作用的小号主题，在“莱二”中到第三百三十五小节才出现，而“莱三”却将其提早到第二百三十六小节。他分析道：“贝多芬用压缩与变化的技巧足足节省下了一百小节的时间。这样他便绰有余裕，得以放手展开其乐想了。”

把一支精心琢磨出来的高密度的主题一层层展开，发挥到淋漓尽致，这正乃贝多芬的拿手戏。“莱三”在四首之中最长，约需演奏十五分钟左右；然而它是一部高密度的“不折不扣”的交响曲！

听了“莱二”和“莱三”，再听另外两首，你又会衷心发出新的赞叹。贝多芬不惜另起炉灶，营造出了另外两座不同的建筑！既不似前两首，这两首又互不雷同！

“莱一”朴素清纯而又典雅。《菲岱里奥》序曲只需七分钟便可听一遍。然而从如此短小的篇幅中喷溢而出的是雷霆万钧般的气势，那气势的重量感几乎赛过了“莱三”！

失之于歌剧舞台的，收之于管弦交响了。交响音乐正是他的自由王国！

贝多芬的“双语”

在萧伯纳的乐评《贝多芬以文代曲诉衷情》中，提到了音乐家有“双语”这一有趣话题。对此，不妨再做些点滴的补充。

贝多芬用“双语”手法来强化音乐表现，最强烈有效的，可能是《第九交响曲》中的一例。那便是出现于《欢乐颂》前的引子。关于这一精彩效果的苦心设计，托维在其《交响音乐分析》一书中做了精彩的分析，太值得我们细读了！《欢乐颂》的歌词用了席勒的诗，这无人不知。但这段宣叙风引子的唱词是贝多芬的手笔，你也许未曾留意。乐圣文化素养并不高。然而他就敢为大文豪的诗篇加上一段！据托维的研究，“他很明智地并没有追求典雅的文学风格，而只是用很平淡的散文直抒己见……贝多芬很快就看出，他最好还是用平淡的散文，而且尽量少用”。

看了他这段文字，我才恍然，这支宣叙调先在乐队中反复演奏，最后才让那个领唱者唱出了歌词，贝多芬的用意原来如此！

托维赞赏为“堪与任何文体巨匠媲美”的这段散文歌词便是：“哦，朋友们，不要这样的声音，咱们还是唱一些更愉快更欢乐的歌调吧！”

我们每次听“第九”，听到这里，难道不觉得这是贝多芬在亲口向我们招呼而倍感亲切？

托维在文章注语中又顺便告诉我们一件趣事：“每当彪罗紧随在某个蹩脚歌手后面演奏钢琴节目时，总要恶意地先加上贝多芬的这句唱词。”

历史感与中国味

——忆刘雪庵先生

房龙劝说对历史有兴趣的人，不但要了解历史，还要感觉历史。他举的一例是，如想理解拿破仑的将士何以对皇帝那么忠诚，愿为之赴汤蹈火，不妨听一听舒曼为海涅的诗谱写的《两个掷弹兵》那篇歌曲。

要感觉历史，音乐的确是极好的媒介。尤其是那种历史中本来就有的音乐，而这类现成的历史配乐的例子，是举不胜举的。

我虽然并非“老上海”，却对旧上海的历史文化极感兴趣。我憎恶旧上海，然而也喜欢它。不但因为它是鲁迅最后十年生活的地方，也不但因为它是张爱玲的小说的背景；而是因为深有感于旧上海之特别与复杂。尤其是那些沉沦挣扎于泥淖中被侮辱与被吞噬的浊世男女，是不能不叫人永远寄以同情的。

运用房龙的办法，我能够感觉旧上海的历史、文化、社会与人生。这感觉的一个重要部分便来自音乐，其中有流行歌曲。

《桃花江》《特别快车》《毛毛雨》……最能激发我对20世纪30年代旧上海的记忆了。

孤岛时代的上海滩，应该说是上海史中复杂荒唐透顶的年代了吧？与此一时代上海滩给人的感觉不可分的，也有几首歌曲。最不能忘的首先是《何日君再来》。虽然我绝不是流行音乐爱好者，这些歌曲却深深地触动了我。

把《何日君再来》同《桃花江》等作品等量齐观，其实并不公道。此曲原本是《孤岛天堂》一剧的插曲，作者意在配合剧情，写那特殊时期特殊环境中某种人物的情绪吧？它并非为流行乐市场提供的作品，但因其描摹世态人心之恰到好处，自然也就越出舞台而迅即流传于众口了。爱唱与爱听之人如此之广泛，也正因为有了共鸣，在当年那全民大吼救亡歌的时代，它也便愈显其不谐调不合拍。然而这又岂能责怪作者！

这首歌曲捉住了相当一部分乱世男女的心音，素朴而传神，而由“金嗓子”周璇来唱，更添魅力。“金嗓子”其实绝无“金”质的华丽感，而是非常朴素的。那声音颇能唤起联想。因为，这位歌手自己即是罪恶天堂中一个被侮辱与被损害者。

《何日君再来》连同当年灌了“百代”唱片的“金嗓子”，

都成了一种克腊昔克（Classic），我则以为，它是20世纪40年代上海滩的绝好的配乐，真实而又现成的配乐。爱读张爱玲者，拿它配着读，也相宜。正如有人认为读普鲁斯特的《追忆逝水年华》可以听德彪西的音乐一样。

当年听到这唱片，只知作者是晏如，他用这名字谱的歌曲还有几首。其中真正为我所嗜爱的歌有《飘零的落花》。

这首歌也被"百代"公司灌成唱片，是郎毓秀唱的。她的声音有一种带着高贵气质的美，有一听便会被俘获而永难忘怀的绝大魅力。可奇的是，她那从欧洲学成的美声唱法，对于中国人的耳朵来说毫不觉其有洋味，唱起中国味的音调来，天造地设般吻合无间。

我想这支歌曲的唱片可能不那么畅销的。而我几十年来一直渴想重温一遍这张老唱片而不可得。不过我又私心庆幸，至今还不曾有人将这支旧曲找出来翻新，把它变成哈哈镜中的美人。每忆此歌，总容易联带着又想起几句残诗，作者乃不知何许人的倪洪毅。这几句还是多亏张爱玲引在文章里才知道的："……紫石竹是片恋之花……言语如夜行车……她掩脸沉没。"这诗同这歌曲，都像是在提供可以让人们感觉彼时彼地的上海滩的材料。那是个无边无底的孽海，飘零而终于沉没其中的孽海花知多少！

其后才知道，晏如，其实是自己早已心仪的一位乐人，黄自的高足刘雪庵教授。我之所以对他心向往之，是因为读了他为唐诗谱写的《春夜洛城闻笛》。唐诗中我最迷的是李白的诗。像《春夜洛城闻笛》这样不假雕琢而高华绝世的诗篇，要“译”之为音乐而能使听者不觉其“隔”，不觉其庸，真是极难。而刘谱用极为经济、素朴的笔墨（包括那钢琴伴奏中的“玉笛暗飞声”），做到了“音译”的“信达雅”！对于李白迷的我来说，五十年来它那新鲜感始终未蔫，其音乐之美妙与可信服（传达唐代、李诗神韵）一如当年初吟时的直感。窃以为这是很不简单的。比起舒伯特“译”当时犹在世的歌德、海涅之作来，刘“译”是把千载之前绝唱的味道捕捉并从容地传达给现代的耳朵，这简直令人有不可思议之感！

在抗日战争时代，《长城谣》流传众口，这篇作品，哀而不伤，既有现实时代感，又具中国味。《长城谣》《春夜洛城闻笛》《飘零的落花》和《何日君再来》等等，这些声音又组合成一种奇妙不过的“复调”，使我为之纳罕的“复调”！

听其乐而不知其人可乎！真没想到，这种近乎空想的愿望竟然在一种艺术化背景下一朝实现了。1949 年之夏，在风景如画的姑苏城拙政园里，一所权充教室用的水榭中，当时执教于社教学院的刘先生，刚上完一课和声作曲，已经拿起皮包在手。我等几个随军南进的青年爱乐者挤了进去，启请他谈一下“中国和声”这个问题。他毫无愠色，放下皮包，拿起粉笔，转身在大黑板上画了个琵琶四弦定音的图，从它讲到了“中国和声”中常用的和弦。大学教授在讲台上从容论乐，穿着不整洁的军装的我辈在下边凝神倾听。周边是荷塘、曲栏桥，绿荫蔽日，蝉噪而园愈静。那气氛之幽雅，至今思之，恍如隔世!

不久以后再次见到了他。这是在他家里。当我一提起寻觅乐谱的困难时，他慨然把我领上小楼，指给我看楼梯口边堆放的一堆乐谱，让我独自一个恣意翻检。这在我真是如入宝山了！其中有一些原版袖珍总谱。这在那时即便是专业搞音乐的也难得拥有的。有彼特斯版的《命运交响曲》、门德尔松的《e小调小提琴协奏曲》等等。更叫我一见为之惊喜的是翻出了他自己的钢琴作品:《中国组曲》。此曲我不但读过他人的评价，也听到过他的学生王君弹的第一乐章《头场》，因而急欲一窥全豹。还翻出了两份手抄谱，一份是管弦乐总谱，是为历史剧《屈原》写的配乐，包括《橘颂》与《风雷颂》。另一份上抄着一支小奏鸣曲，此曲虽短，却是一颗晶莹夺目的明珠。我至今苦苦思念它，却又一直访求不得。当年借回去挑灯疾抄下的谱子，已被“文革”地狱的罡风刮走。。这首小曲，中国味奇浓，叫人联想他的另一篇绝唱《红豆词》。

《中国组曲》《飘零的落花》《春夜洛城闻笛》……今已不再听到，音沉响绝了！《何日君再来》却一度又被翻了出来，唱了起来。由当年听过它的耳朵听来，除了觉得那歌喉反衬出从前的“金嗓子”真不可及以外，还不免有一种奇异感。这是因为，晏如以高雅格调素描出的彼时彼地的或一种人的心态，此刻却又坐实为对空虚无聊的精神状态与世态的欣赏了。晏如先生假如依然在世，听到这种被重新诠释，赋以新色彩的歌声，会不会从他因遭迫害而致枯盲的双目中，潸然流下酸甜莫辨的两行清泪呢？

咀嚼“惆怅”

“惆怅”的音乐，味道微妙。也许可以说它是一种“淡淡的哀愁”吧？必须是淡淡的。一浓便变成别一种情绪了。当然，浓淡也有复杂的层次。

有意思的是，莫扎特和贝多芬的音乐中，各种情绪都丰富，但要寻一个有惆怅之情的例子，竟然想不出。

为了吃准“惆怅”一词所包含与传达的味道，不妨联想：斯托姆的《茵梦湖》，希尔顿的《再见了，契普斯先生》。

还可联想蕗谷虹儿的画。

当然，最现成也最丰富的例子在五代与两宋的词里。秦少游就最喜欢也最能恰到好处地营造一种惆怅的境界。每读陈田鹤为他那首《江城子》所谱之曲，实在令人叹赏。陈田鹤同秦观相去八九百年，他对秦词的“音译”一点不“隔”。而且每读他这篇彻里彻外中国味的绝唱，总不禁想起了戴留斯的惆怅的音乐。

惆怅固然常常同不幸之事相关，但更特别的是，惆怅之生乃因为“乐极悲生”“兴尽悲来”。戴留斯正是深谙此境。听他的《佛罗里达组曲》的时候，最堪玩味的，正在这里。

芬毕的踪迹

陪伴着戴留斯的寂寞余生，以极大的耐烦把几乎埋葬在绝望者心中的音乐抢救出的这位埃里克·芬毕（Eric Fenby），并不是对戴留斯之作一见钟情的。

据他自己讲，初次听《阿巴拉契亚》（戴留斯作品是没有编号的），只觉得它那起头懒散得很，而变奏曲又是建立在一支笨拙的主题上。全曲冗长无味。

1996 年出版的《芬毕论戴留斯》一书，本来是用以贺他九十高龄生辰的，然而迟了一步，成了对死者的悼念了！

德沃夏克常驻我心中

哪里敢自许为德沃夏克的知音，但我同他的作品颇有缘。自从读乐“开蒙”，便迷上了《自新大陆交响曲》。半个世纪以来，他的器乐作品中的精华部分，已见识了不少，成百上千遍地读，未尝厌倦，倒是越发感情深了。据说在西方，由于《自新大陆》等作的“过度演奏”，反而掩盖了他的其他佳作（甚至是更值得欣赏的作品）。那么我真可算是既有幸也有缘了。所以借此纪念他一百五十年生辰之机，絮谈一番自己心中的德沃夏克。

爱乐而不读《自新大陆》，这样的人恐怕不多。但是这个话题不便展开。几十年神游其中，可谈的怕有千言万语。然而又忍不住不说几点最难忘的感受。

一听开头的那段柔板，使我有如置身于莽莽荒原之上。也似乎从时空两方面遥感到了最初踏上新大陆的移民的心境。不过，后来看了德莱塞的《嘉莉妹妹》，其中写到女主人公只身来到大城的遭遇。不知怎的，听这一段引子时又仿佛同她的印象靠拢了。于是，豺狼出没的荒原同祸福莫测的人海，竟可互喻互证了！那么，当德沃夏克远渡重洋来到异土的彼时，也是感慨万千的吧？

《自新大陆》中醉人的警句举不胜举。还有那些隐身在内声部和低音中的支声复调，赛过满天星斗，哪里数得清！有人说，谁要是能将其中曲调都听清楚，算得上一个用心的听众了。奉劝人们备一本袖珍总谱，先预读，再细听，听后再去从总谱中发掘那些未听明白的细节。这样去细嚼细咽，才能获得更大享受。不然，又怎对得起大师的呕心沥血？

第一乐章里有个重要的主题，不但曲调美，神似一支黑人民谣《马车从天而降》，而且配器手法绝。它在长笛低音区中吹出，怯生生地，且有苍白感。简直就是一副受欺凌无处可诉的黑女奴声口！

《广板》乐章中转入升 c 小调那一段里，长笛、双簧管举哀号恸。小提琴与黑管吞声饮泣。中提琴和大提琴上的弱奏震音，则是参加葬礼者的一片唏嘘之声，为死者，也为自己的不幸。同时我们也感到，作曲家如果不动情，又哪能谱出这感人至深的乐章？与其说是文生情，其实还是情生文！

当年读到黄自论勃拉姆斯的文字，从此便注意倾听交响音乐中的“交响性”。《自新大陆》中的“交响性”实在太精彩了！真正激动人心的“交响性”，并不是只靠人工制作出来的浩大声势，而是前思后想千愁万绪一齐涌上心来的激情喷发。这在《自新大陆》末章展开部中（特别是从第227小节起转E大调处）尤为动心骇“耳”。每听到此，沉浮于波澜迭起的乐流高潮中，言语道断，只有叹为“听”止了！

熟悉了《自新大陆》之后，初听他的《G大调第八交响曲》，好像又来到了另一个世界。前者传达的是他同新大陆人民的感情交流，后一首则让我感受到他对本民族土地、人民的热爱。它让我卧游波希米亚，呼吸到那儿森林原野的芬芳。

然后，《D大调第六交响曲》又使我目眩了！这人哪来如许取之不尽用之不竭的乐想？（须知他虽以民族音乐为土壤，却向来不直接采撷民间曲调。）而他这部壮年之作，一股青春朝气简直像要泛溢。从第一乐章的开头到第四乐章的结束，酣畅淋漓，乐流一泻到底，气势始终不衰，听了使人暮气为之一扫！

尤其醉人的又是一篇慢乐章。一篇可以同《自新大陆》的《广板》争奇竞秀的《柔板》。在那仅仅三个音的母题上，他推衍出一篇情文并茂的“乐赋”来。乐想的展开有如山溪流淌般生动自然，跌宕生姿，一步步发展为汪洋恣肆的音乐洪流，听的人已不觉醉倒！

在捷克唱片源源而来的20世纪60年代，又听到了他九部交响曲中的“第一”至“第三”。可惜，英国乐评家托维品评为最深刻的《b小调第七交响曲》，没买到唱片，只在收音机里听过几次。

看看托维在《交响音乐分析》中对德沃夏克作品的评介是颇有味道的。虽然据说他的书已不像过去那么受欢迎，我倒宁愿听他那热忱坦率也风趣的激赏与抨击，不想去看冷冰冰的解剖。这位曾遭哲学家维特根斯坦骂作秃驴的托维，是对“乐普”有功的人。

我非但有一开始读乐便接触《自新大陆》的幸运，也很早便听到了他的室内乐作品:《F 大调弦乐四重奏》。而室内乐作品更是一位乐人内心世界的窗户呵!

这首外号“黑人”的作品，是“新世界”的孪生兄弟，它们都是他在美国当音乐学院院长时的产儿。因此，黑人、印第安人的异域心声，便同波希米亚人的母语交融在一起了。可怪的是，有不少爱乐也爱德沃夏克的人竟不曾注意它，甚至不知道人间还有如此美妙而又容易亲近的音乐——在艰深的室内乐领域，这种深入浅出尤其难得!

我至今珍藏着一张“黑人”的密纹唱片、一本原版总谱，是在视“大洋古”为毒草的 20 世纪 60 年代，托友人分别从贝多芬与德沃夏克的故乡买来的。它们记录下了我对“黑人”执着的追求。早在 20 世纪 40 年代，偶然从收音机里碰见过一次，便不能忘怀了!

人们说，他为小提琴写了些不算最好的音乐，而为大提琴贡献了他最好的音乐。

诚然！即便是老奥伊斯特拉赫演奏他的小提琴协奏曲，也未能深深打动我。而我至今常常怀念卡萨尔斯独奏、托斯卡尼尼指挥 NBC 交响乐队协奏的《b 小调大提琴协奏曲》。后来虽听了好几位名手演奏的新唱片，我总怕丢失了对这两位反法西斯大师的阐释的记忆。

德沃夏克这部杰作可以说既是协奏曲又是“交响乐”。尤其是那个《柔板》乐章，独奏大提琴慷慨悲歌，管弦乐烘云托月，它们对谈，合唱，互为宾主，打成一片，织就一卷变幻流动的锦绣。其实这是他身在大洋彼岸，心怀故国乡亲的万缕愁思织成的！

不难听出，沉醉于乡愁的作者，很有点舍不得结束的留恋，其实他在别的作品里也有这种一唱三叹不能自已的流露。这正是深情的流露，最动人心弦了。

这也使我猛然憬悟，篇幅不容许一再流连，必须写尾声了！

但我最后要谈的两部作品并非最不重要的。相反，假如说听其乐如见其人、其心，它们正是这样的作品。

《E 大调弦乐小夜曲》抒发的是一种无比真挚的幸福感。听它就像倾听你的好友细说他的幸福家庭。浓情蜜意，却又何其纯朴率真！

《大自然、生活与爱情》是他五十岁那年写的一套三部曲。他显然是要在“方吾生之半途”（但丁《神曲》中句）的时候，告白自己对宇宙与人生的反思。作品的标题曾有几次变动。《大自然》曾题为“独处”或“夏夜”。第二部定题为《狂欢节》。第三部则标上了《奥赛罗》。这些，对于读曲者当然是重要的“导游路线”。

《狂欢节》是其中流传最广的一部。据说它也像《自新大陆》一样被“过度”演奏了。我也是首先接触《狂欢节》然后才听到另外两部序曲的。

《大自然》并不是景外人观赏的一幅风景画，而是一个在夏夜的沉静中为自然美所陶醉的人的礼赞。这是王国维《人间词话》中所谓的“有我之境”吧？但人与景已融合无间了。

《狂欢节》中之我，也不是倚在阳台上看热闹的人，而是投身于人潮，一任自己被人群推拥着走，开怀共享着生命的狂欢。这和柏辽兹的那首《罗马狂欢节》是两种味道。

《奥赛罗》手稿上注了莎剧中的文字。那音乐的展开也有明显的情节性。但我不管它的具体情节，只觉得充满激情的音乐有一种崇高的悲剧感，一个沉重的文学题材被他表达得很概括，令人肃然寻思人的命运了。

德沃夏克的音乐纵然也有说不上什么深刻的（例如有些钢琴曲），但却总是一往情真。我觉得只有饱含真挚之情的音乐才能长青不败，才能如此持久地耐得起千万人共赏而不倦。（记住，《幽默曲》《自新大陆》是百年之前问世的！还不妨作个比较：毛姆说过，柯勒律治认为《堂吉诃德》值得从头到尾读，但读过一遍后便不再值得全读了。毛姆本人也不过通读五遍而已。）

上世纪民族乐风大盛之时，颇有一些人制作廉价的“民族风味”。萧伯纳在其乐评中对此很挖苦了一顿。德沃夏克的音乐，民族风味真可谓道地了，然而他又是“我手写我口”，完全是用他自己的舌头说话。

如果让我为同好们举办他的作品音乐会，我会排出一份很长的节目单。不但要包括上面提到的杰作，还将推荐:《降E大调弦乐五重奏》，此曲之美，可与“黑人”相提并论。还有那一组精美的《传奇》，民族香味极浓的《捷克组曲》，质朴无华而耐赏的《小提琴小奏鸣曲》，悲壮的史诗《胡斯教徒序曲》，等等，至于两套“斯拉夫”，是不消说的了。

还是托维的话有意思！他赞德沃夏克最优秀的音乐有如“璞玉浑金”之美。

深愿多情爱乐的人们都来听他的音乐，同这种既有璞玉浑金之质，也经过精工磨琢，却又毫不失其自然之美的音乐结缘！

《幻想交响曲》又一版本

——听李斯特钢琴改编曲

作为一个普通的音乐爱好者，柏辽兹的作品我是有兴趣反复倾听的。喜欢听，不但因其言之有物，富于诗情画意；还有一个吸引我的因素是他那高明的管弦乐“修辞学”——配器法。自从五十多年前在老唱片上初识《罗马狂欢节》序曲与《幻想交响曲》，便深深受到他的配器艺术的感染了。

作为一个钢琴爱好者，我对钢琴与管弦乐二者表现功能及其效果的同与异极感兴趣。管弦乐有配器法，钢琴也有它自己的“配器法”。这后一句话正是柏辽兹在其名著《配器法》一书中说的（见该书中译本上卷第一百七十四页）。从对这二者的对照、比较中，我深刻地感受到了人类在音乐文化的实践中表现出的创造力。

正因为上述原因，管弦乐名作的钢琴“译本”，我很有兴趣去搜集来读。首先，它有助于我们“啃”乐队总谱。化繁为简。只有业余水平的爱好者可以费力较少而知原作之纲要。还有一种好处：有了钢琴改编谱，你可以大胆地到键盘上去摸摸，那样便能直接感受音乐的进行。同唱片中的效果比，当然天差地别；然此中却有被动地听赏所不能提供的乐趣。像新格尔改编的贝多芬九首交响曲，斯皮格尔改编的莫扎特六首交响曲等钢琴独奏谱，都是我视同至宝的资料。得来不易，能保存下来就更艰辛了。

原先形成一种印象，像柏辽兹之作那样充分发挥管弦乐配器效果的乐曲，一定是最不适宜于移植到键盘上的。正如肖邦之作是如此之“钢琴化”，不适宜于改为管弦乐语言。后来读到舒曼论《幻想交响曲》的名文，其中提到李斯特曾公开演奏它的改编本。又看到美国人安·威尔金森于其所著《李斯特传》中也有关于此事的报道，更是说得神乎其神了。将信将疑，渴想弄个明白。可巧最近有幸得到这首钢琴改编曲的录音资料，终于获得了“耳验”（仿“目验”一词）的机会。

应该交待一下关于《幻想交响曲》“钢琴版”的情况。

柏辽兹这首在交响曲文献中别开生面之作，虽然早在1830年便在巴黎音乐学院作了首演，总谱却直到十五年后才问世。故此舒曼1835年写那篇在其所有乐评中最长最详尽的文章时，他还无从根据总谱来分析（他埋怨柏辽兹不该迟迟不将作品刊行，当然是错怪了不走运的作者。）所依据的乃是钢琴改编谱。谁人不知，柏辽兹是没学过钢琴的。后来谈起这一情况时，他虽不无遗憾而又深自庆幸，认为如此一来倒也免于受键盘的奴役，不至于像众多乐人那样，一离开钢琴便写不成作品了。所以，可以估计，他大约是不会提供此种改编谱的吧。可敬者，李斯特自告奋勇做了改编。这是1833年间之事。更可敬的是他不但为缔交不久的同道知交做了这件有利于普及标题乐新声的工作，而且还慷慨解囊，将其付印发表了。

须知这并非那种只供指挥家参考的缩略谱，而是一件精心写作的艺术品。舒曼对它的评价是如此之高："应当把它当作原作来看，看作深刻研究的成果，把总谱改写为钢琴曲的实用教程。"而且还认为："这样的改编谱可以毫无愧色地和管弦乐曲并列在一起演奏。事实上李斯特也这样做了。"（见《舒曼论音乐与音乐家》中译本第七十七页）

李斯特确实是这样做了。大约至少有两次，其中一次是1836年巴黎乐坛的一桩大新闻吧！据一种记载，先是由柏辽兹指挥管弦乐队演奏了《幻想交响曲》中的《赴刑》一章，接着，"钢琴大王"走上台去弹了自己的改编本。假如人们不怀疑当时在现场的哈莱（C. Hallé，后来成了英国的名指挥与钢琴家）的报道的话，那效果是："远远超过了管弦乐队！"

舒曼讲到的是另一次演出："他不久以前在巴黎演奏了这首钢琴改编曲，作为柏辽兹较晚的一首交响曲（它是《幻想交响曲》的续篇）的序曲。"

舒曼所云的后一曲其实即《莱柳》[1]，是由独唱、合唱加管弦乐演奏的。按照作者本来的意图，《幻想交响曲》同这篇他呼之为“抒情独角戏”（Monodrama）的续篇合起来，才是一部完整的《艺术家生涯片段》。演出时应先由隐而不露的乐队奏《幻想交响曲》，然后便演《莱柳》。舒曼说的那次正是照此办理的，不过前面的乐队换了钢琴，却也成了李斯特的“独角戏”了！

舒曼未曾说明李斯特那次弹奏的效果。不过他对改编本的评价是明确的：可以同原作并驾齐驱。对于像他这样一位真正知音的大师所说的话，是不好妄加怀疑的吧。

那么这首改编曲的演奏效果到底如何？我的印象与联想相当复杂！当然只是一个素人的直感。

如果是在音乐会现场，一支话筒伸到面前问：你以为如何？我的回答很可能是直言不讳的失望。难以理解，当年的巴黎听众何以会那么狂热地喝彩。柏辽兹原作经过如此一改，大似《兰亭序》的墨迹变成了石刻的《定武兰亭》，或是像印象派的画，翻印成只有黑白两色了。

《田野景色》这一章，舒曼的评语是“也许是全曲中最好的乐章”。改编曲给人的印象似乎同原作距离最大。原作之妙，有吴祖强先生一段好文字可引：“是一幅用音描绘的图

1 *Lelio*，现在通常译为《莱利奥》。

画，诗意充盈，情景交融，人物内心的彷徨、寂寞与大自然的恬静安适相对照，精巧的管弦乐色泽刻画出纯朴可爱的田园风光。”

这一幅田园画中有那么一个细节，初听便留下印象，经过五十多年仍未淡却。它出现于那段表现主人公心神惶惑激动不安的音乐（总谱标号41、42）与再现部之间，有“原速”记号前的那一小节。一个由大提琴声部拉奏的降D音（总谱标号43）。一个简单的音符，却激活了听者的联想。那意象似乎是忽然吹来一阵清风，它拂过主人公的脸上，同时也像一帖清凉剂般暂时冷却了他的激情，虽说仍然驱不散他心头的孤独感。于是，顺理成章地，音乐便进入了“杜鹃声里斜阳暮”似的境界。——惜哉！在改编本里，琴音难以完全再现此处低音弦乐的效果，而“清风”的感觉也找不到了！

《幻想交响曲》第一章写的是单相思烦恼，在奏鸣曲式中展开音乐思维的逻辑，配器修辞不那么鲜明，所以搬到键盘上倒还无大出入。第二章等于是一篇有情有景的标题性大圆舞曲，贯串着统一的律动。译为钢琴语言，虽然不免稍逊华丽，气氛是造成了，效果也就差强人意。

与以上这三章的效果明显不同的乃是《赴刑》。听这一章，很快就不觉得是在读“译本”了。同时也悟到，舒曼之言“应当把它当作原作来看”“可以毫无愧色地同管弦乐原作并列在一起演奏”，的确并非廉价的恭维了。

《赴刑》原作对场景的描绘，对主人公阴暗情绪的表达，几乎达到了令听者如同亲历其境的程度。更有深度的是，使人觉得自己不像一个无动于衷的看热闹者，而是也像在体验着那个走向断头台的人的心情似的，这在标题乐中是很不凡的一例。这个总的效果在钢琴改编曲中是得到了实现的。原作中用打击乐、低音弦乐、低音铜管等的配器刻画了赴刑行列的阴森的行进，继之来了一段铜管的大吹大擂，似在昭示刑律的森严，对比中越发反衬出那名命在须臾的犯人内心的绝望与恐慌。利用钢琴上低音区的黯淡与中音区音响的洪亮来再现这两段的精彩效果，简直可以乱管弦乐之真，而又不失其“钢琴化”之妙。

但还不能说是“无毫发遗憾”。有那么个细节似乎未能传神。总谱标号 56 之前倒数第三小节，弦乐一声拨奏之后紧跟着有大鼓与钹的一击。这两声都是在其上文的“***f***”之后突转为“***p***”。这是个极富戏剧性的细节，不宜等闲听之，轻轻放过。如果形容它为那名哑口无言而又强自镇定的待死者的两声干咳，是可信服的。改编谱的录音中，这个细节没能听出来。这不可能是 CD 之过。从半个世纪前听的每分钟七十八转的粗纹片上，它早就使我有毛骨悚然之感了！

听了《赴刑》，我又若有所悟。哈莱报道的那一场音乐会，管弦乐同钢琴作友谊赛之所以产生轰动效应，恐怕同所选奏的是这一章有很大关系。当然还不该不考虑到，如此精彩之作，是由作者而且又是键盘上的“帕格尼尼”来演奏，那施加在听众心理上的刺激，是难以估量又不难想象的吧！

从唱片目录上看，供人听赏的名作钢琴改编曲相当多。不但有布索尼改编的巴赫、李斯特改编的舒伯特艺术歌曲、威尔第歌剧，甚至还有他改编的贝多芬交响曲全集，等等。

文学作品有语言文字的障碍，爱读名著者常常不得已而求其次，看译本。音乐语言是“世界语”，有管弦乐原文在，何必还要去找“译本”？显然，在“译文”的对照之下，可以增加对原文的感受吧？

倾听《幻想交响曲》钢琴改编本，人们会有更丰富的感受与思索。

舒曼尽管一没有听过演奏，二没有总谱可利用，但凭着他高明的识力，从改编本中读出了这部当时不入时人耳的新声的真价值。这自然也同时说明了原作的艺术质量（包括并非徒以配器辞藻取悦庸众），和改编本在传达原作精神上是不走样的。巴黎音乐会中的听众先听了乐队版，然后再赏钢琴版，这在没有唱片、广播而新作难得反复演出的往昔，岂非正好提供了一个仔细审听的机会。因此，当人们再听钢琴演奏之时，实质上所感受到的已不仅是钢琴上的效果了。我们在琴上弹一首名作改编曲时，原先从听赏中获得的印象也在产生共鸣，这是不难体验的。

所以这首改编曲又好像一份乐史文献。舒曼那篇为严肃乐艺而鼓吹的名文，他的热情与高明见解，李斯特、柏辽兹为了推进标题乐而携手合作的那段乐史美谈，都因此而有了“配乐”。

《幻想交响曲》“版本”很多，不过这指的是不同的指挥家与乐队所演奏的录音。李斯特的这一作品，可算是别具特色的又一个版本，值得一赏！

柏辽兹会好笑的

——萧伯纳评《幻想交响曲》的解说与舒曼的失误

柏辽兹自己为《幻想交响曲》撰写了解说。但伦敦水晶宫经理在演出此作时偏要用一份巴纳特（Bannett）先生另编的。人们还当它是对柏辽兹原文的浓缩与加工哩。可柏氏原文已经够简短的了。请对照一下看，文中第一部分，柏氏的是十行，巴先生十二行，文字不符原意，且又不佳。

柏辽兹如活到今日，见到这份解说，想来不会满意。看到文中所用之词“Vague Passion”（茫然的热情）他会不禁要好笑吧。原文是“Le Vague des Passions”。（辛注，法文原义为“热情之浪”，据柏氏云，他是引用夏多布里昂的，哥蒂叶也用过。但《幻想交响曲》第一章的此一标题，通用的中译为“梦幻与热情”。巴纳特可能是对“Vague”的词义有误解。此词在英法文中都有“模糊”之义，而在法文中又有“波浪”之义，德彪西《大海》第二乐章《波之戏》，便用了这个词。）

巴先生将关键性的服鸦片自杀一事推迟到了第四乐章。他重犯了舒曼的失误：他在介绍文章中说成只有最后二章才是服毒后的幻觉。其实作者对此交代得很清楚。又稀里糊涂地称此章为“上绞刑架”，全不理会那结束处响起的分明是断头台上的一刀！Bravo（妙哉），巴先生！

至于演奏，只有部分的成功。第一乐章中快板那部分，作者要求的是每分钟一百三十二拍。听时我感到没劲，掏出表来一对，只够一百一十二拍。

乐史留名一过客

——为迈耶贝尔勾像

提起迈耶贝尔，今天的音乐爱好者大概会有点陌生，也没多少感性的联想；他的大作，能听到的，想听的，实在不多。翻翻几本音乐词典，给他的篇幅少得可怜，只有“格罗夫”是例外。同百多年前他名震欧美、红得发紫的情况对照，冷热悬殊，反差何其大也！

要知道，此人当年作为歌剧界泰斗，风头之健，今天的人简直难以想象。他搞的那几部大歌剧，票房价值高得吓人。《恶魔罗勃》三年中演遍了十个国家的七十七家剧院。剧中音乐如此时髦，利用它作素材的改编曲、变奏曲、幻想曲也成了畅销品。趁热潮捞点余润的改编者中间有正走红的钢琴家泰尔伯格[1]、卡尔克布雷纳之流，并不值得大惊小怪，然而连肖邦

1　Sigismond Thalberg，现在通常译为西吉斯蒙德·塔尔贝格。

和李斯特也禁不住心动手痒，卷了进去，则可想见那热闹劲儿了！

《新教徒》这部歌剧的总谱尚未脱稿，一家出版商便以两万四千法郎的高价买了下来。

迈耶贝尔是跨国的乐界巨头。虽出生于德国，也在德国宫廷任职，却又在世界音乐之都的巴黎歌剧界称霸。大歌剧（grand opera）这种样式的形成与兴盛，主要在法国，执大歌剧之牛耳，将其发展到登峰造极的，便是迈耶贝尔。

说起歌剧的发展史来，头绪很多。当时它又处在一个演变的关头。拿破仑垮台，波旁王朝复辟，工商金融业大发展。人们听厌了流行已久的意大利歌剧。场面宏大，布景豪华，情节离奇曲折，音乐热闹而又刺激的大歌剧，正对上新一代听客——追求消闲享乐的观众的口味。大歌剧可以当那个“时代剧”的配乐来听。乘时崛起的迈耶贝尔是那种识时务的俊杰，但也并非不学无术之辈，因此他的货色接二连三地大获成功，绝非偶然。说来有意思，原先曾迷得人们把贝多芬都冷落在一边的罗西尼大师，那年才三十七岁，倒已经有三十八部歌剧问世。（而且只用了十九年时间，不朽之作《塞维利亚的理发师》不过写了十三天。还有九天完成一部歌剧的高速度纪录！）自从他在《新教徒》首演之日亲见观众似痴如狂的轰动场面后，从此洗手不干，三十九年一部戏也没写。罗西尼也是识时务的，他知道应该让路给新上市的新潮货色。

何以见得迈耶贝尔并非卖野人头的角色？此人九岁便以钢琴神童引人注目，终其一生也被公认为钢琴名手。他师从过克莱门蒂，又在名师伏格勒门下，与韦伯是同学，当他充分利用意大利的旋律美、法兰西的戏剧性和德意志的和声配器时，他是有早年音乐教育的根底的。

写起歌剧来，总是刻意求工，不厌其烦地修改，他这个长处倒有点像他同时代的巴尔扎克。为了推迟交稿，他宁愿按合同规定照付罚金，有一回便赔了三万法郎。

同他合作的剧作家斯克里布也是个身价不凡的人物，他那七十六巨册的全集中，歌剧台本占了三分之一。迈耶贝尔连他提供的台本也要求改动，斯克里布置之不理，他就自己动手参加修改。有的作品因而一拖再拖，《非洲女》拖到后来上演时，他已经死去一年之久了。

歌剧向来是综合艺术。大歌剧更要求调动一切手段制造眩人耳目的戏剧效果。而迈耶贝尔在这上面用心思、下功夫尤为突出。比方芭蕾场景，早已成了传统歌剧中的点缀，可有可无，有时甚至只为了让一班红舞女登场亮相，勾引得捧角的富豪一掷千金。迈耶贝尔对它同样地精心设计。《恶魔罗勃》第三幕中有一场“女尼幽灵舞”，是其得意之笔。情节是妖魔为了诱使罗勃上圈套，把墓中女尼的亡灵召唤出来，用舞蹈来迷惑他。这场面的灯光布景设计与运用也煞费苦心。仿古、写实的古老修道院建筑，逼似朦胧月色的瓦斯灯光照明（1831年还没发明电灯)，一片阴森之气。群鬼从黄泉下一个个出来，翩翩起舞。她们踏着最弱奏的铜管和弦，夹着低音锣的轻击，低音提琴的拨弹；而两支大管上的音型怪里怪气的，描画着青磷鬼火的闪烁……在恐怖神怪科幻影视尚未出世的一个半世纪之前，那种轰动效应是可想而知的了。

格调不高的大歌剧，就是在诸如此类的效果上做文章，而且一部歌剧要想办法做到自始至终不停地给观众以出乎意表的感官刺激，如《先知》第四幕中，前一景是在一处碑柱林立的广场上，一眨眼又换成了大教堂的内景。听者正陶醉于前一场中温情脉脉的二重唱，此时又听见了嘹亮的《加冕进行曲》。(顺便交代一声，迈耶贝尔的作品，人们虽陌生，此曲却不难见到，如果你手头有本美国人维尔编的钢琴曲“杂脍”《钢琴名曲二百七十首》。)

在细节的写实上，迈耶贝尔也不惜下本钱，不仅对历史情节剧中的背景道具是如此，对音乐素材也如此。《新教徒》取材于法国历史。1572年所谓“圣巴托洛缪之夜”，夜半钟声大作，以此为信号，天主教徒动手大杀“异端”，这是历史中有名的惨剧。为求气氛逼真，他特地上法国国家图书馆去翻查往昔的音乐资料。

一方面加强乐队的功能，制造各种“蓄意使之丑怪刺耳”的音响；也重视合唱的效果，特别是在制造高潮中发挥其作用；他还特别注意为剧中人物色到一个最理想的有个性的歌手。为此他到处巡游，处处留心。当不得不换一个人选时，他就重写那唱段，可知在谱曲时他心目中便有那特定的声音了。要是一旦合适的人找不到，他甚至甘心舍弃原来的构想！

这里谈个例子，对于兼爱音乐与文学的人，想来不会厌闻：维阿多夫人（Paulint Viardot-Garcia）这个乐史上有名的次女高音，由于她是《父与子》作者的半生腻友，芳名也进了文学史话，当年迈耶贝尔也发现了她的魅力，他竟将已写的音乐大加变动，从而突出了维阿多这角色。1849 年 4 月此剧开演，果然更加增色。连柏辽兹与哥蒂叶都为之击节叹赏。出版商争购此作，他一举到手四万四千法郎，且得法兰西荣誉军团勋章，成了以德国人而获此荣耀的第一人。

值得一说的是，他的名利双收还有一种因素，显示出相当鲜明的近代特色。19 世纪的欧洲，“无冕之王”手中的报刊，施加于已经商品化了的文化艺术事业的影响越来越明显。迈耶贝尔颇善于利用这种影响。这当然是有代价的交易。他这位名登全欧巨富名人录的人物，收入之丰，就像今日的大明星，所以不愁无法影响舆论。报界与乐评家中，有些人欠了他不少的债，他自然也便无须再送上红纸包了。人们应该知道，开新闻记者招待会而“略备茶点招待”，首创者据说便是他。

当迈耶贝尔春风得意之日，也恰是瓦格纳穷愁潦倒之时。对于这个后来的劲敌，他倒是慷慨地伸出了援助之手的。没有他的帮忙，《黎恩济》《漂泊的荷兰人》不见得会顺利上演。但是一到他中止了经济上的接济，瓦格纳对他的评论，调子便起了变化。人们不可不知，《尼伯龙根的指环》的作者，也绝不是什么纯粹的人物。至于海涅，原先也在文章里有赞许之词，后来印成书，做了修改；那也许正像尼采对瓦格纳，先是五体投地，后来又感到幻灭了吧？

不能说迈耶贝尔是什么艺术骗子，即使对比他俗得多的奥芬巴赫，也不能这么看。对迈耶贝尔那一套，当时也不是舆论一律的。舒曼惊叹："这样的大杂烩真是罕见！"门德尔松认为上文介绍的女尼显魂一场是"真正的荒唐事"。真正的艺术家并不欣赏这种浮夸、肤浅、俗气熏天的伪艺术。（后来的斯科尔斯评论他时说：虽然是俗气，倒也难为他有这个胆子！）但理应更懂得艺术的巴尔扎克却说"《新教徒》同历史本身一样的真实"。人们不免要惋惜《人间喜剧》的作者信口捧场。至于听过那么多高雅、深刻的音乐的乔治·桑，竟对同一剧赞美到无以复加，也叫人为肖邦的这位朋友眼皮子浅而叹气了！

对于欺世盗名哗众取宠的人，萧伯纳是笔下毫不留情的。他却为迈耶贝尔的音乐说了些好话。想来这同他从小便耳濡目染把《新教徒》这些戏中的调子听得烂熟有关系。（七八十岁的中国人回想20世纪30年代的流行歌曲《桃花江》《特别快车》，也似乎不那么刺耳吧！）萧伯纳认为，《新教徒》由于过长，第五幕常常被斩头去尾，其余部分也被肢解，不了解原谱的乐评家，只当它是一盘音乐杂碎。其实这部五幕剧中既有根本不值一听的部分，也有丰富的新颖多变的旋律，精彩的配器。萧又借此机会画了几笔当时风派评论家的嘴脸：他们曾以捧迈耶贝尔来贬罗西尼，然后以贬迈耶贝尔来捧罗西尼，如今却又在编造些关于迈耶贝尔的坏话来贬瓦格纳了。

萧又诚心地劝告青年人：冬夜围炉，与其老是捧着大仲马的《三剑客》消磨时间，何如坐到钢琴前面，弹一曲《新教徒》中斗剑场面的音乐，那是比小说更加来得栩栩如真，简直可以叫人嗅到一股血腥气！

还有人揭发：柏辽兹和瓦格纳从迈耶贝尔歌剧音乐中偷学到的，比他们愿意承认的要多得多哩。

其实，乐史岂不也同整个历史一样，一时的喧哗，阵阵的尘埃，正乃司空见惯之景。歌剧文化史尤其如此。其所以如此，听众成色不齐，趣味雅俗悬殊，恐怕是一个很重要的因素。奏鸣曲可以为自诉自赏而谱。歌剧只能是为了看官们才写。但等到喧哗已歇，尘埃落定，那些原先的畅销货到底是足赤真金，还是镀金的，终究会由汰沙存金的时间之流来执行鉴定。

迈耶贝尔当然不是前者，也肯定并非后一种伪劣商品。正因此，乐史中为他留出了他应得的篇幅。

中编

技、艺、名利?

——读《西盖蒂论小提琴》(上)

一个音乐爱好者不可能不喜欢小提琴艺术，即便他不弄这乐器。西盖蒂此书，我们凡人读了，在大长见识之余还会对他肃然起敬。演奏技术的问题，自然占了主要篇幅；但书中夹叙夹议地谈了大量的技术以外的话题：忆往昔名手的演奏，名师的指点，乐坛风习流变，慨叹比赛过多且滥，学生急于成名成家上唱片……而归结到一个主题，便是他主张：音乐、艺术应该第一。障碍艺术，也无助于技巧提高的是可叹、可悲的名利欲！

出版者的介绍中所说，倒也并非无聊的广告：这是小提琴家的“大师班”，但其中丰富的非专业性内容，会使爱好者着迷。

约瑟夫·西盖蒂，(20世纪)三四十年代的老唱片上常见到这个名字。犹记当年听过他录的一张《加沃特》，是巴赫无伴奏的第三组曲中之一章。可惜已回想不起什么细节了。正像克莱斯勒、埃尔曼一样，他也到过中国。据云还是他首先将贝多芬的作品（盖指协奏曲、小提琴奏鸣曲?）介绍给中国听众的。这位匈牙利小提琴家有六十年以上的演出生涯，足迹琴音遍欧、亚、美。他树立了现代演奏名手的标准。唱片上刻下他无瑕的艺术技巧。同时他又是个音乐学者，20世纪新人新作的卫士，也是当代音乐世界的严肃的观察家与批评家。

与其看这种抽象的介绍，不如听他以过来人身份现身说法。在本书中，他先是回顾了“学徒”时代自己练过、表演过的曲目。其中有胡贝的协奏曲（此公的小品《微风》很可一听，而其协奏曲则早已被束之高阁了），有维尼亚夫斯基的《浮士德幻想曲》，还有萨拉萨蒂的作品，等等。他说，想想那个时代（上世纪末）的老节目，再看看如今（20世纪60年代）的年轻人怎样挟着烜赫的曲目开始其演奏生涯！其中不但有贝尔格的协奏曲，巴托克的独奏小提琴奏鸣曲，埃尔加和西贝柳斯的协奏曲，而且还有哈恰图良的！但应该知道，那年头，一无广播，二无比赛，唱片也未普及，所有这些情况都使学生无从及时了解他的竞争对手们在练什么。

直到1910年，他才敢演奏贝多芬的协奏曲，其时年已十八了。那次得的奖品是五枚金币，贮在一个金质小匣中，揿一揿，吐一枚。又过了一两年，他才敢动勃拉姆斯。

也就在1910年，克莱斯勒首演埃尔加的协奏曲，轰动乐坛，也震撼了他这个初露头角的青年。乐谱摊在膝上，铅笔捏在手里，力求捉摸住大师演奏技巧的精微之处。可到了第二天，他却鼓不起勇气开始练这部作品。这是自卑心理作怪，他承认。当年已经五十出头的伊萨依[1]，却在次年承担起了演奏此作的任务。

再往这以前回溯，帕格尼尼时代的演出节目单上是:《激情威严奏鸣曲》、《圣帕特里克的一天》（G 弦上独奏）、《威尼斯狂欢节》、《农场之声》（口技式的写真曲）等等。

大约四十年之后，二十岁的克莱斯勒拿出了如下节目：亨德尔的《A 大调奏鸣曲》（伴以管风琴）、《恰空》、《广板》，巴赫的《E 大调加沃特》，从贝多芬四重奏（作品 132）中抽出来的一个慢乐章，还有帕格尼尼的《无穷动》。

他引述一篇 20 世纪 60 年代人的文章《消失中的独奏会》，认为独奏会的程式几经演变似有向 19 世纪后期复归之势，也即是以几种不同乐器的联合演出为特征了。也有人叹息独奏家（像帕德雷夫斯基、拉赫玛尼诺夫与克莱斯勒这样的）与演奏个性的日见消亡。

书中第二部分是论小提琴演奏技巧的。一览琴坛现状，他不禁有些悲观。学生只求响求快，以为越响越快越好。结果是一碰上，比方莫扎特交响乐中“二提”的声部，反而手足无措

1　Ysaÿe，现在通常译为伊萨伊。

了。但他即便在谈技术问题时总是归结到音乐、艺术。他引了名指挥塞尔的话：小提琴系的毕业生知道的好音乐少得可怜。一位西贝柳斯比赛的评委说：人们拉帕格尼尼的随想曲很出色，拉巴赫和莫扎特的作品却很糟。

西盖蒂发挥道：一部协奏曲，你可以从反复练习中一字一句地抠，从而学会演奏它。但你拉莫扎特的交响乐中的弦乐声部，就需要迅即领会这一部分在整体中的作用、意义并且作出反应。要能做到在一瞥之下便能把握其风格，在弓法、句法与段落处理上作出本能的反应。

第十八章是巴赫专章，也是全书的中心，犹如巴赫是一个小提琴家演奏生涯的中心。

对于重大经典名作的演奏文本中出现种种以讹传讹的现象，他向来是深为关注的。在这个巴赫专章中更是繁征博引，不厌其详地提出巴赫作品版本中的种种疑难。

例如，《恰空》开始两小节中最后那个八分音符是奏单音还是奏和弦？曲终处是否奏颤音？

约阿希姆、埃内斯库、布施等都在前一处奏单音，在曲终处不拉颤音，而更多的小提琴家则按传统版本行事，于开始处拉和弦而以颤音结束全曲，这样做的有大卫、弗莱什、胡贝、海菲兹和西盖蒂自己。他以一种音乐学家的风度对《恰空》开头的部分列出了巴赫手稿与四种不同版本的谱例。对结束处的异文，他举了九个不同的谱例。

但他也援引了 R. 勒帕德的论文《演奏的权利》。该文中主张：简单而不确定的记谱，存在于 17 世纪之初，这种不确定，正可以让演奏者参与贡献。

有关《恰空》的演奏还有另一个疑难，速度问题。弗莱什的速度是每分钟六十拍，布索尼的钢琴改编本上标了行板，等等。但西盖蒂认为真正的问题倒不在于用什么速度呈示其主题，而是在巴赫创造的这个音响世界的漫长之旅中，如何才能够保持连贯，而这是一个情绪何其变化多端的世界！巴赫从一支短短的主题中演化出一个大世界！演奏者与倾听者都应该感受到它在多变之中的统一。对于演奏者来说，他只有让听众始终意识到切分节奏的脚步声（一切皆从此中引发而出），才有可能使音乐融为整体。

因此西盖蒂认为，在速度上始终拘泥于每分钟六十拍显然不行。据用节拍机测试的情况看，在这部巍巍殿堂一般的巨构中，游移于每分钟五十六到八十四拍之间，是无损于统一感的。（读这一段不禁回想起一次珍贵的体验。当我听一位当代吉他大师演释此作的改编曲时，正是这种复杂微妙的变化与连贯、统一，吸引我在忘了时间的漫长之旅中进入了巴赫建筑的那座宏大殿堂！）

西盖蒂的见解是明达的。他引为自慰的是，他坚辞了出版者要他也为巴赫作品编订一个本子的建议。既然已有如许多的版本，又何必多此一举！他的结论是：要在巴赫的迷宫（指版本、演释的分歧）中寻路而达目的地，只有自己救自己！

他又翻开一页乐史，告诉我们，百年前人们的看法不同，很少有人演奏这些巴赫的无伴奏作品。有的名手虽演奏其中一部分，还是带着点歉意的。往往还要加上钢琴伴奏，而这竟是舒曼、门德尔松这样的大师干的。他们倒是一片热忱，总想从时人的冷落中救出巴赫，却为作者自己感到已是完整之作添上了蛇足！

西盖蒂老实承认，少年时他也犯了这种错误，演奏了“有伴奏的无伴奏奏鸣曲”！他回想起布施同他亲切如父子的谈话：“这样做是糟蹋了巴赫。”

一到20世纪，巴赫这一套无伴奏作品热起来了。各式各样的版本和处理。从“笛声”“在指板上拉”直至“重击”，另加许多强音记号，大用G弦，等等。到了20世纪60年代，没一个想参赛的人不面对这套作品的挑战。热潮开始于1937年在布鲁塞尔举行的伊萨依比赛。既是比赛曲目中有它，影响自然也就波及于音乐院校。而其后果是，十几年前还能令人刮目的曲目，过不了几年又成了老一套了。1966年的蒙特利尔比赛，规定曲目中有巴托克的独奏奏鸣曲的第一乐章。这便意味着年轻人与其老师要流上好几个月的一身大汗。但等到下一个十年，人们又将其视为陈词滥调了！

但巴赫的这些作品，并未能使一般听众很快便接受。1932年之前，没有四个乐章全录的唱片。音乐会上也只演奏单乐章。《恰空》也是从全曲中挑出来演奏的。

为了表达他对巴赫的热爱之忱，西盖蒂又引了 P. H. 朗（著名乐史家，他写的《十九世纪西方音乐文化史》[1] 已有中译）关于巴赫无伴奏奏鸣曲的一段话："幻想风的前奏曲，透彻地发展了的赋格，巨石殿堂一般的变奏曲，与优雅的舞曲相互交替，这是创造性的想象力对形式、素材、表现手段之局限所取得的全胜！"

作为对照，也借以证明上一世纪的人们对巴赫这些伟大杰作的难以领略，博闻多识的西盖蒂又引了一段妙文，取自大文豪又兼乐评家萧伯纳 1890 年 2 月发表的一篇报道，题为《评约阿希姆演奏巴赫〈C 大调赋格〉》："……你自然无法用小提琴真的同时在三个声部上拉出一曲赋格，但是利用双弦奏法并在几个声部之间转移，也可以制造出一个赋格巨灵的影子来。那将得到认可，假如有巴赫为你担保的话。……约阿希姆发狂般在琴弦上刮将出来的那种声音，使得用脚跟踩豆蔻也成了美声。但那些辨得清音高、称得上是乐音的音，大都走了调，可怕，可憎！换了别个无名之辈，演奏的又是无名之辈的作品，他拉得这样会难逃一命。但我仍同别的人一起鼓掌如仪，演奏家也鞠躬如仪。约阿希姆的高尚职业，巴赫的伟大声名，催眠了我们大家，让我们把可厌的噪声当成美好的音乐！"（笔者

1　该书有两个版本，一版名为"西方文明中的音乐"，一版名为"十九世纪西方音乐文化史"。

按，萧绝非对乐无知，他出生音乐之家。他搞音乐评论的资历还早于文学戏剧。他不会胡言乱语，一大本乐评文集可以作证。约阿希姆已到衰年，力不从心，所用的非平均律也许可以解释“走调”的问题。还有一点值得注意的是，萧的锋芒所向，主要是当时的附庸风雅的中产阶级。）

本书中其他许多令人着迷的话题，篇幅所限只好下回分解了。但不能不借他人之口给他画一个剪影。中提琴演奏大师普列姆罗斯，最倾倒西盖蒂对巴赫无伴奏奏鸣曲的演释了。有那么一次，听了以后，他对西盖蒂的好友休斯说：“伤脑筋的是，此人比我辈有更多的弦，更多的手指头！”

技、艺、名利？

——读《西盖蒂论小提琴》(下)

本文上篇介绍了《西盖蒂论小提琴》中有关小提琴演奏传统与乐谱版本方面的珍闻。这里继续介绍书中其他精彩内容。

这本书中留下了他对许多前辈大师的演奏亲见亲闻的印象，也记下他对这些演奏的不与人苟同的评价。这都是可珍贵的乐史资料。

1877 年，萨拉萨蒂在德国演奏门德尔松的《e 小调小提琴协奏曲》。行板乐章中主题的那个 A 音，他用了泛音。有人在一篇回忆中极口赞美那位西班牙大师的演奏，尤其是这种当时很新鲜的奏法。西盖蒂一方面很重视这种现场感受的乐史价值，却又谈了自己倾听萨拉萨蒂晚年演奏的观感，觉得他好像有点心不在焉。这位大师演奏的巴赫《E 大调前奏曲》，是曾受到弗莱什和维尼亚夫斯基激赏的。西盖蒂的评价也适得其反。此曲，萨拉萨蒂当年录制了蜡筒，现代已被重录，成了

“历史名盘”。尽管持有不同看法，西盖蒂仍然赞成今天的听众不妨听听这张唱片，但，要带着一种历史感去听。

他总是不肯人云亦云。谈到 1913 年在圣彼得堡听奥尔演奏贝多芬的小提琴协奏曲的感受，他也是直抒己见。当时，那位声名烜赫的小提琴教育家写信告诉友人：“人们都说我从来没拉得这么好——想想看，我多大年纪了！”（按：奥尔那年已七十出头。）然而西盖蒂说，他对这一场演奏不敢恭维。有意思的是，在这以前他已经领教过了海菲兹、埃尔曼和津巴利斯特的演奏，天真地以为，名师之艺自当高出于其三位高徒了。谁想到事不尽然。在那场众人瞩目的盛会上，荷兰大指挥家门盖尔贝格处理乐队演奏的粗豪风格，更加反衬出奥尔这位老去的大师独奏声部的单薄和紧张。西盖蒂觉得，奥尔学派高材精英们所具有的那些特色，在这场演奏中恰恰听不出来！

最能显出西盖蒂的见识，也令人深深感受到他的艺术良心的，是本书中用大量篇幅谈论的音乐竞赛问题。

对于现代的音乐竞赛成风、成灾，他深感忧虑。他对青年提琴手的忠告，情见乎词，读来令人感动。他是以自己多次担任评委参加国际比赛的感受来发言的。

他发现，许多此类比赛接连不断，同一个青年人先后参加不同的比赛，时胜时负，浮沉无定，有的参赛者，他一听便知其无望，却还是一个劲儿地投入各种比赛，只想图个侥幸。眼看这种情景，他不禁叹息，这些人的教师为何不肯透露真情，听任自己的学生浪掷十几年宝贵光阴?

才具不足，而又到处参赛以求一逞的这些人，竟形成了半职业性的参赛专家。评委一看到是个熟面孔，再翻翻有关的材料，哦，原来他又改换门庭找了个新教师！可怜，此辈参赛家也不抱什么奢望，只求捞个名次，哪怕第十一、第十二名也于愿足矣。拉得再不行，这种机会总可能碰上的。于是他便可自称为“某某比赛第几名”了。大不老实者，也不妨自称“某某比赛获奖者”。

除了责怪那些误人子弟的教师，西盖蒂又有一个并非毫无根据的推测：既然许多误入歧途的青年往往拥有一把名贵的乐器；那么鼓动他们去追求海市蜃楼的，恐怕不仅是教师，还有推销高档乐器的商人吧?

他并不是全盘否定竞赛活动。通过这种活动发掘出一个天才人物是令人振奋的。可惜这样的发现太稀有了。“报酬递减律”起了作用！有人认为，现在最需要举办的是把所有的大奖获得者集中起来赛它一下。

西盖蒂又察觉到，比赛同唱片业之间也存在着某种互为因果的关系。其中的问题之一是形成了以名家演奏的录音当尺度。刻意模仿，面目雷同。

老一辈名手是徐徐成熟的，现代新人则一拥而出，如雨后的蘑菇。他回顾道：从前，一个名手灌的唱片总是经过反复琢磨的成熟的艺术品，是他已经在音乐会中久经考验的节目。如今则不然，一个新手，还没上过多少战阵，却动不动便录制巴赫的《哥德堡变奏曲》和《斯卡拉蒂全集》。至于录制巴赫的六首无伴奏奏鸣曲这样的艰深之作，他们也满不在乎。

回顾当年，他不胜感慨。自从1919年起，他便开始在音乐会中演奏贝多芬的十首小提琴奏鸣曲了。但一直等到1994年他才灌了唱片。再如卡萨尔斯这位大师，他录制巴赫的六首无伴奏大提琴组曲，其进度一年不过两首。当然，如今有先进的磁带录制技术，可剪可接，可加工，自然不难毕其功于一役。问题是这种温室里催生早产的货色，质量如何，仍要看青年人自己的真功夫。

唱片商常常要他们一口气录制六至八首当代作品，例如巴托克、埃内斯库和艾夫斯等人的作品。可是演奏者既无自我评审能力，又不能自我克制，不能让唱片公司等自己成熟了再说。现在他还并未达到那水平，说不定永远也达不到。

这样，便形成了青年艺术家与唱片业的一种相互依赖。

西盖蒂为这种依赖病的患者开了个有趣的病历：年仅十来岁的某获奖者，签下合同，为某唱片公司录制一部当代新的协奏曲。那位执棒指挥乐队为他协奏者，也便是该作品的作者（可能也便是那次比赛的评委），从而年轻的演奏家也得到了公司在报刊与广播中为他进行的轰动性宣传。这都是他的同辈人梦寐以求的。年轻人不耐等待徐徐成熟，只想到比赛场和唱盘上一步登龙！

西盖蒂的结论虽然有挖苦的味道而颇含深意：现代录音技术可以出新的音响，新的票房价值，当然也可以出新的作品价值！

那么怎样才能达到成熟之境呢？他从这一点引入了另一个话题：参与乐队、室内乐演奏，参加教学实践，对于独奏家来说至关重要。

他列举了布索尼、胡贝等人年轻时如何去执教，布施、约阿希姆、奥尔、伊萨依、蒂博等人如何加入乐队工作的情况。他也自悔当年不该辞谢了维也纳国家歌剧院的邀请，失却了到乐队中磨炼的好机会。

他发现，物色小提琴手成了所有大乐队的一大难题，而又出现了自相矛盾的现象。日本人在前西德的乐队队员工会刊物上登广告征求首席，而前西德乐队将自己的首席让给他们。英国乐队声称缺少称职的人手。英伦最好的一家乐队，1965 年征求首席，应征者寥寥无几。某音乐学院则断言，这种人有过剩的问题。

在前西德一支乐队的录取评赛中，应试的十六人首先要拉一部协奏曲。然后，最有希望录取的三至六人被要求拉《费加罗的婚礼》《菲岱里奥》《女武神》等歌剧中最伤脑筋的两段音乐，一快一慢。结果是不止一次无一人入选。乐队缺额依然空着。

这里是一位名指挥参加审听的经验之谈：常见的情形是，

人们不难按照时尚的标准拉贝多芬的协奏曲，可是，《玫瑰骑士》中的难段却叫他们出了洋相。这位指挥家说：颠倒过来岂不更好！

还有一位乐长告诉他：我队有个提琴手，独奏会上他可以一显身手，在乐队里他成了废料。进来已经有四年了，《艺术家的生涯》对他来说始终是个难关！

种种原因导致乐队队员水平下降，数量减少。因此，他很赞许前西德人的一种措施，组织一支百人青年乐队，短期集训，不开什么“大师班”，也不教什么别的技巧，只练听觉，练“群感”。

他给学提琴者的流行病患者找出了病根：热衷于参加带竞技性乃至赌博性的比赛，早期教学中的误导，那种急功近利的教学法影响了学生缺少合奏、视奏等开拓视野的机会。

他提到里赫特的老师涅高兹的看法：经常参加四手联弹，弹交响乐改编谱，拉室内乐，应该列为“名手之道”的主要内容。而霍罗维茨也可为此作证。20世纪30年代，正当他声名鹊起之时，西盖蒂亲眼见到他平时热心弹奏的却是李斯特改编的贝多芬交响曲，但这并非为了演出。

相反，当代的猎奖之徒把时光、精力浪费在从一个教师投到另一个的门下，从这个学习中心转到另一个学习中心，只指望在一个夏天里“大剂量”练习巴赫作品，或别的突击训练中得救，他们惶惶然不可终日！

他又辛辣地描写了如下的场面：仅有一下午时间的“大师班”，上课的人倒有三百。然而扮演了压倒一切的主角的，反而是开麦拉，电视节目制作者。

他怀着善意讽劝道：“大师班”本来有两方面的含意，即一位现在的大师对一批未来的大师。而今天，二者皆不见的情形往往有之！

这本《西盖蒂论小提琴》，内行、爱好者读了，都可以各取所需，同样觉得津津有味，都同样受到这位去我们并不太远的大师那满腔爱乐之忱的感染。他抨击他所憎的现象，正因为他担心青年人被迷糊得只知争名逐利而不知爱乐。

本书前有他挚友休斯所作的一序，提供了许多生动的情节，使大师的风貌更加可亲了。他告诉我们，西盖蒂讨厌演出老一套的节目。每开独奏会，你总能头一回听到他演奏的一首作品。有趣的是这脾气也贯彻于他的日常生活。他对休斯每天按照同一程序刮脸颇不以为然。休斯评论道：只有记性特好的人才能像他那样记得前一天是怎样刮脸的吧！

正如西盖蒂一贯主张的，他自己也嗜好室内乐，一有闲空便拉，这在他不只是休息，而是一种享受。休斯大受感染，也要求参加拉比较容易的海顿四重奏中的“二提”。每遇到难句，西盖蒂便顶替上去。可是有一回拉到一篇慢乐章中的如歌的主题时，休斯才拉了四小节，西盖蒂受不了啦，一把推开他，自己接着拉下去。休斯说：“我成了听客，这对海顿来说更好些！”

笔者不禁要补充一个绝妙的镜头，这是见于其他资料的：有一次西盖蒂演奏一部协奏曲，突然断了弦。他从乐队首席手中夺过提琴便往下拉，音乐得免于中断。然而可惜，独奏小提琴的声音顿时显得黯然无色了。原来，他自用的是一把“派屈里瓜尔内里”名琴（原为派屈里其人所藏，故名）！

有所谓“哲人的哲人”“音乐家的音乐家”，那是极言其学、艺之高明。西盖蒂得到一个同样的称呼：提琴家的提琴家！

为阿图尔·鲁宾斯坦传真

生于18世纪80年代，死于19世纪80年代，阿图尔·鲁宾斯坦是位跨世纪的大师。

他不但有跨世纪的艺术生命，而且有足迹跨几大洲的演奏实践。（记得有资料介绍他也到过中国。）他通晓多种语言。他参加过两次世界大战。他同数不清的乐人、艺人以及各界名人有交往。才三岁，他就被带到约阿希姆面前显示天才了。布鲁赫是他的乐理老师，帕德雷夫斯基指点过他，伊萨依要他当伴奏，圣-桑、德彪西都当面称赞过这个当年的小伙子……

他录下了那么多好唱片，不朽的音乐将因为有他那不朽的演释而更加不朽！

爱听他那数量惊人的录音的乐迷们，也许并不很知道，他那艺术生涯中的种种遭遇，所接触的形形色色的人与事，正像他的录音那样可惊地丰富多彩。

可庆可喜者，鲁宾斯坦用他自己那流畅亲切的语言把这一切都写出来了。读其自传，如见其人，如听其乐，有极大吸引力，最主要的原因是有真情实感。

本人读后，自觉同他的人与乐更加贴近了。不敢自秘，特采摘最有味的若干条，节译并加评注，与鲁宾斯坦爱好者共赏。

风浪与琴音交响

1906年新年之前的一天，我上了土伦号，一艘来往于大西洋两岸的法国邮船。阿斯特立克先生给我一个旅行袋。其中除了盥洗用具之外还给我预备了一点钱，作为船上开销小费之用。万一航行中遇险，如何应付；晕船，又怎么办，他都一一作了关照。

他的好心嘱咐并未能让我振作起来。头一次海上航行真叫人惴惴不安。分手时我情绪低落得一塌糊涂。

比起一般豪华巨轮来，土伦号简直像条内河轮船。但是在一间可以派多种用处的大菜间里却摆了架大钢琴，是普莱耶尔牌子的。

我住的这间房舱真寒伧。双层卧铺。至于浴室更谈不到了。听说此船上好一点的房间在最高层，只有两间。所以我也只得知足了。聊可满意的是，此室归我独享。

次日我到餐厅去吃午餐，看到起床就膳者寥寥无几，自己尚能经得住风浪之苦，不免心里得意。然而，没多久，便感到我们的船跳起舞来了，那跳舞的方式吓坏人。

波浪从四面八方拍打着船体，其声可怕。就餐者立即奔回自己舱里睡下。

这不过是个开始，我们一直颠簸了十天才到了目的地纽约。

接连两夜睡不着觉，头昏，要吐。小室中臭烘烘的气味，不堪忍受。马马虎虎穿上衣服，我摇摇晃晃地走到大菜间。本想到甲板上去走走的，一看所有的门都上了锁。人们告诉我：外面危险！

于是，我试弹那架平台大钢琴。我发现最麻烦的是如何坐稳在琴凳上。

弹了一阵子，忽然又有了绝妙的新发现！

当我弹着一首节奏铿锵的乐曲时，自己如果随着那音乐的节奏起伏而呼吸，便可以免受那船儿毫无规律的摇晃的折磨，从而也便不感到眩晕作呕了。

进一步的试验肯定了此种妙用。我便打定主意，再也不离开大菜间。以便一有情况需要随时可以利用这架乐器。

一位好心肠的乘务员答应把一日三餐送到我跟前。原来，此人是个音乐爱好者。

既令我惊讶而又觉得有趣的是一批乘客，一脸病容，活像刚开过刀的患者，一个个挣扎着前来，围坐而听。大家说，听弹琴使他们觉得好过得多。

除夕之前，大多数乘客穿戴整齐，共参盛宴。船长邀我坐上贵宾席。同席中有四五个有身份的生意人，还有位伯爵。

纵然有头等的酒菜，我毫无胃口。但一回到大菜间里，钢琴使我顿然恢复了元气，开怀痛饮起香槟酒来。在众人一致敦请之下，我举行一场名副其实的演奏会。

正当我弹得起劲之际，船身猛然一个震动，我措手不及，失却平衡，栽倒在地，幸好没有受伤，爬起来想再弹下去。

船长吩咐两个海员用皮带将我双腿紧系在琴凳上，把凳脚也用钩子固定于地板上，钢琴也被稳定不动。我的独奏会不顾大风大浪继续进行，再没有发生什么事故。这样一来，我同自己的艺术倒真是“连在一起，难解难分了”！

评注：这是鲁宾斯坦的首次美国之行，那年他还不到二十岁。要知道美国听众的反应吗？自传中影印了一份 1906 年 1 月 13 日的报道，标题是：“波兰钢琴家以其神技使卡内基厅的听众为之目眩！”节目中，圣–桑的《g 小调钢琴协奏曲》极受欢迎。从此这首曲子也成了他的拿手好戏。我们有幸，他弹此曲的录音几乎垂手可得。但如了解到演奏家的这些情况，听起来便更加兴趣盎然了。

还值得多说几句的是文中大菜间里的那架“普莱耶尔”牌钢琴。普莱耶尔其人是莫扎特在家书中向老父大加称赞的奥地利音乐家。不但钢琴、小提琴都来得，所作之曲，产量可惊，畅销欧陆。可惜如今的人连他这个名字也知之者不多了。即使对“普莱耶尔”这个词有那么一点印象的话，多半由于它同肖邦有联系。大家都知道，《雨点前奏曲》是作于一个马略卡小岛上的。该地无可用之琴，肖邦巴巴地向巴黎邮购来一架琴，正是普莱耶尔牌的，肖邦最钟爱的也是这种琴。原来，音乐家乐而优（卖曲发财）则下“海”，普氏又成了钢琴厂老板！

群星灿烂

1907年一从美国回到巴黎，我第一件事就是去找阿斯特力克先生，请他为我今后的活动想想办法。

“我有个好主意。”他告诉我，他们正在策划组织一次盛大的音乐会，慈善性质的。许多知名乐人都愿共襄盛举。其中，钢琴圣手弗朗西斯·普朗泰（F. Plante）虽已八十六高龄，也将远道前来参加。音乐会的大轴戏就是他弹戈特沙尔克的《塔兰泰拉舞曲》。

他要我弹几个小曲，安排在开场之后。他说，同那些大名人一起列名于节目单上，可是个出风头的机会。

节目单上的确是名人荟萃。萨拉·本哈特要演整整一幕戏，科克兰表演朗诵……而普朗泰已经有十年之久没在巴黎露面了。

那日，我准时来到了剧场。进入后台，只见那里乱糟糟，男男女女，有服装整齐的，有衣冠不整的，来来去去，高谈阔论，指手画脚。

我急想弄到一份节目单而又不得到手，突然有人将我一把抓住，便向前台推去。“感谢上苍，你可来了！有位演员误了场，此刻轮到你上场了。”

我一下子面对着满场观众，直到坐上琴凳之后才恢复了镇定。

肖邦的《夜曲》《练习曲》，都淹没在场内乱哄哄的谈话声中。这把我惹火了。作为对听众那不冷不热的礼仪性掌声的回应，我使出了自己的撒手锏——肖邦的《降A大调波兰舞曲》。这下子人们可要侧耳倾听了。而我也赢得了要一连鞠躬三次的热烈掌声。

为自己的成功暗暗得意，正想转到场内去听其他节目，经理，也便是方才催我上场的人又止住了我。“精彩之至！”他轻拍一下我肩膀，“你听了会高兴的。普朗泰大师想见见你。随我来！”

敲开休息室的门，我看到他是个面无皱纹的秃发老头。脱下鞋子坐在那儿，用一个电取暖器在烤。他一看见我，便嚷了起来：“我一看便知道，他大有才能。他讨人喜欢吧？”他是在跟经理说话，好像我并不在旁边一样。

然后才对我说话:“很抱歉我没能去听你弹。但我知道,你大受欢迎。你弹了些什么,我的好朋友?”

一听我报了那首波兰舞曲,大师朝我一看,勃然大怒,马上关掉取暖器,站起来尖声嘶叫:“他把我的节目偷走了,这混蛋,他偷走了我的节目!我要离开这儿,我准备好的乐曲仅此一首,却让他偷走了。”

我吓得赶快溜了出去,跑到场内,躲在包厢后边看节目。

过了两个多小时,才见这位大师在雷鸣般的掌声中出现在台上。使我大为宽慰的是,他以一种对手指的完美的控制演奏了《塔兰泰拉舞曲》:技巧,青年人似的朝气勃勃,都在否认他的高龄。

当那阵理所当然的热烈欢呼停止之后,他举手示意,开言道:“我年轻的同行已经给大家作了精彩演奏。出于无心,他把我本想弹的曲子用上了。因此,我也就没什么好弹的了。”说罢含笑退场,风度潇洒。

没想到我的成功也给科克兰留下深刻印象。他邀我参加了一场“明星音乐会”,那是为了救济老年演员举办的。卡鲁索、费拉尔都参加了。我的名字也同这两位大明星歌手排列在一起。

听他俩唱的咏叹调引起了全场轰动,我有了个好意,决定将《情殉》作为我最后的节目,用李斯特的改编本。

果不其然，这个节目把全场听众征服了。

圣-桑在场。他向我祝贺，非常热诚："听上去它在钢琴上比人声唱的还要更好些。"这是他当时的评论。

评注：这段回忆真是令人神往，一个群星灿烂的乐史镜头！文中显得神气活现的普朗泰，是个有点怪的人物。乐史虽留其名，而且他还录过唱片，但今人早把他忘了。此公以神童琴手成名后，1900年忽然发誓再不同听众见面而隐退了。所以若干午后他忽又复出便轰动一时。为了免受背誓之讥，演奏时还隔着纱幕。鲁宾斯坦记他"八十六岁"。从他生年（1839）推算应为六十八，可能是弄颠倒了。

文中的《情殉》，又译《爱之死》，原是瓦格纳乐剧《特里斯坦与伊索尔德》第二幕中的二重唱，也是此剧中最有魅力的一篇音乐。瓦氏将其改为管弦乐曲。如今在音乐会中此曲与该剧前奏曲联奏。李斯特又将其移植于钢琴，成了一篇改编曲中的杰作。原作的织体、和声与配器如此丰富复杂，要搬到钢琴上使之再现，是绝大的难题，改编本的效果可以传神，令人不可思议。"钢琴大王"真正将一架独奏乐器幻化成了一支管弦乐队！圣-桑之激赏，并非虚誉。所以这改编本是很值得见识一下的。

鲁氏演奏《情殉》，有无录音？笔者自惭寡陋，没听过。不过，霍罗维茨的录音并不难得，乐迷有兴，大可找来印证一下。

奇妙的和弦

——无师自通的爱乐者、乐评家萧伯纳

有那么一部音乐评论文章集，三巨册，每册九百来页。乍见这部大书作者的名字，音乐爱好者和文学戏剧爱好者恐怕都不免吃一惊：怎么，萧伯纳还有这一手！

在英国人眼中，莎翁以后最大的戏剧家便是萧翁了。他拿过1925年的诺贝尔奖。他又曾是社会主义费边派的一员健将。

中国人，尤其上海人，理应对这位大文豪更感亲切。20世纪30年代，他来过这当年的“冒险家乐园”。宋庆龄在莫里哀路寓所款待了他，在座作陪的有鲁迅、蔡元培、林语堂和穿着中国旗袍的史沫特莱。瞿秋白在鲁迅协助下，突击编出了一本小册子:《萧伯纳在上海》。

可惜的是，许多萧的爱好者竟不清楚，此翁还是一位大大的爱乐者，无师自通，成了响当当的大乐评家。其实他是先以

写乐评为职业，后来才写起剧本来的。人所共知，乐人又兼写乐评的，有韦伯、舒曼、李斯特、柏辽兹、柴科夫斯基和德彪西。文人而又深通音乐的，前有卢梭，后有尼采、萨特。一支笔既能写文章又能评音乐的，萧是近代罕见的一人。

萧回忆他的音乐之家与终日乐声不断的童年：长号、竖琴、大提琴和 Ophicleide[1]，家里的大人都会弄。（最后那玩意是一种已被淘汰却自有其特色的低音号，《仲夏夜之梦序曲》的总谱上便有此器。）家里的妇女坐到钢琴边也都能弹个曲子。家里不断地在排练名曲。许多歌剧，从小听得烂熟，还不到十二岁，便能用口哨从前奏曲一直吹到终曲；这其中包括《唐璜》这部萧终生最欣赏的歌剧。成年后他可以用男中音加假嗓，独唱其中全部角色的唱段。

一场变故，家人星散。萧发现屋子里乐声阒然。对音乐如此饥渴，驱使他发愤自学。幸好，还有钢琴，母亲离家前没忍心变卖，归了他。可是这个听熟了如许音乐的年轻人，连谱也不识。“我不从车尔尼开始，一上来便弹《唐璜》序曲。因为我寻思应该从自己熟的东西开始，不必去理会什么指法。”他终于不但能读谱，而且弹起交响音乐改编的钢琴谱来了。弹歌曲伴奏，胜过了那些正正经经学弹琴的人。练得越来越起劲，甚至弹过巴赫《赋格的艺术》，从此也研习起和声、对位，认

1 蛇形大号。

真做了习题。当他这样如饥似渴地在琴上敲打不休的那段时间，给左邻右舍带来的干扰之严重，后来“每一念及，深感自疚”。但那是19世纪，一无唱片，二无广播，他要狼吞虎咽他所爱的音乐，又有什么别的办法！

也正是这种嗜乐如狂的追求，把这个音乐学院的门外汉造就为一位乐史上屈指可数的乐评家。初出茅庐之时，他只能冒名顶替，为一位懂音乐却不会写文章的人代笔，可是这个幕后捉刀人不久便令广大读者着迷了。一般新闻报道的肤浅，老一套评析文字的平庸沉闷，都被他一扫而空。尤其是他那犀利的词锋，对谁都不留情面。19世纪欧洲知名乐人有不少都曾挨他笔尖刺过一下的。但他绝不是巴黎小报式的谩骂。他言之有物，自抒所感。议论风生，妙语联翩，而锋芒所向，主要是对着社会文化风气中的庸人俗见，所以对读者有很大的吸引力。

比如英国在以往有过亨德尔崇拜，19世纪又莫名其妙地兴起一阵子门德尔松热，在门氏的一切作品前五体投地。萧独独大唱反调。他评道:《意大利交响曲》的“深刻”，正如主日学校的布道（按，指那种一般化的宗教宣传）。又评《苏格兰交响曲》：假如作者不那么故作高雅的话，它本可以成为一部更有价值之作。但对于天才的作品《仲夏夜之梦序曲》，他仍然无保留地赞赏：何等的新鲜，何等的光彩照人！

当时人们奉之如神明的李斯特，萧赞赏他对贝多芬奏鸣曲的演释深刻，也佩服其指挥艺术的高明，却是很不赞成被当时许多人捧上了天的那些标题乐作品。

《但丁交响曲》在伦敦圣詹姆斯厅演出，萧写了一篇《圣詹姆斯厅的“地狱”》。他写道:“如许我直言不讳的话，我认为这是构思肤浅、表现手法可憎的作品。凭自己的亲自体验，我毫不含糊地奉劝头脑清醒的听众别去受这个罪。我郑重地认为，此作大可改题‘一场大火’，重新为它编写一篇文字标题。曲中各段可解释如下：快板——火警！火势蔓延，居民梦中惊醒，仓皇逃避，乱作一团。消防队带着水龙赶到，奋勇抢救。民警也到场弹压骚动的人群。屋顶的轰然崩塌，成了灾难的顶点……”

倘若如此图解，不会有谁觉得这同音乐之间有何不符之处。至于曲中原来描写弗朗契斯卡的那段哀乐则可标以“女房东向救火队长诉苦”。低音单簧管吹奏的宣叙风音乐，可以分配给仪表堂堂的队长。行板部分表现了大火扑灭后众人的悔恨交加。赋格段描写队员提着灯搜索废墟余烬中的受难者。结尾的声乐可当作幸免于难者的感恩颂歌……

萧说：但丁《神曲》之所以成为经典之作，是因其诗中境界道人之所未道；李氏作品之平庸，则由于其中的混乱与噪音是一般化的。人们读但丁原作，总觉得《炼狱》比《地狱》沉闷，《天堂》更比《炼狱》无味。在这一点上，李斯特的大作倒是颇与但丁相似的。

安东·鲁宾斯坦发表过一首《大洋交响曲》。如今虽有唱片，只怕也没多少人耐烦听它了。当年萧也有不客气的评论：谈到此作，先要记住，他是俄国人，而在欧洲，那是离大洋最远的国度。……如果听不到瓦格纳写海洋的音乐，我将满足于门德尔松的《芬格尔山洞》，或《培尔·金特》中海上风暴的片段。实在听不到什么差强人意的，那么，施特劳斯的《北海圆舞曲》也行，但要按真正的施特劳斯风格演奏。鲁宾斯坦要表现大洋，我只能将其效果比之为公园里的池塘。假使撇开大洋问题不谈，那么你听到的也只是一曲平平常常、吵闹的、也算过得去的三手货的舒伯特交响曲。

可是他并非标题乐的反对派。他是很主张音乐要有标题性的。莫扎特未能向标题乐发展，他还引以为憾，归咎于其父的误导哩。

对于当时纯乐派崇拜的勃拉姆斯，萧对他同样笔下无情，不止一次给以酷评：老天赋予他自相矛盾的性格，不是写无思想的音乐，便是写无音乐的思想。有时候他顺应自然，谱出一些动人的音乐，为包括鄙人在内的听众带来按捺不住的喜悦；有时他要卖弄自己的技艺，于是我们便得到了《德语安魂曲》和哈欠连天！

萧最看不惯当时的标题乐八股、民族风滥调，也受不了学院派的腐气熏人。虽然他嬉笑怒骂总不脱幽默大师本色，但他是绝对严肃真诚的。试读其议论巴赫、亨德尔、莫扎特、贝多芬的文章，便会理解他对乐艺爱得虔诚也知之甚深了。例如他为贝多芬百年祭而作的那篇名文，便是不朽的经典之作。第一次大战爆发之后，贝多芬的作品竟受到英国沙文主义者的排斥，甚至连这个伟大的名字也无人敢提起了。“贝多芬的作品被放逐了，而音乐厅里也空空如也了。”敢于公然赞扬的唯有他这个“伟大的头脑”。

当英伦报刊上一片噪声贬低瓦格纳，骂他是音乐骗子的时候，萧却老早发现了瓦格纳的价值，成了歌剧改革的热烈鼓吹者，写出了大量精彩的论战文字。

他是一个热烈的“瓦派”，但却不是偶像崇拜者，读他1889年的《拜罗伊特见闻》很有意思，瓦氏后人与门徒墨守旧规的那一套，萧不以为然：瓦格纳身后的拜罗伊特，已不成其为有生气的试验场，而只是传统教规的圣殿了！

二十来岁开始乐评生涯，直到去世的1950年才绝笔，他足足写了七十五年。这部文集在读者眼前展开一长串19—20世纪英国音乐文化的历史镜头：莫扎特的音乐受冷淡，门德尔松的“畅销”，人们喜欢热闹的贝多芬“第七”，瓦格纳的指挥形象，约阿希姆、伊萨依、萨拉萨蒂、帕德雷夫斯基诸名手的成功与失误……在他的生花妙笔之下都留下了活生生的现场报道、历史传真。

干这乐评活儿也不那么轻松自在，纵然拿着优待的音乐会入场券。他告诉读者，必须穿特厚的鞋底，以防磨穿。虽可饱听名手唱奏名曲，被迫倾听无味之作又使人不胜其苦。他往往故意姗姗来迟，躲开他讨厌的音乐。

他的“听”野并不局限于音乐会。19 世纪音乐文化的重要“传媒”是钢琴，对它的作用，萧写过重要文章。他支持乐人们要求调整那时偏高的音高标准。伦敦街头手摇风琴艺人的困境，救世军组织所属的铜管乐，业余管弦乐队的排练……他也要去关心，评论。

可别忘了，他后来的正业是戏剧与文学，他的剧本风靡了大西洋两岸的观众。音乐又给了他创作舞台艺术的灵感。促使他写喜剧的是莫扎特的歌剧。《人与超人》中有一处直接借用了《唐璜》的音乐。《卖花女》中有重唱似的效果。《恺撒与克里奥佩特拉》的瓦格纳味相当浓。《千岁人》要连演三夜，恰似《尼伯龙根的指环》。

这似乎是一个复调、多元而又谐调的头脑，我们无以名之，姑且形容他是：

一个极富魅力的奇妙的和弦！

乐狂自忏

——萧伯纳忆自学乱弹琴

从小一天到晚满耳是音乐之声，忽然有一天，我发现屋子里没音乐了！所幸，妈妈虽然不能不卖掉家具过日子，钢琴她可没舍得卖。

我去买了本音乐手册，那上面有键盘乐器的图解和识谱法。我并不从车尔尼的练习曲开始，而是弹《唐璜》序曲。我有我的道理，我想我应该从自小就听得烂熟的音乐开始，管它什么指法不指法。

终于学得能读声乐谱子了，那正是从小妈妈她们排练时就已经听到过的。同时也能在琴上对付那些改编谱了，弹这种曲子比弹正经的钢琴曲还行。终于也能弹弹歌曲伴奏了，而且同演唱者配合得更顺当，胜过一般正经练琴的。

谱子我买了不少。其中有《罗恩格林》。通过它，我革命性地发现了瓦格纳。

还有贝多芬交响曲的改编谱。它让我在熟悉的歌剧、神剧音乐之外又发现了广阔的新天地。

此后，为了同姐姐四手联弹，才不得不注意按照正确的拍子和速度弹。

巴赫的《创意曲》和《赋格的艺术》我也弹过。我还研习了学院里用的教本，认认真真做那里面的和声、对位习题。这方面，有一位学音乐的朋友给我辅导。虽然学会了如何在配和声时避免连续五度、连续八度等等玩意，但却全然不知习题的实际效果。

也曾读过一篇好像很科学的论文，作者是位候补博士。内容是有关和声学中根音的理论问题。

我还有幸读到了莫扎特关于“数字低音”方面的指示。仅仅有一两页纸。那是他信手写给他学生苏斯迈尔用的（辛按：此人即续成莫扎特遗作《安魂曲》者）。多年之后，埃尔加告诉我，那可是莫扎特有关乐理问题的仅存的一份文献，对于学作曲的人有一点点用处。——遗憾者，它对我来说并无用处，好在当年我也不打算搞作曲。

回想起，我在这种自学中弄出来的敲击声、口哨声、咆哮声，种种噪声给敏感的邻居造成的刺激、烦恼，真叫我无法弥补而深感内疚！

但我又怎能不那样呢？如今有广播，大家能听到欧洲顶好的演奏。一个星期中能听到的，超过我从前的十年！

……

后来我和妈妈又住到了一起。我喜弹爱唱的《指环》，害得她几乎要发神经病，因为她觉得这种音乐永远是些宣叙调，而且可怕的不协和。但她忍住了，没怪我。只是到了再次分手时她才把此事吐露出来，说她为此有时真恨不能大哭一场！

每一念及此事，哪怕自己曾经害死过人，良心也没如此痛苦！

假如能从头再活一遭的话，我将致力于搞一种耳机与扩音器之类的研制，好让音乐狂们只让自己听到他自己制造出来的音乐噪声……

萧伯纳不搞作曲吗？

前文中，萧伯纳说他并不作曲，其实不然。

19 世纪 80 年代，他最心爱的消遣是为诗歌谱曲，但只供自娱，也用以娱友。可惜只存下三曲，其中一曲，用了雪莱的诗。原稿现今收藏于美国南卡州大学图书馆。

有趣的细节：谱表是他自己画的，画得不大整齐。

直言　快语

——萧伯纳乐评摘（上）

几年之前，借到一部美国加州大学出版的《萧伯纳音乐评论集》。十六开大本头，一千多页。真叫一个渴想多读些乐史资料的乐迷为之狂喜！更没想到，几年后，又借到了萧翁的乐评全编。好家伙，三大厚册，每一本都近千页！

于是，一面狼吞虎咽地阅读，一面摘抄，抢抄了两本笔记。读他写的乐评与报道，我总觉比读乐史更能亲切感受到以往的音乐文化实况，那是19世纪下半个世纪英伦乐事的第一手报道。他夹叙夹议，有褒有贬，笔尖挟着冷嘲、热讽，往往是火辣辣的，但是无不出自他对于推动音乐文化普及提高的一腔热诚的爱。

每一重读笔记，就总觉不该自秘，这些乐史遗珠，应将其公诸同好，更想借此引起今日乐评者的兴趣。今天的人们，耳福可真不浅。萧翁当年无法想听就听的“贝九”，还有那些他根本听不到的作品，我们今天都可以随时随意享受。也可能耳福太好了，反而身在福中不知福。

像萧翁所写的那样敢于直抒所见，直言无隐而又确实言之有物、有乐、有文的乐评，而不是应酬文字，更不是广告文字；在如今这个音乐泛滥的世界上，显得越发需要了。

当初是用中文随手记下的，今已无原文对校，如有谬误，只好求萧翁宽恕了。（括号中是我加的评注。）

里赫特指挥“贝九”

里赫特（H. Richter，奥匈指挥家）虽然已竭尽所能，但在如何表现、平衡与契合那在贝多芬此作中无处不在的高度敏感的旋律性这一方面，仍未达到令人满意的水平。只听见，弦乐在强奏乐段中干巴巴地奏着，气恼地跟上那些由木管和圆号吹出来的含糊不清的旋律。尽管这是英雄性的乐章，竟弄得产生了令人好笑又不快的效果。

的确，在现有条件下他已达到了他所能做到的最高水平，然而，这最高水平并非最佳水平。

谐谑乐章大概有点嫌慢。他处理为每分钟一百一十到一百一十二小节。而我却主张，至少要达到一百一十五小节。（请注意！萧翁虽然是在音乐的协和与不协和音中泡大的，却从未受过什么正规训练。他无师而自通。但这个乐评家去赴音乐会报道、评论的时候，却是如此认真而且并非冒充内行。你看，他显然是对着总谱也看着表在听！）

……可注意的是，年轻的听众们过早地在“急板”最后的地方鼓了掌。原因在于，流行的彼得斯版双钢琴改编本将那反复记号略去了。因而这些热心听众便当是已经结束了。

可是，没有比此种无心的错误更叫人高兴的了。这正说明了英国听众已经不再仅仅依靠爱乐乐队来了解贝多芬了！（他的意思是，爱好者不满足于当时还难得听到的《第九交响曲》演出，便通过对钢琴改编谱的研读与弹奏来熟悉它。唱片那时还未出世。）

（慢乐章）……我听过几个指挥家在《柔板》与《行板》的处理上搞得很不对头。有的将《行板》弄成了极慢板，或将《柔板》部分变成了活泼的小快板。里赫特没出这种毛病。当演奏到《行板》反复处，第一小提琴演奏某一乐句时显然要想过分加速，此时，里氏挥出一个祈求的手势，那动作既雄辩而又自如，非常动人！

……又一个富有魔力的时刻！低音大提琴以缥缈的弱奏宣示出合唱主题。以后，合唱队被放开锁链，引向一场大乱。不过，虽说唱得糟糕，这部高尚而又深情的爱与乐的颂歌，至少要比一部神剧动听。

又一场音乐会中的“贝九”

（以下是对另一场有《第九交响曲》的音乐会所写的评论。时在1893年3月8日。）

“第九”总是吸引着一批特殊的听众。因其为现代音乐杰作，文化人来听一听，可以完善自己的文化素养。对于端坐而听的此辈，我总不免为他们难受：厌烦，疲乏，纳闷地等待着，到底何时那大合唱才开始。而那是说明书中他们唯一能搞清楚的部分。（对伪雅的中产阶级、知识分子，萧翁是动不动就要刺他们一下的。奉劝今日中国的“听官”们，我们如果并不真想听“第九”这类音乐，就不必去赶风雅，受那个罪，也免遭萧翁嘲弄。）

“第九”（在英国）到底普及到何等程度，这很难说，正因为来听它的人虽然那么多，却并非真心来欣赏的。对于他们来说，像这种叫人厌烦的音乐，竟以《欢乐颂》作结，必定显得是放肆的嘲弄。原因在于他们都只是头一回听它。他们也决不情愿再受二遍罪。

我小时候那年头（萧翁生卒年代为1856—1950），《新教徒》被人们视为崇高之作，而《魔笛》则是该死的哑剧——正如今天人们对其合法继承者《莱茵的黄金》的看法。（当年，瓦格纳的乐剧虽已开始风靡欧美，保守的英国听众仍迟迟不肯接受它。）“第九”被视为太冗长，丑得出奇，而且又难以演奏，大不如可敬的新古典作品如斯波尔的交响曲《音乐的奉献》和门德尔松的《意大利交响曲》好听。

今天的音乐会以《未完成》开场。可是对于我来说，这却成了“未开始”。因为光是“第九”便已足够我听一晚上了。所以我故意迟去，等《未完成》第一章已奏毕才进场，也并不去倾听那第二乐章。（这当然说明《未完成》对他没多大吸引力，却也可见他是多么渴想再听“第九”，则当年听“第九”的机会难得也可想而知了。）

（……由于乐队是按照英国当时通行的“爱乐音高”定音的，合唱队中的女高音需要用“最强”力度持续八小节唱高A，唱得声嘶力竭，效果不佳）假如不能把音高标准给降下来，我倒宁愿接受一种做法，即是把合唱部分降低半个音，免得过分挤压喉咙，把音乐弄糟。

（这里面包含了有关音高变迁的乐史掌故，不妨稍加说明。贝多芬时代的音高标准一般是a^1=415—430，即比今天的国际音高a^1=440要低。不幸的是19世纪中，音高标准趋高，高半音甚至更多。特别是在英国，达到a^1=452.5，如此一来，演唱《欢乐颂》的女高音便受罪了，而贝多芬的音乐也是受害者。）

音高标准引起的麻烦

（下面这一条，正好可以为上文中的音高问题做补充，虽然写作的时间要早——1885 年。看了这一条，便可知萧翁对音乐文化事业的关心注视，并不止是只对演出的效果好坏发一通议论而已。自然，人们从这篇短短的文字里可以获得的乐史信息与音乐知识也相当不少，而且异常具体生动，读读是颇有味道的。）

人们对现今英国通行的音高标准不满，要求对此进行改革。诚然，一支长笛值三十几尼（一几尼的币值略高于一英镑）。假如要改换乐器，便会增加开支，得等个机会，把那支老的长笛卖给一位爱好者——反正他不必参加音乐会的合奏。

比利时国王下令，要全国所有的军乐队、音乐学校和音乐厅都按照法国音商标准定音。这件事在英国引起了人们提出各种不同的主张。

（此处的乐史背景是：1859 年，法国人主张将音高标准定为 a^1=439，到了 1889 年，它在维也纳国际会议被通过为“国际音高”。但是 a^1=440 这一如今为世界各国公认的国际音高，则要等到 1939 年才定下来。萧翁做此报道之时，英国人还不肯接受那比较合理的音高标准。）

英国的歌手要求把偏高的英国音高降下来。其他的乐人希望用亨德尔、莫扎特那时代较低的音高来演奏他们的作品。英国的（现行）音高要比亨德尔的音叉高半个音还多一些。

（很有意思！要查证以往时代所用的音高，可利用古老乐器，特别是有固定而较精确的音高的管风琴。但像被保存下来的亨德尔用过的音叉，也是历史音高的见证。他那音叉可以认为是代表了18世纪作曲家所希望听到的他们作品演奏所用音高，即 a^1=422.5。反过来说，现在很有人怀疑，现代乐队、重奏、独奏者所演出的巴赫、亨德尔、海顿与莫扎特的作品，即使从音高的改变引起音响改变而言，也有可能不符合那些古代大师们原意了。）

用比较高的音高演出古代作品，对于男高音和女高音歌手唱那些最高音是不利的。但是这对男低音、女低音倒比较方便。于是，人们便各袒一方，各持一说了。

翻谱人速写

对于伦敦圣詹姆斯音乐厅的翻谱人来说，还有哪一位大师是他们不熟悉的！他们可以告诉你许多有趣的场面。比方，如何以叫人气也透不过来的闪电动作，在“急板”中为弹奏者翻谱；而在梦也似的“柔板”中趁机偷偷打个吨，那段音乐的反复，又恰好在翻开的两页上，等等。

我亲眼目睹，他们当中的一位，竟在某大师身边睡着了！这害得我把听音乐也忘了，担心他能否在 attacca（紧接下段）处醒过来。

翻谱人终于及时地睁开了睡眼。但是那毫无疑义的一副惺忪之态也澄清了我的猜疑：到底是陶醉于美妙的音乐，还是——?

（这个历历如绘的音乐会镜头，正可以说明，独奏家从看谱演奏到背奏的风习的变化。哈莱在英伦演奏，明明他能背奏贝多芬之作，却因《泰晤士报》评论的斥责而不得不放一本谱在面前，那是 1814 年间事。萧翁此文的刊出已是 1886 年 4 月，是为李斯特访英演出而作。那么，直到此时，翻谱人还并未失业了！）

激　将　法

（1886 年 4 月，李斯特到伦敦开演奏会）

我们不能指望他弹“作品 106”。（显然是为了照顾钢琴大王那七十五岁的高龄吧？“作品 106”即贝多芬的第二十九首钢琴奏鸣曲，篇幅奇长，至少要弹三刻钟左右。技巧更是出名的艰深。李斯特一生中公开演奏过两次以上的贝多芬奏鸣曲有十首，“作品 106”即其中之一。）

也许，最好的策略是激将法。不妨款待他听些英国人的一般化弹奏。如此一来，急于要把那种讨厌的声响从耳朵中肃清的念头，再加上作为一位老前辈，要示人以真正的演奏是怎样的好心，便有可能促使他满足我们的期望了。

（从萧翁的妙语中，当时英国钢琴演奏中选曲与弹奏风格的平庸化不难想见！）

沙龙中的赋格曲

对于一般的英国人而言，赋格曲这东西是那种偶尔在客厅里爆响的所谓“古典音乐”，是一种引发昏睡病症状的音乐。仅仅靠耳食来欣赏音乐的业余爱好者是跟不上它的复调进行的……

（当有某位来宾弹起一曲赋格之际）那些多少懂得一点音乐听赏知识的，会猜度道：是亨德尔写的什么吧？而门外汉们，经常纳罕着赋格是什么样的，此时便停止了交谈，好奇地听着。多半也便越听越觉得没意思，终乃交头接耳、窃窃私议了起来。

弹奏者此时已宽了心。本来，在沙龙里弹什么赋格曲，在他是要横下一条心才肯干的，众客人居然能静听，鼓励了他，因为这是颇不寻常的事。但有许多弹琴者在众人侧耳倾听的无形压力下又会发慌。有人便抓住一个属七和弦出现的机会，稍稍沉吟一下，立即滑到一支圆舞曲中去。这一来，万无一失地会让全场的嘴巴恢复活动。只除外那些青年男女，沉浸于对他们跟着这音乐同舞过的伴侣的回想之中。

职业钢琴手，或是老练的票友，他们照例在此种场合只弹别的乐曲，不弹什么赋格。他们也不会去写什么赋格。因为，有道是:“(音乐家)应该对怎样写赋格钻深钻透，可别去写它。”此辈则取其后半句而不理会那前半句。这当然是因为，并无什么谋生的压力迫使他们学写赋格曲去受那份罪!

（作于1885年的这则幽默小品，从中可见当时英国一般人的听赏水平。萧翁自己倒也并非冒充行家。虽然是客串写乐评，但他也下过苦功。他研习过教本，认认真真做过和声、对位习题。连巴赫的《赋格的艺术》他也弹过，当然是用他自己那“乱弹琴”的方法弹的。）

直言　快语

——萧伯纳乐评摘（下）

（萧伯纳的乐评，也许你嫌它已经过时？就算它已经过时，也正好拿来当乐史读。何况，其中绝对有能叫你读出新鲜感的史与论，并不仅仅是有助于丰富读乐的知识而已。为此，再来采一束带刺的蔷薇，以赠同好。）

贝多芬以文代曲诉衷情

（原题是《贝多芬的不朽的恋人》）

……“我的安琪儿！我的一切！我的灵魂！”

贝多芬信中这几句话，真是够傻气的了！

但是值得一引，可以作为一种用文字来“作曲”的好例子。

贝多芬的全部音乐作品，都是他用来宣泄自己的感情的。然而在这封无头信里，他却运用文字来表达他原来习惯于用音符、和弦去表达的内容了。

我自己也搞过恋爱这玩意。我也曾写过傻话一般的情书，同贝多芬简直如出一辙。写了好多封，真不好意思讲，没回音！因此也说不准在我生前，而非死后，会有人——我的崇拜者，将其公之于世，害得我大出洋相！

（按，自从19世纪以来，世人对于贝多芬这封信的议论、考证文字，数量之大，几乎不亚于对其音乐作品的评说。此信写于1813年。那时他去了波希米亚的特普里兹矿泉地。7月5日刚到，6日一早便写下了这信。信是写了，却又不曾寄。而且直到他身后，人们才从一个隐蔽的抽斗里发现了它。自此以后，凡是他的传记，几乎无有不提及此事的了。

通篇都用“你”这种亲密口气称呼对方的这信中的那个呼之欲出的“你”为谁呢？却又寻不出直接的证据可以确认。时日也只标了个“星期一，7月6日”。到底是哪年的事，也煞费查考。

于是累得那些早期的传记家，把凡受过他青睐的女性一个一个都拿来猜了一阵，结果又似乎所有这些人都对不上号。

如今，由于“贝多芬学”之昌明——正像我们的“红学”之类！年代之疑早已弄清，收信者的芳名，据专家考析，乃是安·勃伦太诺，一位比他年少二十岁的维京贵妇。

介绍这一条乐评，并无意于将这件早已褪色的旧闻再炒一遍。萧提到贝多芬的“双语”。这才是个值得玩味的话题。

用不同的两种语言同别人交流，任何一个音乐家不得不这样做。一种是他所擅长的“乐语”。另一种是他不一定擅长的语言，有趣者，音乐家不但要靠后一种语言过日常生活，而且往往会发现：即使在他用“乐语”倾吐自身的情感，表达某种“思维”之际，有时仍不得不借助那另一种语言。此类事例并不罕见。柏辽兹、李斯特鼓吹的标题音乐，固然是现成的例子；还可以想想：巴洛克音乐的谱上几乎不注什么文字、术语，任演奏者自行其是。而古典、浪漫派乐谱上乞怜于术语、文字的说明便愈来愈不厌其详，唯恐自己的“乐语”遭人误解。莫扎特短促一生中留下的音乐作品如此浩繁，他的书信，一般人也只好满足于看选集了。而且他也有心写一本关于音乐的书出来的，只怨我们缘悭福浅，被他带进无名墓地中九泉之下了!!

再说，贝多芬的“乐语”可算是雄辩之极了。那他最后的一首弦乐四重奏的谱稿上写了“必须如此吗？”“必须如此！”又是为何呢？

为免喧宾夺主，这支大可加以展开的主题就此收束。）

放逐乐圣（作于1920年）

三年前，“贝多芬”对于英国人来说是一个最不符合爱国主义的名字。那时候，每个英国人最神圣的义务是将他所能抓住的德国佬斩尽杀绝，不管是用子弹、炮弹、刺刀，还是毒瓦斯。或者，简单地让其活活饿死。他也有责任叫别人相信：德国人不是人，不过是一种十恶不赦的畸形动物……

假定当年你想到，自己一刺刀戳死的那个德国小兵，有可能正是又一个贝多芬，那么你很可能武器脱手，而那个可能成为贝多芬者，反手一刀结果了你。在世界大战的年头，英国无人敢提起这个名字。我可以引为自豪的是，我是头一个在公众中打破这种沉寂的人。

1914年，我们的爱国者号召大家要杯葛（按：即抵制之意）德国音乐，于是乎它们便从节目单上给放逐了，并没有哪个不拥护此举。可是，音乐厅里也空空如也了！

（此处所说的是1914—1918年第一次世界大战时的情况。对那次并无什么正义性可言的列强混战，萧伯纳、罗曼·罗兰等一些为数不多的清醒头脑，是敢于冒天下之大不韪，起而反对的，那时圣-桑也带头愤起，排斥德国音乐。不过，有疑待查的是，阿图尔·鲁宾斯坦记他曾于一战中到伦敦参加过“贝多芬音乐节”［见鲁氏自传四百六十一页］。那么，似乎抵制的时间不长了？）

老年人与新音乐（作于1930年）

当我还是个孩童的时候，贝多芬死了才四分之一世纪多一点。《月光曲》被视为一个音乐艺术的崇高范例。《第九交响曲》是伟大绝伦不可思议的。哥达德（按：指Arabella Goddard，英国女钢琴家）弹“作品106”，当年就赛如举重运动打破了纪录一样轰动。

《罗恩格林》写成之时，我还没出世。等到它在伦敦上演，我已十四岁了。对于那些饶有素养的管风琴手、音乐博士们，这音乐听起来是可怕的。因为，一个并无准备的大九和弦突然响起，一个降B大调的全终止后边忽又冒出了一个也是无准备的不协和和弦，一下子又转到了毫无关系的E大调上。这在听惯了柔和地转入远关系调的耳朵来说，真可谓肆无忌惮！不过，一班乐理知识不多的听众，倒反而喜欢它。

《特里斯坦与伊索尔德》中塞满了所谓“错误关系”，每一幕开头，触耳尽是一些不加准备的不协和音。相形之下，本来刺耳的大九和弦也成了鸽子的啼声了。然而，听众并不在乎什么“错误关系”。连专业乐人们也渐渐把“不协和”“无准备”“未解决”给忘怀了。

有一回，里希特来英指挥此剧。我当场目击一位绅士跳将起来，挥拳狂嘘。可又一下子僵在那里。并非是遭了指挥的呵斥，而是因为并未如其所想的，挑起一场大乱。

无人响应，他自己反而有被大家轰出去的危险。

不过也确有一伙英国人到德国剧院中看《纽伦堡的名歌手》，序曲才奏了二十小节，便狂人一般地一哄而出。这种场面，我在拜罗伊特剧院亲自领教过。那都是今日听众所难以想象的。

（瓦格纳其人其乐在“艺术市场”中的行情变化剧烈，反差极大。开始时，无人问津。后来走红，又造成了乐坛与听众的派性争斗。爱之者奉为神明，憎之者视若洪水猛兽。双方相互口诛笔伐，派性十足。萧本人即是瓦氏新音乐的热烈信徒。）

收音机的功、过（作于1947年）

无线电收音机改变了英国听众。

当我五十年前还在干乐评工作的那个年头，难得在伦敦的圣詹姆斯大厅或水晶宫听到一部贝多芬的交响曲。而那一千名左右的听众是买得起门票才有资格进场听赏的。

我自己对交响音乐的了解、熟悉，主要是靠了在钢琴上同姐妹们四手联弹钢琴改编谱。至于在音乐会演出《第九交响曲》，那更是要经过好几年才能恭逢一次的盛事。

（收音机改变了这种情况），但它败坏了听众的口味，那后果也是可怕的。

不过，由于我自己总是忙不迭把它关上不听，因此也没资格妄加评论了。

音乐在今日（作于1950年）

记者问：你是否认为，英国人的音乐趣味和他们对音乐的理解，比起你评乐以来有明显进步？

答：那当然，大大进步了。广播、收音设备让贝多芬的《第九交响曲》成了本来不识交响曲为何物的几百万英国人熟悉的东西。……

广播、收音从两个方面造成了重大影响：一方面，用恶劣的爵士乐败坏人们的口味。然而它同时也使海顿的作品得以复兴，也使巴赫成了众人喜爱的作曲家。

问：这五十年间，演奏方面有何变化？

答：有变化。而且是一种向好的方向的大变化。不但海菲兹、梅纽因、肯特纳他们从技巧上胜过了约阿希姆、萨拉萨蒂、鲁宾斯坦；而且演奏曲目也大大拓宽。管弦乐队的队员们也像个独奏家了。

问：乐评在今天是否水平不高？

答：我以为不然。从来没像今天这样高。不过，也有些不够水平的报道者，对每一次演出都赞赏，而享有免费入场待遇的评论员却大为减少了。

怕听广播

一听到收音机里又播《汤豪塞》序曲，我立刻把它叭嗒一声关掉。

但如果有《威廉·退尔》序曲，倒又乐于一听。此曲在以往的音乐会里也曾是一个滥奏无度的节目。

《神界的黄昏》中的《葬礼进行曲》，几乎已不能唤起我的注意了。但是，亨德尔那首《死亡进行曲》，倒反而比以往更见其伟大。

(萧在这里既讽刺了广播与音乐会中迎合听众过度重复因而弄得好音乐也失鲜走味，同时也反映了当时音乐市场的时尚变迁。过去吃香的罗西尼已由热而冷；先前挨嘘遭唾的瓦格纳，后来已大红大紫。

更有趣的，当年瓦氏的热烈信徒，此时已有点厌倦而重新发现了罗西尼。)

评《大洋交响曲》

要谈论这部作品，首先不能忘了：作者（安东·鲁宾斯坦）是个俄罗斯人。而在欧洲，那是个同大洋最不靠近的地方。其次，以作曲而论，他地位不高。

要听写海洋的音乐，假如听不到瓦格纳的（按：可能是指《漂泊的荷兰人》)，那么我愿满足于门德尔松的《芬格尔山洞》，或者是《培尔·金特》中那段海上风暴音乐。

如果实在听不到什么可听的，那就听约·施特劳斯的《北海圆舞曲》也行，不过得按地道的施特劳斯风味演奏才好。

鲁宾斯坦用C大调和弦或G大调和弦描写大洋风光的企图，我只好比之为肯辛顿花园中的小小池塘，没效果！从描写大洋的角度来说固然是个失败；抛开什么大洋问题不谈，你所得的是一部平平常常、稍嫌吵闹、但还算过得去的，有舒伯特气味的三手货。

(对于声名赫赫仅次于李斯特的安东·鲁宾斯坦来说，这真是够不敬的了！但是历来对此公作品评价不高。帕德雷夫斯基也是钢琴家又兼作曲——可巧他的作品也遭到萧的挖苦。他曾很客气地说，鲁宾斯坦“作为一位作曲家，未免太性急了些”。有人认为他拿手的是“把一支乏味的主题琐碎地发展个没完没了”。此曲前后共有三稿，第一稿是四个乐章，二稿加了两个乐章，三稿又变成七章！

以公众的接受与选择来看，除了小小一曲《F大调旋律》之外，谁还记得他的什么大作呢？

《北海圆舞曲》，闻所未闻，是否应该发掘出来，让一年一度的维也纳新年晚会也换换口味？)

玻璃琴

法国作家左拉的名作《娜娜》中有个细节，不求甚解的读者也许会轻轻放过，其实它是值得我们用特写灯来照它一下的。作者写了一个工于吊膀子的角色，形容此人在向女人进攻时用了“玻璃琴般的声音”云云。

这玻璃琴，管弦乐队中是找不到它的。十八九世纪那时候，它却是欧美雅俗共赏的时髦乐器。

有人把它的发明权算在歌剧大师格鲁克的头上，其实不确。但他曾于1746年在英国伦敦亲手演奏过他为这乐器谱写的协奏曲。此乃当时英国报刊上的新闻。

玻璃琴用大大小小的一套玻璃杯组成。所以似也不妨译做“杯琴”。我国历来也有以杯盏为乐器的，把杯子排成一行，杯中注水，以调音律，敲击起来，其声泠泠可听。西方玻璃琴则又不同。它是用湿润了的手指去摩擦那也是沾了水的杯口，激发它振动发声。音色很特别，有点像弦乐器上用弓拉奏的声音，而又缥缈空灵，难以名状。所以便风靡一世，倾倒了不少知名人物。

这些人士中有那位富兰克林。有一幅他的油画像，画着这个博学多能的北美政治家正在手足并用，奏弄着一架玻璃琴，一副全神贯注的样子。他把那时髦乐器改造了一番，加上了简单机械，以踏板驱动，演奏起来更为方便了。

最叫人感兴趣的，自然是大天才莫扎特同这乐器的一段因缘。今天我们可以听到的一种玻璃琴音乐的录音，正是他为其谱写的两首作品:《柔板》《柔板与回旋曲》(作品 K.617，由此器与四件其他乐器合奏)。莫扎特显然很赏识这可爱的乐器。他不但特地为当年的玻璃琴演奏名手、盲女玛丽安娜·克其格斯纳写了上述的五重奏，而且在维也纳的一次游园音乐会中亲手一奏哩。老莫扎特是很想给儿子买架玻璃琴的，竟未能如愿。一个教小提琴的名师都买不起，可知其身价之高了。

海顿也试奏过它。他和贝多芬的作品目录中都有玻璃琴乐曲。

它的流行也反映在文学作品中。例如英国文人戈德史密斯(此公的《维克斐牧师传》，七八十年前，念英文的中国学生是很熟悉的。伍光建的中译本也曾风行)，他的小说中，人们无事闲聊，就从莎士比亚扯到玻璃琴。这是 1766 年的事，刚好在富兰克林改进此器之后不久。

《少年维特之烦恼》的作者也曾激赏这种乐器的妙音。上文说的《娜娜》，发表于1880年，可知直到那时人们对它也不隔膜。不然的话，讲究如实表现的自然主义者左拉就不一定用它来形容了吧。

有两件事也许可以说明这乐器音响的特别与魅力。它曾被催眠术士用作工具，诱导受术者“入睡”。然而对于演奏者来说，绝非愉快之事。这是由于演奏者用手指摩擦玻璃，敏感的神经不断受到刺激甚至有人受不了，引发了神经病，有些地方曾明令禁止。

玻璃琴热于19世纪30年代达到高潮后也便逐步降了温。20世纪仍然有它的爱好者，还出现了布鲁诺·霍夫曼（德人）这样的名手。他参加演奏的莫扎特作的那首五重奏是上了唱片的。

但是对于今日的许多爱乐者来说，它可能已是陌生的名字。曾见一份进口唱片目录中，中文译名误为“玻璃口琴”！

这也难怪，它原名harmonica，而口琴的西名也是这一词，有时为了区别，便叫它glass harmonica，于是发生了误会。

即使只为了弄清楚左拉那形容的原意与用词之妙，也值得听听它的录音，见识一下它那玻璃般透明而滑润的音响吧。

机械歌喉自有其魅力

在各种各样的音色、音响中，八音盒的声音有其特殊的迷人之处。

真想不到，这极有魅力的声音近来又时常在耳边响起。八音盒又出现于市场，成了时髦的小摆设。其实，这玩意是一种足足有两百年历史的古董了。留声机出世前夕，也是它最受西方人宠爱的时节。后来，虽然日新月异的留声机和自动钢琴登上了音响舞台的中心，八音盒也始终没有销声匿迹。

恐怕正因为人们喜欢它，乐曲中有不少是写八音盒的。俄国利亚多夫那首钢琴曲，人们常常可以听到。还有将此曲改为竖琴曲的。但都不足以传写八音盒声音的真正味道。它的声音是从被拨动的钢簧片上发出的，所以不同于钢琴和竖琴。美国乐人格罗菲的《大峡谷》组曲中有一章《羊肠小道》，孤独的旅人忽然听见山民屋中有八音盒之声，颇有“空谷足音”的意境。而这八音盒之声是用乐队中的乐器模拟的。

八音盒音色之美，恐怕管弦乐器中没有一种及得上它。西方人从它联想童话里的仙境，中国人则可能有别一种联想——高门巨族的荣华奢侈。

早在乾隆年代，来华的英国使臣便把这玩意儿带进了中国。鸦片之战以后，门户洞开，洋货如潮，涌进中国，那些对夷狄文化极力贬斥的达官贵人，买洋货绝不落于人后。八音盒成了王侯第宅、富贵人家的常见摆设，皇宫大内自然更少不了此种珍玩。

现今市面上的所谓八音盒，虽然奇货可居，其实未免简单化，有点“退化”了！八音盒曾像精良的机械钟表工艺那样达到高水平。笔者不是玩收藏的，眼界甚浅，倒也在内地小城中见过两具大型八音琴，那才是可珍可赏的奇货！其体积比四喇叭双卡录放机还稍大些。可以演奏和声复调相当复杂的曲子，且能换奏五六首。这两架中，一架还配了一套微型打击乐，另一架则附一架微型风琴。联动而奏，格外热闹。也可以联想18—19世纪时，有些古钢琴和钢琴上装了“鼓钹踏瓣”，可以制造“土耳其风”的效果。总之，看到那精巧绝伦的工艺，不能不令人叫绝，那音响也越发迷人了。只不知它们是否已在“破四旧”中成了垃圾还是换了主人？

且说上两个世纪，西方人还让它同各种实用器件相结合，于是流行起了八音首饰匣、八音手杖、八音照片册（不也像今之“音乐卡”？）。还有什么带八音的坐椅和酒壶。客人就座，倒酒，乐声铿然而作。至于钟表、鼻烟壶里镶着它，更是常见。直至20世纪，据说美国还推出过一种高档货：衬衫袖扣，内装微型八音盒云。

八音盒是一种“音乐机器”或者说是机械乐器。自古以来，机械乐器便是人们感兴趣的东西。在西方，至少可以上溯到一世纪时亚历山大城那位大发明家希洛。到了音乐文化兴盛的近代，人们对此兴趣更大了。

以机代人，演奏音乐，最典型也最盛行的是机械风琴。上两个世纪中，许多英国乡村教堂里曾配备了这种乐器。这样便省得再去物色风琴手了。人，容或有弹错之时，机器是不会的。何况还可以随便叫它再来几遍，决不会消极怠工。所以有的人认为，与其去雇一个不大称职的风琴师，还不如安上一架机械风琴。

此种“机器”，构造简单一些的，可以奏奏赞美诗之类的音乐，正适合宗教活动的需要。完备的，能演奏很复杂的音乐。

今天并不难从录音资料中欣赏到一首莫扎特的《f小调幻想曲》(作品K.608)，这篇长约十四分钟的乐曲，正是那位神童大师为机械风琴而作。翻开他的作品目录，同类乐曲还有两首。这位大天才居然肯一而再再而三地屈尊为机器谱曲，不正说明那不是无聊的玩物吗！当然他也可能借此增加一笔稿费收入。

机械风琴尽管很复杂，基本上是一个八音盒的放大。打开小小八音盒的盖子，可以看见它的“机芯”：一个圆筒状的东西旋转不已。筒上突起着许多“尖刺”，像个狼牙棒，这圆筒同一个“梳子”相切。“梳齿”是一组钢质簧片。圆筒上的小尖突同某一簧片相拨，那个音便响了起来。这似乎很简单。但麻烦在于怎样精确地安上那些小尖刺，正是那轨迹决定了音响的次序。这就有学问和技术了！它的工艺同钟表匠人有亲密关系，所以它的制造中心也曾是瑞士。

机械风琴里也有这样的一个旋转的圆筒，上面有许多尖刺，拨动与某一琴键相连的装置，打开一个阀门，空气进入风琴管，那个音便响了。

机械乐器的发展，引出了许多“奇器”。当年有个马采尔。这名字同贝多芬的名字常常联在一起。他是节拍机的发明者。从那以后，乐曲上才开始标有节拍机记号。贝多芬的《第八交响曲》是他九大交响曲中最幽默的一部。此曲中第二章尤其诙谐。那主题就是仿节拍机的节奏来开马采尔玩笑的。贝多芬遗物中有些喇叭状的老式耳聋助听器，那也是此人的发明。

贝多芬有一部《战争交响曲》，别名“维多利亚之战”。这部并无深意的热闹音乐，原是应马采尔之请，为其所发明的一支“机械乐队”而作。（这支“乐队”便是一架机器，包括了“弦乐”“长笛”“黑管”“小号”与“打击乐”声部。）然后才改编成真正的管弦乐队演奏的谱。这也是马采尔的主意，目的在于靠它“集资”供三人作伦敦之游。三人者，贝多芬、马采尔同那架机器也。（这类似今天对机器人的概念。也令人不禁想到英国滑稽小说家杰洛姆的《三人出游记》！）

1829 年 10 月，英伦《泰晤士报》上报道了马采尔之弟的惊人发明：由四十二个机器乐手组成的“乐队”，能逼真地演奏莫扎特的《唐璜》序曲等。一家美国公司出价三十万元收购，而卖方则非五十万不售云。

更耸人听闻的记载是关于在巴黎音乐院展出的机械小提琴手，时间是 1838 年：

“……它持琴而立，仿佛在对谱沉思……待到伴奏的乐队就座时，它肃立向指挥点头致意。试拉了几弓后，转身向指挥示意已准备好了，于是奏起一曲帕格尼尼风格的幻想曲。曲中有双音、泛音、双泛音、四弦琶音……最后，乐音由三个“*P*”的弱奏演奏渐强，拉出一个令人难以置信的高音，然而又逐渐消逝了。听众为之嗒然神往。”

那年间，有一阵机械乐器热。市场需求推动着能工巧匠的手与脑。吹笛的机器人，弹古钢琴的机器人，还有吹小号的……纷纷出场献艺，同时也成了人们啧啧称奇的话题。

然后，到了19—20世纪之交，又涌现一种曾经广为流行的乐器：自动钢琴。从家庭到酒吧、电影院都可以碰到它。它的“软件”是预制的打了孔的纸带。压缩空气从孔中通过，相应的琴键便自动叩响琴弦。

有可能是因为代价昂贵，竞争不过后起之秀的留声机，在中国，它很难见到。笔者在福建一位医师之家看到一架，可惜已开动不起来。此外还在上海霞飞路上一家拍卖行门外，隔着玻璃门无声地欣赏了一次。

正像海顿、莫扎特等曾为机械乐器作曲一样，现代的大师也乐于为自动钢琴作曲。斯特拉文斯基和欣德米特等人的曲目中都有这品种。既然自动钢琴不受人的手指数目与弹奏速度的限制，那乐曲的难度便不妨大大提高。例如，斯特拉文斯基将自己的管弦乐曲《火鸟》移译为自动钢琴谱，一看那谱例，便知人手是对付不了它的：音乐在三行高音谱、两行低音谱上同时进行（一般钢琴谱只两行）。

自动钢琴还有一桩妙用。把前面说的演奏过程逆过来，让名手在琴上弹，这时琴内的空白纸带上便按照他的处理打下孔迹。再拿这纸带输入琴内，名手的演奏就再现了。

这种“录音”，可以让我们听到那些没能在唱片上留影的前代琴人的演奏，所以很可珍贵。伦敦有家音乐博物馆，收藏了许多已故乐人的这种“录音”纸带，可供欣赏揣摩。

也许更可珍的是古老的机械风琴转筒上的古乐留痕。因为，乐学难题之一：巴洛克音乐中有些装饰音等等究竟如何奏法，往往只凭乐谱难以肯定。开动机器风琴，有的疑难之处可能获得实证。

这也使人们对这些机器增添了几分敬意。八音盒这类乐器的出现与流行，并不能只从好玩得到解释吧？把它们放到一个广阔的音乐文化背景中来听，更有意思，也有了乐史价值。

有人估计，在留声机发明之前，西方城乡中，道旁的手摇转筒式机械风琴，对于满足平民百姓对音乐的需要，起了不小作用。萧伯纳曾注视这问题。一大批普通人童年时代的音乐体验，除了八音盒、自动风琴（乡村教堂中的）所提供的以外，也便谈不上什么了。记得柴科夫斯基也提起过，八音盒中的《唐璜》曲调，对他是难忘的印象。

如今在一些中国城市中，八音盒竟成了新玩意！这不但令人想起它的来历，也联想到中国的旧事。最早一代的中国职业外交官张德彝，在其1871年《随使法国记》中记下了他在巴黎街头见到的八音盒，那是流浪乐人靠它讨钱的。而另一位外交官，曾国藩之子曾纪泽当年出使英、法、俄三国的时候，也在他的日记中记下了光绪九年（1883年）在驻法使馆中自己修理“八音琴”之事。

可爱的八音盒，从它那余韵悠然的音响里，也是可以听出一点复杂的历史回音的！

八音钟里的舒伯特

1824 年，也便是去世前四年，舒伯特再度去了埃斯特哈齐家。纵然乡间环境有益于他那有病的身体，心情却不佳，想家，也苦忆维也纳。

故乡亲人也在想念他。父亲来了信，叮嘱他要宽心。哥哥斐迪南寄来了赋格曲。告诉他，家庭四重奏演奏了他的一些作品。又特地说起一件事：匈牙利宫廷中的八音钟，能奏他所作的圆舞曲音乐。而斐迪南一听之下不禁为之流泪，当然是因为太想念弗朗兹（即舒伯特）了。

弦上语　诗中乐

古今中外的历史中充满了音乐。一个爱乐的有心人应该运用你的知识与想象力去倾听这种历史中的音乐。它们如同历史剧的插曲、配乐，可又并非出于后人的虚拟，而是历史事件中真实的音乐，它们是宝贵史料的一部分。读史者不听或者听不出，那是可惜的。如果听出了，许多历史默剧就会突然变成有声电影。

荆轲刺秦王这一历史事件，经过司马迁的事后采访，记录加工，收进了他不朽的伟著《史记》中的《刺客列传》。其中自始至终都可以听得见音乐之声，并不仅是人人皆知的易水悲歌。当然，易水悲歌歌一曲也的确是这篇传奇的高潮，悲壮之极！其中，歌唱的人忽然变调（还是改变调式?）作“变徵之音”，“复为羽声”，激动得在场的人怒发冲冠，这个细节，两千多年后的今人读了，仍然会如闻其声，受到震撼的吧！

这“发尽上指冠”的描叙，看起来似乎太史公大有虚构之嫌，有点浪漫派诗人雨果的味道了，其实是并不违反心理学和生理学的。巧得很，我们还不妨用两千年后发生在西方的真情实事来对证。这是标题乐大师柏辽兹在其回忆录中记载的。他赴匈牙利参加《浮士德的劫罚》演出的音乐会。那时候匈牙利人民正掀起了向奥匈帝国统治者争取独立的怒潮，爱国主义之火正待燎原，柏辽兹的《匈牙利进行曲》正好采用了匈牙利人喜见乐闻的民族音调，一支火辣辣的主题，加上配器大师的渲染，便成了点燃听众情绪的导火索。柏辽兹说，当乐曲奏到低音钹响起时，再也不能安坐的全场听众爆发了狂热情绪，作曲家觉得自己的头发也随之而竖立起来了！

这当然也是绝妙的一段史中之乐！

熟知荆轲故事的人可能想不到，其中还有离奇的情节，离奇的音乐。

因为，此事在秦汉之际是重大新闻，因而也就众说纷纭，流传开了不同的版本。司马迁并没将种种异说都收进去。有一部书叫《燕丹子》，作者不知何许人。书中也记下了这场历史惊险剧的前前后后，有些情节同《史记》大不相似。特别有趣的是增加了一段同音乐有关的情节，大意是这样的：

……荆轲献上地图，“图穷而匕首出”。他用左手一把抓住了秦王的衣袖，右手举起匕首，直指秦王心口，威逼那个暴君答应燕国的要求。“从我吾计生，不从则死！”秦王的表态是，别无祈求，但想听一下琴再死，死而无怨。于是召来了弹琴的宫女。不可思议的场面出现了。琴声中有话："轻纱织的罗衣，一挣便断裂；八尺高的屏风，不难一跃而过；陆卢长剑，何以不背起来拔呢！"秦王猛然省悟，掣断衣袖，跳过屏风，拔出了长剑。力量对比完全起了变化，勇而少谋的荆卿遭到了悲剧的下场！

这段琴声传语扭转局面的情节，太史公未加采用是对的，太不近情理了。但荒诞的情节中也并不是毫无合理的根据。"琴语"是值得从乐史的角度来给以注视的。"琴语"可能吗？回答是肯定的。中国民间音乐中至今还有这品种，单弦拉戏，仿各种音响效果，仿人说话、口角，有逼真的效果。在三弦（改用弓子拉）、坠琴、唢呐、笛子音乐里也有此类表演。反观西方，在帕格尼尼之前也有江湖艺人用小提琴学鸡鸣犬吠，猫儿叫春，却不知有没有仿话？

既是《燕丹子》中出现了这种描写，可证在编这书的那时，人们已经懂得在乐器上拟声了。据学者考证，《燕丹子》一书最早可能作于秦汉之际，再晚也是隋以前人写的。这不就颇有乐史价值吗！

细读其文，会发现那个编故事的人用心颇细，并非信口开河。赵瑟秦筝，是战国时代的流行乐器。赵国人最爱鼓瑟，而秦人偏爱的是弹筝。故事的作者何以不叫秦姬奏这两种乐器而换了琴这个道具，难道是没有讲究？非也！这是切合三种乐器的具体情况的。瑟也好筝也好，都有品柱，而琴却只有指板。

我们一想便明白，模拟人声，需要巧妙地运用滑音和圆滑奏，这在瑟与筝上不大方便，而在琴上是太容易了。这里面，还联系着一个有趣的推测。试问，秦女在琴上发的是“明码”而非“密码”，何以秦王政一听便懂，荆轲却茫然不知？这当然是因为秦人讲的是秦地方言，而荆轲是生于河南再跑到河北去游侠的。他当然听不懂秦腔。从这种细节也叫人佩服那编故事的人想得周到。

读《燕丹子》这篇故事，最引人入胜的问题还不是上面说的这些。

要模拟汉语的声音，关键问题是汉语的四声。离开了四声，要学舌学得像，几乎不可能。四声又是关系到中国诗歌艺术的一大问题。中国诗词的魅力，是同四声这个特色分不开的。

四声这东西，有些人以为不大好捉摸。其实它就是四种不同的短小曲调。我们无须用什么声学仪器，只要拿一把二胡，在一根弦上模仿一下，马上可以看出它是怎么一回事。

黎锦晖这位中国流行音乐的老祖宗，现在即使爱唱流行歌曲的人也不知道他的大名了。其实他是现代中国音乐史上不能遗漏的人物。1922 年，为了实验语文教学，推广普通话，他带着宣传队在上海郊区巡回宣传。他想了个绝妙的点子。先叫她女儿黎明晖唱白话歌曲，自己用小提琴伴奏（那时小提琴是个稀奇的事物）。然后就表演“琴语”。让下面的观众随意写出一句话，他就在后座上按照那句话拉出音调来。台上的黎明晖听了琴音，随即到黑板上写出注音符号（即老式拼音字母），并且翻成汉语文字，同下面观众写的相符。观众大感神奇。他其实也是利用了四声这现象。从四声又可以进而思索诗词与音乐的微妙关系。这可是中国诗歌艺术的一个大话题！不过反过来说，也是音乐艺术的一个话题。

众所周知，中国诗歌自古以来便同音乐结合在一起，难舍难分。从《诗经》《乐府诗集》一直到唐诗、宋词、元曲，都是可歌可咏的音乐文学。音乐加强了文学性，文学也加强了音乐性。

但是古今人在议论中国诗歌的音乐性这一问题时，注意的多半还只是诗与乐的外在的结合。实际上中国诗词还有更加微妙难言的内在的音乐性。可以说：诗中有乐，乐在诗中！

古代同诗歌结合在一起的音乐，绝大多数已经湮灭，音沉响绝了！不但“风、雅、颂”之乐，唐人怎样唱唐声诗，宋人怎样唱宋词，我们都茫然不知了！虽然古乐已亡，古诗犹在。古代诗歌的外在的音乐性虽然因古乐之不存而损失，但内在的音乐性仍然蕴含在其中，放射着绝大的魅力，感染着读诗的人。

这种内在的音乐性虽神奇又并不神秘，不是不可究诘的。四声这个因素可能起着重大的作用。上面说了，四声非别，就是短小的旋律，语词与语词相联结，片段的旋律便接续而形成有韵律的曲调了。学者把汉语看作“旋律性的语言”。这种旋律性的语言经过历代诗人的苦心锤炼，并同汉语的其他富于乐感的因素（例如“双声”“叠韵”）结合运用，终于形成了中国诗词中的浓厚的内在音乐性。

这本来是专家学者们的研究课题，我辈凡人只能知其然而不知其所以然。然而，知其然也很重要。如果能感受到这种无法记谱的旋律美的话，你的乐感也就深化了，这对扩大听域、提高倾听音乐的能力，是不为无益的吧？

老唱片怀旧

——百代老唱片珍品

最近有一条爱乐者为之雀跃的消息：英国广播公司打开了封存多年的一个音乐录音资料库。其中珍奇，不可胜数！将要制成 CD 以飨听众云。

其实，我们中国的老唱片中也保存了大量珍贵资料，如不发掘抢救，任其湮灭，实在可惜！

余生也晚，没能赶上最早的蜡筒片。惭愧的是连这种片子及其录放器也只在图片中看到而已。但是从小便听到了百代公司出的老唱片，自幸是一种耳福。

这百代老唱片是十二英寸直径的，每分钟七十八转，片纹很粗，比尔后的钢针片的片纹更粗些。因此要用宝石唱针，那针头也相当粗，是耐用的“长命针”。

从这种一二十年代的老百代唱片上，我听到了谭鑫培唱的《探母》《卖马》《打渔杀家》《李陵碑》，还有王凤卿、高庆奎、汪笑侬、刘鸿声等名伶录的京戏唱段。这些录音，对于京戏迷来说，都是无价之宝。

从这种半原始状态的老片子上，居然让我种下了对西洋音乐的原始印象。

有那么一张在旧中国恐怕是最普及、遐迩皆闻的百代老片子叫《洋人大笑》。当年只要是有留声机的人家，恐怕必备此片。小户平民花几个铜板，也便可以把身背“话匣子”走门串户的人叫进屋里，欣赏一下，消闲取乐。不少人家的婚礼余兴节目中，往往也用它来制造热闹气氛。

《洋人大笑》一开头是“啊！啊！啊！”三声怪叫。然后便一直笑到底。洋人们似乎是在旅游途中的火车上调侃打趣。洋话虽然听不懂，但笑声却是无国界、无分老幼都会受感染的。这一篇笑的“文章”，编得颇不平庸。有层次，有发展，绝不单调。始则不过于轻言悄语中听到噗嗤之声。更多人陆续加入，那嘻嘻哈哈的笑腔便变化多端了。众人的笑声又并非单线条的。既有一人笑众人和，也有各笑各的，颇有多声部效果（可惜彼时尚无人能梦见立体声）。当这篇笑的大合唱发展到高潮时，于嘈杂的哄堂大笑中又冒出几声前所未闻的狂笑、怪笑，出人意表，百听不厌！

此片中所录，很可能是西方一出音乐闹剧中的片段。从头到尾伴奏着的音乐也悦耳可听。这配乐加上唱片另一面的《军乐队》（一首铜管乐进行曲）便构成了我对西洋器乐的最初印象。恐怕，对于古老中国社会的许多人来说也是这样吧？

至迟从鸦片战争时起，中国人就接触了西方军乐，但是内地人听到这种音乐，恐怕这张百代唱片是一个重要的媒介。可惜我虽能记起一两句曲调却无法查明它是什么乐曲。

百代唱片中更有价值的资料收录在后一代的钢针片上。此时，录音方法从机械录音改进为电化录音，效果大为改观。说起这些20世纪30年代的百代唱片，印象最深的，头一张便是《教我如何不想他》。

这是自以1926年以来便流传甚广的一首艺术歌曲。当我于20世纪40年代初发现这张唱片时，对它早已耳熟，自己也爱吟唱，所以起初并没在意。一见那片牌上赫然印着的演唱者大名竟是作曲家赵元任本人，而他在音乐与语言学上的造诣是我极为崇仰向往的，这使我心头为之一震！没料到，唱片上放出来的歌声更是意想不到的新鲜！

原先已听过此歌的另一张片子，也是百代出品，唱的人是斯义桂，是洋嗓子唱法。洋嗓子没什么不好，但是在唱中国歌曲时，咬字运腔也带洋味，听上去便有点隔膜，不过也听惯了。赵元任的歌声之所以令我耳目一新，正在于他唱出了中国味。作曲者对此有过说明:“这首歌的歌调除了‘燕子……’‘枯树……’等三句以外都是中国派，特别是那三句‘教我如何不想他’有点像京剧西皮原板过门的末几个字。”

作曲家的现身说法，使我体会到了“中国派”是怎么一回事。

不知何故，赵元任灌的这张片子，好像并没有引起注意。至于此片另一面录的《江上撑船歌》，也从未听到有人演唱。那也是绝妙的一首“中国派”艺术歌曲。

它是由作者采风加工而成的。原材料是他在汉口长江上与河北滹沱河上听来的劳动号子。歌曲中部出现了转调，巧妙而又自然。由撑篙转为扬帆前进的情境，因这一转调的效果而逼真地表现出来。然而这并非搬弄西方作曲手法，而是号子中原来就有，却多亏作者有心，便将此天然的鲜花采而存之了。

赵氏演唱此曲，韵味又不同于前一曲。吐字运腔，宛然是劳动者的口吻，连其中那些衬字，也唱得有劲、有情、有味，真是体验入微。几十年来，每一回味，仍觉音犹在耳！

用西方技巧表现中国色彩，在演唱上又发挥了赵氏作为一位语言学大师的特长；这张百代唱片应该说是音乐文献中的奇珍！

当年一听便怦然心动，至今不能忘的，还有《飘零的落花》一片。

此歌，词、曲都出于晏如之手。他就是刘雪庵。记得三四十年代之交在先沦为“孤岛”继又成为沦陷区的上海，听此一曲哀歌，那沉沦于人间地狱中的怨女形象便如在眼前了！素朴的歌调，纯粹是中国味，传出了曲中人吊影自怜的凄凉心绪，也叫人感受到了作者深深的同情。笔墨经济，而格调颇高。

演唱者虽是一位从海外学成归来的声乐家，但听来毫不觉得洋气。那富有魅力的嗓音中蕴含着一种高雅而又亲切的韵味。

从这位演唱者便很容易联想起另一张难忘的百代片子《天伦歌》。那作曲者又恰好是刘雪庵的老师黄自。

论此歌的歌词，内容与文辞都不能令人满意，那是很可惜的！然而正似舒伯特用平庸的诗篇谱出了美妙的歌曲，我听《天伦歌》时也忘了歌词的平庸，感受到的只是音乐中情与美的力量；同时，那音乐语言也是完全中国化了的，听起来非常之亲切。

此片中的合唱队是上海大同中学的学生。对他们当然不好苛求。但，郎毓秀女士的领唱却完全弥补了这一遗憾。

当年在中国生产唱片的，并不只是百代公司一家，但在京剧、地方戏、流行音乐之外还能注意到严肃音乐的，似乎唯有百代。这当然又同音乐家任光的作用大有关系。他是从法国留学回来后进入这家公司的。

这尤其表现在对器乐作品的录制上。

单是“大音希声”曲高和寡的七弦琴曲，我便听过两张百代片子。其一是卫仲乐录的《阳关三叠》（此片另一面是他弹的琵琶曲《塞上曲》）。还有一张古琴片，是我从一个人家的唱片堆中翻出来的，徐元白弹的《平沙落雁》。彼时，我已把梅庵琴派所传的这首古琴名曲听得相当熟了，所以有了对照。流派不同，曲趣也就有异，听起来更有味道。

解放之初，从福州一家旧货店里淘得一张未曾听过的粤曲唱片。粤曲唱片，当年流行的很多。这一片却是不同凡响，有可能还是绝无仅有。这是粤乐名师尹自重在一把小提琴上拉的广东音乐。洋为中用！曲名《柳娘三醉》。可能是《柳青娘》与《三醉》两支小曲的联奏。虽然音色是小提琴的，但那韵味却是中国的，而且是浓郁的南国味。虽像高胡用了钢丝弦的声音，却又比高胡更明媚浏亮。尤其妙的是，不难听出那弓法有新名堂。琴弓不再夹在两弦之中，便可以拉些顿弓、跳弓了。但最迷人的仍是二胡上原有的滑指、加花等装饰性技法所造成的"如歌"的效果，都移植到提琴上了。这首无伴奏小提琴曲，的确是可以使听者心"醉"的音乐。

厦门解放后，我在那里也有奇遇。发现一张刘天华灌的片子！这在我又是一次"心灵的战果"！因为，照着刘氏"十大名曲"的谱子拉了几年，总是揣摩不透其中真味。一朝有机会通过录音来向大师亲炙，何能不惊喜欲狂！

最是刻骨遗憾的是当时时间紧迫，只是匆匆听了几遍——而且是在一架老旧的手摇唱机上，从此便再也无缘欣赏。此片一面是《病中吟》，另一面是他弹的琵琶曲《飞花点翠》。

写此小文，我像是在心里开一场老唱片音乐会。把《北平胡同》作为本次“音乐会”的大轴子戏，我想是合适的。

能见识到这张片子，自觉三生有幸。20世纪40年代，从李树化的《中国现代音乐》一文中知道有此曲，渴想一听而不可得，当时并不知道已录成了唱片。

直到20世纪50年代中，偶到福州旧货店中淘旧片，从堆得像小山般的唱片中信手翻寻，忽见一片上印的正是《北平胡同》这曲名，惊喜之情，不可言状！

我之渴慕此曲，最主要的一点是对于作者如何运用西洋音乐的手段来表现东方古都的风情，产生了莫大的好奇与悬念。

可敬的作曲家叫阿甫夏洛穆夫，一个侨居中华的俄罗斯人。他这位洋人对于化洋乐为中味最热心试验。《北平胡同》乃是他用管弦乐为故都勾勒的一组素描。

旧都风物，保留在文字、图画、照片中的文献，人们见得多了。但到那时为止，用音乐为古城绘影绘声，此作是前无古人的。何况，它出自一位对中国文化怀有深情的异邦人笔下，而音乐，是诸艺术中最能记录、保存与再现真情实感的；那么，他这作品也就不但是一种写生之作而已。其中保存了史影，且有真情。

可以说它还有别一项文献价值。演奏者乃上海工部局乐队。这支管弦乐队据说其水平在20世纪30年代的远东是首屈一指的。它的录音，怕也只有这张片子了。

5 6 1 | 2 3 2 1 | 6 5 6 | 5 - | 6 1 2 | 5 3 2 | 5 6 5 | ……

这本是皮簧调里一段过门。《北平胡同》一上来由小提琴高声奏出的，正是此一曲调。

一听此调，正像瓦格纳乐剧中的“主导动机”的效果，古老北京的气氛便扑面而来了。

但在20世纪30年代，对于听惯了西乐的中国人，更不用说对西洋人的耳朵来说，乍一听，一定是够新鲜而且古怪，甚至“不伦不类”的吧！

鲁迅先生一生中难得有机会听音乐。但他在晚年却到大光明电影院去听了一次全是阿甫夏洛穆夫作品的音乐会，《北平胡同》即是其中的节目之一。此事在他1933年5月20日的日记中留下了记载。日记中的“北平之印象”即此曲的别一题。

那么，假如这张珍贵的唱片今天还有机会重录为CD的话，这是应该在说明书上大书一笔的。

谁来写中国名都交响乐？

一千多年前，左太冲用十年之功作成一篇《三都赋》，从此，成语中也添了一条："洛阳纸贵"。

名曲之海中，赋都市的也不少。《伦敦交响曲》是沃恩·威廉斯之作。《自新大陆》中有对大城纽约的观感。《花都舞影》写了一个美国佬眼中之巴黎。《罗马狂欢节》《巴黎狂欢节》《威尼斯狂欢节》，都描画了名都吉日良辰的氛围气。

遗憾不遗憾？我们只听到一篇以《北平胡同》为题的交响素描，而且是一位侨居中国的异邦乐人眼中、耳中、心中之北京！

《北京赋》《上海行》《长安古意》等等乐题为何不曾触发作曲者的灵感呢？

《梦幻》重温

假如有老唱片“专卖店”，走进去急想抢到手的第一张，便是埃尔曼六十多年前灌的《梦幻》了。

舒曼，其人可敬，其文可喜；无奈其大作不太有吸引力。唯独有缘的是这篇小不点儿。然而又并非钢琴原作，而是小提琴改编曲，而且是埃尔曼拉的这张七十八转粗纹片，胜利红牌小唱片。20 世纪 40 年代，在上海滩上很容易买到它。20 世纪 50 年代，在旧唱片摊上，我大为惊喜地又淘到一张。原先那张，被钢针“车削”了无数遍，早就琴音似锯而噪声如雷了。

全曲不过二十四小节，道地的小品。但据说现代派大师贝尔格分析个中之妙，竟用了十二页文字。极想一读。又看到有介绍说霍罗维茨弹此曲妙不可言。赶紧借来一张 CD，洗耳恭听，想听出一个几十年来没感受到的神奇演释。借用徐志摩的话，“只怨自己耳轮粗”，竟像“聋子放炮仗”，废然而止。

可见得，“缘”之一事竟是有的，特别对乐迷来说是如此。例如，海菲兹我便嫌其冷如大理石。

遗憾的是，就此曲而言，同埃尔曼的缘分也只系于此一老片子。去年忽然发现有他录的CD,《梦幻》赫然在焉！可了不得!! 旧“梦”可重温了!!! 一听之下，不免自疑记忆出了问题：这不是那《梦幻》，不是那埃尔曼！尤其感到失落的是，那最动情的凄然的第一句，现在他竟那么板板六十四地一弓带过了事了!

细看片上说明才恍然：这是根据20世纪60年代录音重制的，并非20世纪30年代那张的翻新。

大师纵然已到暮年，难道还对付不了一首没什么技巧难度的小曲？莫非当年的演奏是怀着一种“侨民艺人”的乡愁，后来时移世变，心绪也变了？

不得而知。只是自己这场旧“梦”重温，竟告“幻”灭了!

零落成泥香如故

有些老唱片长留在记忆深处，遥听起来，味道复杂，并不仅仅是音乐美妙。像《飘零的落花》这支歌，当年，身在“孤岛天堂”，一听之下便不由得联想到沉沦于黄歇浦孽海潮中的怨女们的身世了。

这是一张百代唱片。词、曲都出于晏如之手。看到这曲谱的今人，一定会对那旋律与伴奏的简约觉得诧异的吧？

它倒并不是一支悲调，而像是已经不再有气力激动似的，只不过是惘然的自怜：“想当日梢头独占一枝春……未随流水转堕风尘！”

作者对被侮辱与被损害者的同情，通过朴素的诗、乐语言把听者打动了。但也需要一种真诚的传译。在这张片子上留下了音声，令人难以忘怀的，是郎毓秀女士。

倡“神灭论”而又终于遁入空门的六朝人范缜，回答一个以富贵骄人的王子问他何以人分贵贱时，他说：前者如花落锦细，后者则如花堕污溷。是无可奈何的解答，却也是美妙而悲凉的比喻。

晏如是谁？他便是晚年双目失明、贫病交迫而终的刘雪庵先生。至今还找不到一个地方，为他写的那么多真正中国味的音乐出一本集子，哪怕是像他的老师黄自选集那么薄薄的一本！

当年的惜花人，谁叫你也是一朵堕溷的飞花，自家也“零落成泥”了呢！

所幸者，在有缘的读者心里，他留下的乐章“其香如故”！

唱片也是书

有一本科普名著，苏联作家伊林写的《黑白》，一本谈人类如何创造文字和书的书，读起来其味无穷。

只可惜他没谈到唱片这种“书”。这是乐迷嗜读的书。关于这种书，也是一个极有兴味的话题。可惜许多乐史和谈音乐欣赏的书也没有重视它。其实，对于这个音乐文化的大功臣，应该专辟一章，大书特书才是。

爱迪生、贝林纳尔等发明、改进了留声机和唱片的人，我是十分的感激。仿孔夫子赞管仲的一句话：微斯人，吾其为乐盲矣！

余生也晚，又孤陋寡闻，幸而还来得及听到《洋人大笑》。那是从方头方脑伸出个低音大号似的喇叭的“话匣子”里放出来的。据说“文革”中小将们将这种古董当成什么秘密武器。如今是古董店里也找不到了。它的微型倒变成了小摆设店中的奇货！

《洋人大笑》和反面的《军乐队》是那种用“金刚钻”唱针唱的粗纹快转唱片。也是从那种唱片上，我听到了谭鑫培的《乌盆计》《卖马》，至今都觉得那运腔的苍劲，韵味很不凡。

这种唱片的下一代是细纹的钢针片，每分钟七十八转。分大小两种。大的直径十二英寸，小的十英寸。唱机也革新了，最明显的是革掉了大喇叭。落地式的，音响最佳。杨步伟自传中记她丈夫赵元任兴冲冲地搬上楼的一架大唱机，恐怕就是这种。“台式”的也不坏，例如鲁迅先生买给海婴玩的那一架。手提式的普及型，音响单薄，失真，所以从前有本英国人编的欣赏入门中愤愤于泰晤士河上的游人用这种机子大放唱片，主张立法禁止。但我辈寒酸当时能拥有一只手摇便携式的唱机也就心满意足了。主要是从这种机子上，从钢针细纹的快转片上，我读了许多唱片“书”。

渴想再读的老片子中有那张赵元任录的“百代”唱片。一面是从20世纪30年代唱到如今的《教我如何不想他》。一面是至今从未听见别人唱过的《江上撑船歌》。

前一曲，其他人录的（如斯义桂）也听得熟了，都是纯粹洋唱法。乍一听曲作者那唱法反而觉得怪。多听听便十分喜欢那中国味了。《江上撑船歌》是更浓的中国味。此歌，全集中已收。但如果只是平平地照谱唱去，恐怕是唱不出多少味道的吧。

像这类一忆起便怦然“有动于衷”的老片子，中国唱片中还有郎毓秀唱的《飘零的落花》，刘雪庵的作品；有《秋水伊人》和《思母》，尤可爱的是那伴奏，一面用了中国味的钢琴伴奏，另一面换成了中国化的弦乐；有尹自重的《柳娘三醉》，无伴奏的小提琴独奏，非常之缠绵，又是浓浓的粤味；刘天华录的《病中吟》……

西洋音乐的老唱片，难忘的更多。

埃尔曼拉的《梦幻》，十英寸的“胜利”小唱片。那印象是永远淡不了的。从他的琴音中听不到什么“童年情景”，而是一种《茵梦湖》中的暮年凄怆。反面也是他拉的《多情华尔兹》，弗朗克改编的舒伯特的小曲，那作品，那演奏，真有情感浓得要溢出的感觉！

我既被埃尔曼的琴音所醉，也迷上了克莱斯勒的一听便认得出的揉弦与表情滑奏（*Portmento*）。同样是《幽默曲》《泰伊斯的沉思》或《回忆》，我却又觉得他拉的比埃尔曼的更亲切。《中国花鼓》《印第安人哀歌》《伦敦德里小调》等等“名盘”（日本说法）都因其个性化的演奏风格而更有魅力。

像托斯卡尼尼指挥NBC交响乐团录的《田园》，卡萨尔斯独奏的德沃夏克的大提琴协奏曲等老片子，在回忆中长保着新鲜，总觉那是今天的LP和CD新片子也比不上的。从中也悟到了，何以有人热心于翻录老片子，何以有人宁取已快过时的LP而不听音响更先进的CD了。老辈乐人的风范自有其魔力！

当然要为今之乐迷贺，他们的“耳界”比以往的听众是大大开阔了。比方老巴赫的“四十八”，如今要听并不难。我却等到20世纪50年代初才在一位大医生家见识到，一大本古色古香的唱片册。古钢琴奏的。是以“巴赫爱好者协会”的名义发行的“限定版”，正似某些珍本书籍那样，不预约便再也买不到的。

又曾见到人家有高高一大叠唱片，原来只是《汤豪塞》中的一幕。稀罕得了不得。其中那首合唱加乐队的《大进行曲》比通常只用乐队演奏的更威武辉煌。如今，全套的这部歌剧以及瓦格纳的其他乐剧，甚至庞然大物的“指环”，都可以听到。管风琴、古钢琴、古提琴演奏的等等巴洛克时期的音乐，种种老乐迷不敢梦想的乐史珍奇，今人可以尽情消受。可惜的是，很多人有福不享，或者不会享。

但也有今人享受不到的。有那么一些老片子上的作品，广播中听不到，唱片目录上也不见，似已销声匿迹。且来随便举些例子。

《高加索素描》：其中《山隘》一章大可作托尔斯泰《高加索囚人》插图吧？《酋长的行列》一章又多么色彩斑斓！

《印第安人的爱之呼唤》：原是轻歌剧中主题歌，改编成各种独奏、合奏曲。最难忘的自然又是克莱斯勒录的片子。这是奇花异草般的小品。

《G大调浪漫曲》：格里格同乡斯文森的一支提琴曲。北国春意中含着甜美的温煦。三十多年来多么想再听听它，而竟未能一听！

《吉他》：莫什科夫斯基此作经海菲兹改编成提琴小品，把一种老艺人潦倒、悲凉的心境传了神。每听便不能不为之怆然！

还有那小夜曲中最为真挚的阿连斯基的那一首；威尔第的粗豪的《铁砧大合唱》；原先归在海顿名下，又有人疑为老莫扎特之作的《玩具交响曲》，儿童般简单也儿童般可爱；……不知怎的也听不到了！

即如曾广为流行的《自鸣钟店》《林中磨坊》之类，浅则浅，并不俗。让孩子和童心犹在的大人们听听，决不会伤了音乐口味。

也许，今天的乐迷听到重大作品的机会比我们多，却也错过了不少乐中妙品。我为今人惜，更为那些沧海遗珠惜！

老式唱片自然有大缺陷。信息容量太有限了。肖邦的《升c小调幻想即兴曲》并不长，也得分录在两面上，那从即兴转幻想的蒙太奇便糟蹋了。更不用说听交响乐之类的大作品时对情绪的破坏。正像一卷《怀素自叙帖》被分割成多少页。

巴托克曾应爵士大师古德曼之请，作一部三重奏，要求不长不短正好录进一张十二英寸大唱片。弄来弄去也不止十分钟，索性加上一个乐章。他笑自己没打折扣反而多给了货色。此曲便录成了两张唱片。这件轶事也使我联想到克莱斯勒握着秒表作曲，又疑心他灌的一张《如歌的行板》拉得嫌快是否也为了就唱片的时间。

音乐有时被迫削足适履，有时它往往浪费了唱片上的面积。而那面积，对于寒酸的、每次下决心买一张片子总要煞费思量的乐迷来说，是极宝贵的。比如自己嗜读的《芬格尔山洞》，比彻姆指挥的那种，正好满满一大张。伍德指挥的一种，有几处速度稍慢，便膨胀成了三面。但那第二面上只录了小半，剩下一大块，未刻音纹，光滑如镜，看了却心疼！可慰的是那整整多出来的第四面作了意外的补偿。补白是同一作者的两首无词歌:《春之歌》和《蜂之婚礼》——即《纺织歌》，改题其实更符合实感。伍德把这两支改编为管弦乐的小品处理得特别有生气。从此再未听到那么漂亮的《春之歌》。他用一气呵成、舒畅流丽的节律唱出了青春的欢乐。那种青春美，正是《仲夏夜之梦序曲》和《e 小调小提琴协奏曲》中最令人心醉的。

说到音响质量的缺陷，那更是今天一面享受着 LP 同时还艳羡着 CD 的乐迷无从体验的了。有些老片子，三角铁、定音鼓都像雾里观花，似有如无。李斯特的“三角铁协奏曲”（降 E 钢琴协奏曲趣名）徒有虚名。《幻想交响曲》中写薄暮轻雷的四架定音鼓也是含糊其词莫名其妙。连“田园”雷雨景中的短笛和“未完成”里的低音大提琴也都大为减色。因为频响窄，犹如一架钢琴，两头的几组音不响。

当然，从机械录音提高到电磁录音，频响拓宽，保真度也提高了。由于增强了泛音，各种管弦乐器的音色更真更亮，赛如磨洗过的金属，各种精细的配器效果忽然破雾而出，像一个初戴上眼镜的近视眼仰观星空，却原来那般灿烂！

此中甘苦，让我用一个具体例子展开一下话题。

《自新大陆交响曲》，20世纪40年代初，头一回听到的是一套借来的"宝利多"唱片，已被慷慨的主人和不知趣的朋友磨损得声音黯淡，"针音"（唱针刮削唱片产生的噪声）喧宾夺主。然而从此我却成了"新大陆"迷、德沃夏克迷。

随后听到另一版本，哈蒂指挥伦敦爱乐乐团，"歌林"唱片。虽是崭新的，声音好，听了并不满足。走过场似的，令人有平淡以致平庸之感。

于是，节省了一点钞票，去买了一套"胜利"唱片，斯托科夫斯基指挥费城交响乐队。虽是日本版，片子里衬着代用材料，像夹心饼干，不经用，音响并不差。还装在精致的唱片册中，封面上烫了银字，嵌了张印第安红人头像，浮雕般凸起。

不用指挥棒的此公，他的演释使我"耳界"顿开，虽是开蒙不久。五十年"白驹过隙"，我在"新大陆"里神游了不止上千遍，后来听到的又有一些版本，较为重要的约共七八种，最叫人怀念的要数他这一种了，每听别的片子中奏到《广板》快收场处由第一小提琴组独白似的那一段，斯氏那独到的处理总会在心里再现。在这里（总谱第115小节起），他用了一点作曲家并未授权的滑奏（*glissando*），更富于民谣味，感情色彩也加浓了。这虽并无依据，却也切合作曲家那怀乡之情吧？

也是在《广板》这一章里，我还有个更深又更说不准的感受：当“神秘和弦”奏过，在诗人徐迟形容为“岑寂山”的气氛中，从悒郁的英国管中，主题静静地流淌而出。那衔接，那速度力度，分寸极其熨帖，不可言说。后来听到的其他演奏，再寻不到这感觉，即使也是天衣，却有了缝！

这套片子当时并不难得。20 世纪 60 年代进来了捷克“色拉风”牌子的慢转密纹片。赛德尔指挥他们的国家交响乐队。德沃夏克由自己的同胞来演释，那是可信服的，正像老柴的《悲怆》，似乎也是他本土的乐队奏得更情真意切。

这张片子，怕唱旧了不可再得，发狠买下了三张，两张收好备用。“史无前例”时，也硬着头皮带着一张去“充军”，至今无恙。不知那位屠夫之子的大师能许我为知音否？

我并不是只爱他的“新大陆”，类似的追求还有他的“黑人”四重奏。那张同“新大陆”一样不忍割舍至今收在一起的唱片，当年是不怕遭人指责，托朋友从东德买来的（当时捷克唱片极多，此曲独缺）。

老唱片已从音响舞台上退场。新唱片的数量在膨胀。其中，令老乐迷瞠目的也有各色版本的繁殖。就拿几年前的一本并不全的“宝丽金”唱片目录来看，也够热闹的。仍以“新大陆”为例，便有七种之多。看那指挥，伯姆、梅塔、马泽尔、卡拉扬……都是当代名宿。别的名作同样如此，尤其是贝多芬的交响乐。这又不禁勾起一段珍藏着的记忆。

《合唱交响曲》的唱片，曾听说拔尖的是魏因加特纳指挥维也纳爱乐乐团的录音。不料20世纪50年代竟于无意中得之。一位故人从将被投入垃圾堆的旧物中抢救出来的。我之有机会在这座殿堂前瞻仰，主要应该感谢这一套“歌林”老片子。这十来年，也同许多爱好者一样，很信服卡拉扬的解释。听熟了他的，再听小泽征尔和NHK乐团的录音，便想到明人张岱在《陶庵梦忆》中记的，品过闵老子的茶，别人家的茶水便进不得口了。

偶然发现一部好书，1981年版的《已录制的古典音乐》，洋洋大观两千页，如数家珍般专谈唱片版本的一部大书，也是吊胃口的书！在“第九”这一条中，美食家的评价是，最卓越的录音，是索尔蒂指挥芝加哥交响乐团的那张片子。

听不到，令人惆怅！但也好，留下个美妙的悬念！

大概因为音乐信息实在多，接收来不及，又想“速成”，从前听到一种“柴科夫斯基拔萃”的唱片，后来又有将九大交响曲上的“精华”集中于一张唱片上的“贝多芬拔萃”。可惜没见识过。然而梅纽因说了：时间和音乐都是不好压缩的！

二十年前，两种版本的贝多芬大全集唱片出版，一种是LP七十六张，外加磁带七十盒。今年又有了莫扎特大全集的消息：一百八十张CD片，一个更庞大可惊的“音乐信息库”！

理查德·施特劳斯的老父惊叹说，莫扎特的全部作品，一个熟练的抄谱手也要抄上几十年！要细听这全集又得多少时间？真不能不望乐海之无涯叹人生之有限了！

于是老乐迷姑且在冥想中放我的老唱片，追踪那“逝者如斯夫”的余响，一面也努力在向往与憧憬中参加新的听觉的盛宴！

可信赖的导游人

把乐曲介绍文字看作向导是合适的。

有几种向导：作曲者、演奏者、赏析者。

在这三种向导中，我尤其愿意找第二种。道理并不复杂。演奏者已经去亲自进行过“探险”了。作曲者说些什么，其美其妙，他已体验过了。过来人，当然有资格领路。

像贝多芬的《三十二首钢琴奏鸣曲》这样宏大深奥之作，我辈爱好者如想深入其境，也便更盼望找到一位可以信赖的导游人。

历来演奏家讲谈这部“三十二”的文字资料，介绍到中国来的，可惜太少！有的只是一言半语，泛论而已。费希尔（E. Fischer）有一篇，比较详细，但只解说了七首作品。

令人欣喜的是，我们可以找到一位导游，带我们去见识“三十二”中每一篇奏鸣曲中的胜境，这位贝多芬作品的演释权威，写了一份逐首解说的文字，附在他所录的贝多芬钢琴奏鸣曲全集中。这样，既可以听他在键盘上的演释，又能够从他用另一种语言来表达的解说中获得启示与印证。这对于我们有心通读和读通那部“新约圣经”者，真是一大福音！

这位可信赖的导游人是威廉·肯普夫。

要用文字来解说三十二首钢琴奏鸣曲，假如是写学术性的分析，那可以写成厚厚一本。就像苏联音乐学者克里姆辽夫所撰的一本书那样，那可是够我们去啃的，但也许你会觉得读那种文字，比读贝多芬的音乐语言还要吃力。

肯普夫提供的，倒像一本“导游小册子”。三十二篇解说，篇篇可作小品文读。言简而意赅，耐玩，有嚼头。像他这样深通音乐语言又能用另一种语言来同我们听众交流的乐人，当代也许并不多见吧？

钢琴是贝多芬用以自白的重要媒介，“三十二”是他的“音乐传记”。从血气方刚的青年时代，到“壮心不已”的“烈士暮年”，贝多芬的人生与乐艺的经历、演变，他的哀、乐、忧、愤几乎都在这部写作时间三十多年的曲集里留下了心迹。

谁个爱乐者不崇拜贝多芬！但是有勇气通读三十二首奏鸣曲的又有几人呢？人们经常温习的只是中期之作的五六首。那当然也是两个世纪以来经过无数听众和演奏者“民主推选”出来的。其实难读的不仅是暮年的五首（演奏者也轻易不大敢碰），即便是早期和中期的其他奏鸣曲，又何尝容易理解？

人们已经耳熟的《悲怆》《月光》《热情》《暴风雨》等

作，肯普夫倒并没有费更多笔墨来解说。但是对那一般人比较陌生的第一、第二、第三首，反而不惜多指点几句。

例如，三十二首中的第一首，《f小调奏鸣曲》（作品2之1）。（一般琴童弹到《汤普森》第五册，便会弹到它的第一乐章。）你可不要小看了它。肯普夫说：海顿大概很想手把着这个毛头小伙子的笔来教他，然而青年贝多芬偏要站在老前辈们的肩头上，让自己的独创性脱颖而出。……从作品2到最后的作品111，这其间的旅程是多么漫长！……在慢乐章中，他像是要同18世纪的gallant（华美）风格分手，走自己的路。从他为旋律细心安排的精致的装饰中，可以感到他是在向往昔的古钢琴风味告别。

在介绍《第四钢琴奏鸣曲》时，肯普夫提醒我们注意，慢乐章在贝多芬钢琴奏鸣曲中有突出的重要性。他说：贝多芬在这里总是用一种更坦诚相告的态度，透露他内心更深处的隐情。这一点要比他在交响乐和小提琴奏鸣曲中（《英雄》与《合唱》除外）更为突出，在他写的钢琴奏鸣曲中，首末两个乐章常常如同前奏与后奏般簇拥着中间的慢乐章，而从这些感人至深的慢乐章里倾吐出自己承受着的苦难。

《悲怆》，谁不熟悉？然而紧挨着它的《D大调第七奏鸣曲》，我们就比较生疏了。那么且听肯普夫的介绍：

它是有资格名列于重大作品之林的。像一篇谐闹剧序曲风格的“急板”后面是“广板”，一下子将听者带进了全然异趣的世界。通向灯火辉煌的维也纳宫廷的门扉都阖上了，闩上了，贝多芬被剥夺了一切欢乐（按：这里是说他的失聪症状此时已经发作）。人们被这人的那种深陷绝望的自诉打动了。“小步舞曲”乐章的一开始，显得踌躇迟疑，像是第一只迎接天亮的宿鸟。而“三声中部”终于还是表达了对于生之悦乐的肯定。

读了肯普夫说的这番话，如果你又了解到，他说的这篇奏鸣曲中的“广板”，也是高尔基和安东·鲁宾斯坦叹赏不已的音乐，你大概就更想听听肯普夫是如何弹奏它了吧？

《月光》，连不懂也不爱音乐的人也知道是名曲。不妨听听肯普夫有何说法：

……过度流行，哪怕对于最伟大的作品来说也是危险的（按：他的意思是由于过多地反复演奏和漫不经心地听赏，损害了作品新鲜感与严肃性）。可是绝无仅有的天才创造，却仍然保护了《月光》免遭此难（按：是极！我从音乐开蒙至今，五六十年中听它何止千遍，但我仍要听，尽管没有完全听懂）。

……从第一章的“柔板”中，可以发现印象派的萌芽。我们从倾听中仿佛目有所见，而我们的内心视觉也在帮听觉的忙。三连音轻声细语，音流上闪烁着微茫之光。从深暗中，浮起了那支忧心忡忡的主题。

……介于首尾二章的深渊（按：此乃“典故”，李斯特曾喻这篇有谐谑曲风味的乐章为“两个深渊之间的一朵小花”）之间的，是多少怀着焦灼之情的“小快板”乐章。而它的“三声中部”则像个更富精力的兄弟。激情喷涌的最后乐章是出人意表的。……

请留意，肯普夫有奇警的见解：

末章快要临近结局前，忽然肃静，转为《柔板》，低声部接连两小节中轻轻弹出两声八度齐奏的音程。在这时，贝多芬的内心听觉很可能听到了第一乐章里那一串三连音幽灵般的回响。（按：这似乎还未经人道！人们应该在肯普夫的引领下，把《月光》重新细细地品它一番，特别是要从三个乐章一气浑成的乐境中去领略贝多芬的情思。值得一抄的是克里姆辽夫对此的说法：“这是激情进发到极点后的疲惫不堪。”）

晚期的五首奏鸣曲，岂仅在全部“三十二”中最是难读，而且同那些晚期之作的管弦乐曲相比，也是如此。你可能没注意到一个情况：拥有像《欢乐颂》中所吁求的亿万斯民那样广大听众的《合唱交响曲》，我们从来不会把它归到难以接近的作品群里；然而贝多芬正是放下了谱写最后五首奏鸣曲的羽毛笔，才去为“第九”定稿的。号称最费解也最难弹的“作品106”，作于马克思诞生的1818年，竟比“第九”早了五年！

这当然是一个内容极丰富的思考题。贝多芬是用不同的笔墨（钢琴、乐队、弦乐四重奏）不同的语言（又纯然出自贝多芬的胸臆肺腑）向不同的听众（或广大，或精简，甚至有时只是他自己）谈话吗?！

读这本比“第九”难懂的“天书”，当然也就更需要求助于高明的向导了。

在解说“作品106”这首他称之为“全部奏鸣曲文献中之最”的伟作时，他花了比较多的笔墨。可注意者，他一上来便先把笼罩于曲名“Hammerklavier”上的疑云给化解了。须知，这个由于贝多芬一时心血来潮而写上的德文，曾害得多少人纳闷！可能也给此曲更添上了一丝玄虚的气味。译之为“槌键乐器”，则可能叫人误以为曾有过这种不知为何物的乐器。至于将其翻成“击弦古钢琴”，那就更是天大的误会了！

肯普夫开门见山，一语便说得清清楚楚：“Hammerklavier便是德语中的钢琴。后来他又仍旧用意大利文（按：指Pianoforte）了。这说明了他依然有一副世界主义的胸怀。”

“作品106”一开头，贝多芬所标的节拍器标数，历来弄得弹奏者困惑，照弹，则快得无法处理（也有人硬着头皮照弹）。肯普夫对此并不模棱，错误的节拍器记号（假如照办）很可能把此一庄严乐章的辉煌气势给毁了。

他觉得：

> 曲中近似管弦乐的写法，哪怕是对于现代制作的高质量的乐器性能来说，也是不容易胜任的。
>
> ……“谐谑”以篇幅而言，像个侏儒。可是内蕴之丰富又使这位精力弥满的矮子可以同那巨灵神般的第一乐章并肩而立。
>
> ……“柔板”这一章，从钢琴音乐的写作风格来看，预兆了未来的舒曼、肖邦、勃拉姆斯……这一乐章在钢琴音乐文献中也是无可匹敌的。

他把这一乐章中有二十六小节长的一段音乐形容为“夜深人静的长叹”。又叹赏道：对于这个乐章中如此奇妙的音乐，有多少谈不完的话头呵！

……真是憾事！我们只好满足于他的这些点到为止而已令人神往的解说了。

但还有不能不多引几句的警语：

> ……第二主题……在再现部中如同透过云彩而辉耀着

的遥空上的星辰。

……“广板”这一部分，正像他在“第九”中用了一种前所未闻的手法为终曲作铺垫；不过，并不相似的是，这儿接上来的并非《欢乐颂》，而是一篇其长大空前的赋格曲。它也是一篇尽管令人（弹奏者）叫苦不迭却又不得不同它搏斗到底的赋格曲。贝多芬以其独有的方式，指挥着日月星辰运行！

肯普夫的“导游小册子”中没有废话，没有“学者”腔，更不见推销员气味的乱捧。他还不时地对“乐圣”有所冒犯。例如他评论《悲怆》第三乐章有点“学院气”，又认为第一首奏鸣曲里有一处的 cantilena（一段流畅动听的旋律）可惜“被笨拙的伴奏绊住了音乐想飞翔的翅膀”，而这反映出“青年贝多芬的功夫到底还欠老练”云云。

这位贝多芬钢琴音乐演释权威，用他那言之有物（言之有乐）的而且显得深有文学素养的文字，为广大敬爱贝多芬的听众领路，他的这一种语言表达，也证明了他在另一种语言的理解与表达上同样可以信赖。

钢琴文化片影

——说说《钢琴名曲二百七十首》

只不过是一种想当然的估计：凡有一架钢琴的中国人家，那琴上多半有一本《钢琴名曲二百七十首》。但也不是毫无根据。五十多年前，即20世纪30年代末，这本硬面洋装一厚册还烫了银字的琴谱，便已经是上海滩上各家琴行和四大公司（先施、永安、新新、大新）乐器部柜上的常见货色了。不过也并非花旗原版，而是翻版的。正如其时大批出现于旧书店中的影印西书。这种书，封面印得不坏，字迹稍嫌模糊，价钱便宜。从《飘》到《查太莱夫人的情人》[1]应有尽有。跑不起“伊文思”“别发”那些高档洋书店的穷书生，大可靠这些盗版书来过瘾。而《钢琴名曲二百七十首》正适合呆望着“罗办臣”琴行橱窗里原版谱垂涎的乐迷的需要。因此，并无钢琴可练的

1　*Lady Chatterley's Lover*，现在通常译为《查泰莱夫人的情人》。

我，也买过一本。

没想到的是，它至今还在我们这里畅销不衰！既然如此，便来闲话几句。

它的编者，美国人阿尔伯特·恩纳斯特·维尔，可算得是位多产的大音乐编辑家。记得当年陈列在琴行柜上的还有一堆别的谱，如“寰球爱奏系列谱”，五花八门，有钢琴、小提琴、簧风琴等曲选。那也都是维尔主编的。

据说他编的音乐图书着实不少，仅挂上“百科”名称的便还有《马克米伦钢琴百科全书》《马克米伦小提琴百科全书》《唱片百科全书》等等，可谓洋洋大观了！还有一部也是他主编的《音乐与音乐家百科全书》，于1938年出版之后却又停止了发行，原因是其中所引资料，明显的谬误太多了。

他还发明了一种“箭头指示法”，用粗黑箭头将管弦乐总谱中的主题标示出来，以助阅读。用此法编印的贝多芬九首交响曲总谱集，在中国也买得到。老实说，他这发明似乎多此一举。一个有勇气与耐心读总谱的人，如果连追踪乐曲主题也怕花力气，又只满足于听听主题旋律，恐怕所得决不会太多吧？

有权威的《贝克尔音乐家传记词典》上，维尔名下的介绍约占了一页的五分之一。《美国国际音乐百科全书》上没有前一书中带微讽之意的话，却只有寥寥几行。至于《牛津音乐指南》与《柯林斯音乐百科》，都是内容丰富的音乐辞书，没有收他这条目。更耐人寻味的是，《新格罗夫音乐与音乐家词典》搜罗信息最称完备，可是翻开第二十卷来查那以“W”开头的部分，竟也不见Wier这名字！

他编纂的那部书差错多，我们谈论的“名曲选”似可旁证。笔者以往翻阅时，每见明显印错的地方也曾核对别的版本，随手标出。如今数一数，竟不下十多处。有的问题如连线、临时变音记号失踪了，恐不一定要原版负责，影印书中往往印不清楚。有的毛病是维尔原版的问题无疑。例如，舒曼的《梦幻》，第17小节中一个*a*音印成了*g*音。更不该的，第一百零二页上门德尔松的《纺织歌》中，有两处左手部分的谱号，本应像它的上文一样继续在高音部进行，不知怎的又插进两次F谱号。假如哪位弹奏者照此弹奏，听众会叫道：“门德尔松抗议！”就像过去有些听众发现问题时高声为贝多芬叫屈一样！

诸如此类情况，似乎说明了原版的编、印质量不佳。难怪有的书中提醒学琴者当心美国版琴谱。那主要指的是句法、指法上编订工作的水平，上述这种现象更不该发生了。

并没有将此谱贬得一文不值之意。它的版权页上赫然印着初版年代：1918！历时七十余载而仍然在我们琴上摆着，前几年似乎还趁着钢琴热而变得抢手，怎么好一笔抹杀！

乐曲收得多，雅俗兼容，且又将沙龙音乐、宗教音乐与歌剧改编曲各色品种的小品也都搜罗了一点，有古典的、有浪漫的，纵然不免像个口味稍杂的大拼盘，但对于一般的钢琴音乐爱好者如我者来说，至今还找不到可以完全取代它的谱集。

换一种视角来“读”它，也许更有意思。也便是拿它当音乐文化风尚小史中的“谱例”来看，多少可以想象出19—20世纪之交西方钢琴与钢琴音乐大热之时，某些层次的爱好者的口味。

集中有些作品确是当年的沙龙“金曲”。《F大调旋律》是个好例子。它被改编成各种器乐曲，单是曲目就在《不列颠书目》中占满二十一页之多。又如拉赫玛尼诺夫的《升c小调前奏曲》，用了四行谱的写法，看上去、听起来都沉重得很，也曾风行一时。所以到20世纪40年代在上海还容易买到“胜利公司”出的唱片，难得的是，它是作者自弹的录音。那演释不消说是最标准的了。

沙龙仕女的宠儿《少女的祈祷》被收入，是顺理成章的。虽然叫人想起肖斯塔科维奇议论《天使小夜曲》(此集中也有)的话:“按所有规则来衡量，它应属于不好的音乐。”但既然连可敬的契诃夫都把“少女”用作他文学结构中的“配乐”，“少女”和它那薄命的女作者是理应不朽的了。直到近时我们才有幸看到她的另一首作品——《马祖卡》，而在过去，人们只当“少女”是其唯一的传世之作。

有理由揣想，集中另一批沙龙曲，也曾引得众多自作多情的弹奏者与听客眼泪汪汪的。像那支光是曲题就很动人的

《弥留的诗人》恐怕就是如此。还有《花之歌》《日暮鸟争喧》《寺院钟鸣》等等，标题带诗情画意，曲调漂亮，和声不复杂，外加可让弹奏者一显身手的华丽的经过句等等，这一切自有助于广泛流传。这些相当钢琴化的小品有赖这全能的乐器而流传，钢琴也多亏它们而增强了吸引力，招徕了听众与买主。须知，在钢琴上欣赏艰深作品的人到底不多。萧伯纳当年作《钢琴的宗教》一文，既谈到钢琴的普及，也嘲弄了有些英国绅士听赋格曲打瞌睡，恐怕并不夸张过分。

这音乐文化特别是钢琴文化的一片侧影，对于不仅听乐还愿从乐中玩味历史的人，不正是有意思的资料？

两百七十曲中，分量重的自然是那“古典”“现代”（其实包含初版时的“当代”）两部分了，共得一百二十八曲，约占总数之半。加上后几部分中的严肃作品，扣除“现代”部分中“轻”了点的，这百多首将是更经得起时光与趣尚的磨洗的。

如果容许一个门外汉来议论，总觉有的作品未入选，大是憾事。当然维尔的去取必有其想法和“票房价值”的依据。

贝多芬的钢琴作品，他只选了三首（改编的两首不算），岂非太少？为何不把两支《小曲》（Bagatelle 作品 33 的 1、3 两首）选上呢？那既是真正的小品，却也让我们看到一位真正的大师，让人一听便爱而又百玩不厌。这才是真正的杰作！可惜的是，不但这本谱里，通行常见的曲选里也找不着，除非近年刚见到的《贝多芬钢琴小曲集》里才有。

又比方，既有莫扎特的“土耳其”，又何不一并收入贝多芬那首同名之作，也好让爱好者从异曲同工中听听同中之异？（虽然那是从《雅典废墟》中改编过来的。）

门德尔松共收七首，似乎也反映出，19世纪后期英美社会的“门德尔松热”余热尚温。“无词歌”原也雅俗共赏。可惜那几首《威尼斯船歌》还有《五月微风》等妙品，他都弃而不顾。

还可以怪他怎么不选柴科夫斯基的《雪橇》《秋之歌》。但《翡冷翠之忆》收进集中是可取的。这首从弦乐六重奏改编过来的作品是耐听的，而此谱又难觅。

德彪西这样重要的大师，集中仅见一首《梦》，也令人不解。大该选入《月光》《亚麻色头发的女郎》。

像这种遗珠之憾，还可以举些例子。当然编者也可能有他的难处。可能还有版权问题束缚他的手足。以上种种，纯系从爱好者角度姑妄议之，不足为据。但假如有谁肯为我辈广大爱乐者来精选一部更多彩更耐把玩的钢琴小品大全，也可让这本寿命长的老选本功成身退，不再带着累累疵病一版又一版地翻印下去了。

五十多年前初买此谱，说老实话，那书名是有吸引力的。Master Piece！杰作！而且如许多的杰作！此刻随手翻开《朗曼英语词典》[1]来查查这个词看，释义是：“在其同类作品或此

---

1 *Longman English Dictionary*，现在通常译为《朗文英语词典》。

一作者所作中最佳者。”足见它是对一件艺术品很高的评价。一位乐评家是不会不慎重使用这个赞美之词的。把本集中两百七十曲都归在这个书名之下，似乎过于慷慨了！而这种浮夸味的书名，自然会有利于销行，这一点也正同编者那花旗广告气味和谐、合拍。

不管怎么说，它仍然颇有用处。对于我，它不仅蕴含着乐史感，也留下了本人爱乐之情的心影。所以对这位维尔先生，自己毋宁是感谢多于不满了。

“普乐”功臣

——听勃伦德尔弹《迪亚贝利变奏曲》

真应该道声惭愧，《迪亚贝利变奏曲》这样一部经典之作，慕名已久，直到最近才听到！

对此曲的向往，也多少同它那创作的由来颇为奇特有点关系。那不仅是乐史上一桩趣事，而且想到它，贝多芬、舒伯特时代的音乐文化风尚也形象化起来了。

迪亚贝利是个半路出家的音乐出版家。他想的这个妙点子，够上“无双谱”的。时在1819年，他亲自制作了一支主题，长三十二小节，圆舞曲节奏，向一大批奥地利知名乐人约稿，请他们为这支主题各写一篇变奏曲，以便汇成一集出版。

共襄这一盛举的名家有五十一人之多（一说五十人），包括捷克作曲家，后来又有一位德国人加入。

为首的是贝多芬。其次是舒伯特这颗新星。胡梅尔、莫舍莱斯等也是名垂乐史的人。年纪最小的是李斯特。一说十一岁，一说十三岁。（如按他生于 1811 年计算，曲集出版的 1824 年他是十三岁，征稿那年就只有八岁了。）不但写了变奏曲，而且另作一长段尾声的是车尔尼，钢琴教育家、演奏家和作曲家三位一体的音乐家！其他的那些参加者的名字，我们都觉得陌生，当年却也是名噪一时的。

曲集终于问世，超出了原计划，变成了两集。第一集由贝多芬包办了。他乐兴勃发而不可止，作了一部由三十三段变奏组成的皇皇大乐！因此其他各位的只好归到另一集中。翻开《格罗夫词典》，可以欣赏到当年初版封面的书影，作者们的大名密密麻麻地都快挤满了！

这第二集中的那几十篇，据评论家的看法，大多是按时行的变奏曲路子写的，可以炫技、娱耳，却无甚深趣。固然也有别出心裁的，或采用复调手法，或在自然音阶的原主题上配以半音阶和声。鲁道夫大公也客串了一角，所作却也不俗，还颇有点乃师的气派哩。他是贝多芬的学生，其实又是朋友和保护人。《告别奏鸣曲》就是为怀念他而作，可见师友情谊之深了。至于舒伯特的一篇，也是优秀之作。

不过那些都只是乐史中的陈迹了。独有贝多芬这部，巍然成了经典。在此之前，他写的变奏曲已经很多（十三岁时发表的处女作正是一首变奏曲），在这部宏伟的变奏曲中，他已全然不再斤斤于从主题外部特征上去变奏，而是着意从内涵中去深层开掘，甚至超越了主题而自由发挥。正像勃伦德尔所评：

他要主题为他所用，他要将习见的变奏手法也来个“变奏”。

他用这支有缺陷的主题，借题发挥，演绎出如此丰富的乐想，变化层出不穷，出人意表。

这是要听上五十分钟的一篇大乐章，有时庄严，有时抒情，有时激烈；但又统一于一种基本情绪。勃伦德尔说：这是人们想不到的，贝多芬晚年还如此幽默！

是的，贝多芬善幽默。他的谐谑曲（例如他的第二、第三、第七、第八、第九这几部交响曲中的谐谑曲乐章），前人没写过，后来者也写不出了。

这简直是一部“笑”的音乐（有时纵声而笑，有时是咯咯地笑）！勃伦德尔文中如是说。而他的弹奏也把这种幽默感和笑传达得那么艺术！（这是 1976 年 2 月伦敦皇家节日音乐厅的现场录音。咳嗽、掌声都录进去了。正因为有交流和共鸣，演奏格外虎虎有生气。）

我早就被这位当代琴人的磁力所吸引了！尤其令人心醉的是听他弹莫扎特的《第二十五钢琴协奏曲》，似乎比其他名手的演释更契合自己心中的莫扎特气质。

听他弹贝多芬这部变奏曲，更可惊喜的是所附的文字解说，也是他的手笔。从这双重的诠释中，一下子便深印下对这部杰作的初读印象。其演奏、其解说，同自己的感受，三者统一，真是难得的读乐体验！

这位奥地利钢琴家不但是“古典”“浪漫”作品的演释权

威，听说他灌的那套《贝多芬钢琴协奏曲全集》以质量超卓闻名于世；更可敬的，他还有支写论乐文章的笔。以诠释权威来当音乐导游，那是更可信服的了。

他这种乐于导游的热心，叫我想到另外两位乐人：科普兰和伯恩斯坦，前一位为爱乐者写了大量辅导文章，后一位除了写书，还在音乐会和电视里现身说法。不幸二公都在上年去世了！

想着这些为“乐普”尽力的人，甚至对那位迪亚贝利也添了几分好感。

他绝非不学无术之徒。原本要被培养成个教士，后来去弄音乐，海顿的弟弟教过他。他先是教钢琴，也教吉他，然后开起店来。生意兴隆是因为他善观音乐市场风向。早在干乐谱校对时就同贝多芬熟了，为贝多芬作品出版效劳过。尤其有利于他发财的是舒伯特这颗新星的出现。1821 年 4 月 2 日和 30 日，《魔王》《纺车旁的格雷岑》[1] 这两首杰作，也即舒伯特的作品 1 号、2 号，便是由他出版发行的。这是乐史上应该大书一笔的事！精明的老板从马大哈的音乐家头上捞了不少的好处。上面说的两首作品，原讲好保留版权的，后来不知怎么一来又被他买断，源源而来的厚利，便轮不到舒伯特享有了。

这家公司几十年间发行了大量乐谱，编目达到九千一百这

1　*Gretchen am Spinnrade*，现在通常译为《纺车旁的玛格丽特》。

数字。也可见人们爱乐需求之旺。其中一种《剧场滑稽歌曲新编》，连出了四百二十九集。

他作为乐人的本行，产品也是大量的：一部上演过一次的歌剧、六部弥撒曲、多首康塔塔等等。今天人们只有在一些小奏鸣曲集中去找他的名字了。虽不如克莱门蒂、库劳他们写得好听，却也并非不值一顾。而他写的吉他二重奏之类乐曲，中国的吉他爱好者倒有更多的兴趣。

但对于大多数爱乐者来说，只不过是由于贝多芬的这一曲才记得他这名字。

我以为，像勃伦德尔、科普兰、伯恩斯坦这些“双管齐下”、致力“普乐”的人，当然极可感谢；像迪亚贝利这样一身而二任，乐商二重奏的人物，亦复可儿。西方 18—19 世纪音乐文化大潮中，很出了一批应运而生的“弄潮儿”。其中，音乐出版家们也是值得注视的人物。没有他们，许多作曲家的作品，也无从广泛流传。乐而商的人还有不少。例如克莱门蒂，弹他的作品的人可能不清楚他又是钢琴厂老板吧？还有普莱耶尔，我们读肖邦传就常碰到这名字。肖邦同乔治·桑偕游马略卡岛，就是在“普莱耶尔”牌钢琴上谱出了《雨点前奏曲》的。肖邦最喜欢的是这种名牌琴。这种牌子的琴，当年之吃香就像今日之“史坦威”，恐怕人们想不到，这家琴厂主兼出版家又是多产作曲家和钢琴家吧，他的作品之多，有点令人难信：六十部交响曲、六十多部弦乐四重奏、两部歌剧……他的乐风像海顿。海顿名下有一些作品是否原属于他，至今还有疑问哩。

我们岂不应该感谢迪亚贝利出了个好点子？不是他“催生”，贝多芬这部作品，说不定也同“第十”那样胎死腹中了！

寄希望于中国钢琴文化

——《钢琴演奏之道》读后

《钢琴演奏之道》这本书，我津津有味地读了两遍。作为一个音乐爱好者，对于写了这样一本好书的著者感谢之情油然而生。同时，又不免有感慨。

自从洋琴来到中华，假如不算它的先辈古钢琴，到现在也可以举行一次百年纪念了。像自己这样的爱乐有心而学琴无门的常人，做钢琴梦也是五十年前的事了。在悠悠半个世纪中，对于中国人介绍钢琴的书，我一直是孜孜以求之。可是以前只见过一种:《洋琴弹奏法》，丰子恺编，20 世纪 30 年代开明书店出版。薄薄几十页，太不解渴了！后来又出过一本朱工一的《大钢琴演奏法》，只闻其名，未见其书。

直到去年，忽然发现了有这样一部全面系统地论述琴艺的书，而且是一部有中国文化特色又有作者自己的思维与语言的精湛之作，怎不令人于惊喜之余感慨系之！

长期以来中国人撰写的钢琴论著之稀少，不正反映了钢琴文化在中土的寂寞？即使是介绍西方的现成资料，又有多少？爱好者不能不感到知识的饥渴了！一本莱文的小册子，我们读了也有几十年了；霍夫曼和涅高兹的书，很有教益；迦特和阿列克赛耶夫的书也让人增长知识；然而读到赵晓生教授的著作，这才有如听到了真正中国风味中国意境的钢琴音乐！

它还引起这样一种思索：中国钢琴文化长期冷落，固然是历史的遗憾，近年来大发钢琴热，难道又真的是可喜的形势？是健康的人体热，还是畸形经济繁荣似的虚火上升？从亲见亲闻中发现，一些发烧的家长，为子女习琴竭尽心力，其身甚劳，其情可悯；只可惜他们对钢琴文化一无知，二无爱；有的孩子正像霍夫曼书中一个向他提问的美国少年："我是奉命学琴……"

我想，如果《钢琴演奏之道》能让那些琴童家长们了解这门艺术之艰深，登龙门之不易，从而把望子成龙的热度降到合理的水平，那么，它便是一帖清热退烧的清凉剂了！书中切实讲明了弹好琴的条件，必须付出的艰辛劳动，（他形容得那么风趣的"大致上两万五千至两万六千个小时才可把'钢琴家'这壶水烧开"！）甚至付出了包含无价童年在内的这样的宝贵光阴，最终还只落得做个"缺点灵性"而徒有出众的机能的钢琴匠！

我觉得这都是很值得一些盲目地想向钢琴王国移民的家长

们读一读，并且深长思之的！

但我又极盼这本书能在我辈常人爱好者群中煽起真正的钢琴热。这是因为，一个叫人纳闷的现象：似乎并没有多少成人对钢琴这乐器及其音乐有真正的兴趣，除了看中它可以装潢，可以保值；除了克莱德曼和《少女的祈祷》之类。

每一想到这情况，我便会想起那位六十五岁还从头开始自习钢琴的美国老太太（出于《美国梦寻》作者所编写的另一本好书）。她早就要学，只因丈夫不喜欢，他死后，马上去买了架琴，后来居然也练出了中等业余水平。

像钢琴这样一种人类的伟大创造，人们创造它又驾驭着它开辟了何等广阔幽深的音乐天地；18—19 世纪西方严肃音乐之掀起热潮，正是同那时代的钢琴热互为因果的。假如中国的爱乐者至今还不热心于、不善于运用这样一个有无限潜力与魅力的乐器，来丰富自己的音乐享受，那真是太令人为钢琴惜，也为琴盲惜了！

正因此，我为赵著的一版、再版欢呼了。此书当然是一部“名手之道”（借用克莱门蒂的书名），凡有志攀登琴艺高峰的人，当然可以从中得到切实的指点与宝贵的启示，通过自身的实践与体验，悟得“琴人合一”的妙道。那些学术性的部分，非常人所能妄加议论的，但凭初读两遍的感受，我觉得本书对于倾心于钢琴音乐的常人来说，也同样是一份营养丰富又滋味甚美的粮食。

为本书作序的罗乃新的话并非溢美之词：这是一本资料齐备的百科全书，有全面连贯的理论，也有层次分明的分题叙述，几乎触及了从视谱到上台的每一个关键问题，由最基本的练习过程谈到最玄妙的心灵感应，还对从巴洛克时代到 20 世纪的钢琴音乐提出了深入透彻的见解……

我想，假如你不甘心只做一个拿音乐来“遣此无聊之生”的人，而愿意对音乐文化多了解一些，以充实你的审美资本的话；那么，这本书是大该细细阅读而且好好咀嚼的了。

空说无味，略举几例。

本书《琴韵篇》历叙从巴洛克以来的钢琴音乐风格，读来如读一篇既概括又具体的乐史，比看某些教科书式的文字受用得多。论到巴洛克风格，著者除了讲到它的复调性、装饰性、即兴性之外，还讲了一个“断连性”（articulation）的问题。这可是一个不大好翻译的词，三言两语讲不清，却又是一个对于演奏者与欣赏者都关系不小的问题，而且也不仅是巴洛克风格的问题了。这问题搞不清，演奏者或欣赏者读曲，岂不就像中国人念古文，句读不明甚至读破句，误解原意！ articulation 不正确，哪怕一个音符也不错，会不会就像小孩背课文，洋人学汉语，官儿上台念稿子呢？如此重要的基础知识，多少音乐辅导资料中都把它漏了！本书著者把这问题拈出来一讲，至少我是补了一课，获得了新知。

巴赫《十二平均律钢琴曲集》中一首赋格，它的主题可以用不同的断连法对其做出至少十种不同的但都可能成立的处理（见本书第一百四十六页）；贝多芬三十二首钢琴奏鸣曲五种早期版本速度标记的比较（本书第一百七十五页起）等等。你乍读到这些地方，也可能吓得掩卷不敢卒读，认为那是专业者才看得懂的。

其实，我们如果诚心深入乐土，那么从乐史到演奏、演出等方面的知识，对我们了解音乐都是有用的。只是如果只靠个人去零星地涉猎，所得无多，又难以得其要领；而像本书这样把丰富的知识贯通起来谈，条理明晰又体系昭然，便极大地方便了我们这种普通的求知者了。

然而像这样一种举重若轻的讲谈，非得一位自身是精通其艺、深悟其道、淹博而又能会通的专家，又未必能办得到。

这里面还有"茶壶里的饺子"是否"吐得出"的问题。当年，安东·鲁宾斯坦在讲堂上讲不清自己演奏技巧上的某一问题，竟不得不慌慌张张跑去找他的同事莱式迪斯基帮忙！

对于那些以"嚼饭哺人"（吃力不讨好）的精神撰写"普乐"著作的大师与学人，如去世不久的科普兰、伯恩斯坦，如独力编写《牛津音乐指南》的斯科尔斯等，我辈爱乐者都怀着敬仰与感激之情。《钢琴演奏之道》这样的专门著作，我们常人也完全可以拿它当一部《钢琴艺术指南》，作为我们倾听钢琴音乐的指南，当我们的良友（"指南"的英文词companion恰好也有良友之义）。

我想我们可以读其中不难读懂的部分，吸取可以帮助我们读乐的养料。至于作者为专业琴人，为未来的钢琴家说法的更高的“道”，虽然玄妙难参——原因之一是我们无此实践与体验；但作为受过传统文化影响，对中国的文、史、哲、艺不能不感兴趣的中国人，也会不觉其“隔”，而有一种亲切之感的。它也可以让我们对音乐艺术之精深微妙更添一种敬畏感，吸引我们向严肃音乐的殿堂去做更虔心的巡礼。

钢琴文化在西方的盛世虽然已成乐史陈迹，但它的经典不朽，影响犹存；它的魅力绝不会消失。看来，它还可能有着绝大的潜能，这潜能的开发，很可能会使已有三百年历史的钢琴文化焕发出一种新的异彩。这希望也许便在于中国人的钢琴音乐创作与演奏艺术。

这正是《钢琴演奏之道》这部书在我心中引发的一种向往。

速度微妙

音乐生存于时间之中，而时间又总是跟速度这问题联系在一起；于是速度既是音乐中的一种极重要的因素，也呈现出极其微妙的现象。我们欣赏音乐的人，如果能对有关音乐中速度的知识多加留意，那么听起音乐来必定会获得更丰富的感受。

一部名作，十位演奏者或指挥家来演释它，会产生十种效果。其中主要因素之一，便在于他们对速度分寸上的见解与处理。见解不同，处理有异，效果也便各不相似了。

例子是俯拾即是举不胜举的。在我听唱片、录音的亲闻实感中,《牧神午后前奏曲》可以作为一个突出的好例子。德彪西这篇音乐，作者自己标上的速度是“相当中庸，适度地慢”。演奏起来，一般约用八分钟。从前的每分钟七十八转的粗纹老式唱片，一张十二英寸的大唱片，正好容纳得下，当然要分割成正反两面。当年买过一种比彻姆指挥伦敦爱乐乐队演奏的歌林牌唱片，和另一种法人指挥、法国乐队演奏的唱片，都是如此。

后来听到斯托科夫斯基指挥的两种演奏录音，一种也只用了八分半钟，另一种却用了十二分半钟。在已经听惯了用通行速度处理的耳朵听来，不免有奇特之感。但抑制住先入为主的成见，细心再听，又感到他似乎是更加夸张了牧神那慵懒而恍惚的心绪，倒也别有意趣。至于更近一些的演奏，如法国拉姆洛乐队 1986 年录的 CD 所用时间为十分差一秒，也比以往的来得慢。那么，八分钟那种速度，会不会是由于迁就老式唱片的容量有限而造成的“削足适履”呢？

对比一下《命运交响曲》第一乐章的不同处理，也很有意思。假如照贝多芬自己标的节拍机速度（二分音符＝108），全曲要七分钟左右。托斯卡尼尼是六分五十九秒。卡拉扬正好七分钟。然而比他们后起的伯恩斯坦则是九分二十九秒。人们知道，托斯卡尼尼对此曲速度分寸的掌握是很受一些人的推崇的，有人专为这一点写了文章。

莫扎特的《费加罗的婚礼》序曲，真正是不厌百回听的美妙音乐。篇幅本来不长，速度又快，更是令人只恨其短。关于此曲的速度，萧伯纳在 19 世纪写的一篇乐评中做了有趣的介绍：“有那么一种老规矩，一定要在三分半钟之内奏完它。它一共有二百九十四小节，时间是二百一十秒，每五秒七小节。指挥应该一气奏到底，不能在曲中有 *rallentando* [1] 记号的地方

1　逐渐缓慢地。

拖拉。卡·罗沙（当时的名指挥）不幸正犯了此忌。他在反复记号之前的那支可爱的主题上流连了一下。于是，为了要弥补损失，后面不得不大开快车。虽然也刚好结束在二百一十秒之内，但末尾部分奏得个一团糟！”

虽然每一篇乐曲上都少不了速度标记，但那些文字的含意是笼统而含糊的。不仅如此，在不同时代，不同地区，乃至不同作者的心目中，其含意又可能是不一致的。对于这一点，我们如果只求欣赏而不求参与，也许不妨不求甚解；但假如也想享受自弹自奏之乐的话，这却是不可不知的了。

比如，同样是标着 *allegro*，19 世纪以前的乐曲并不像后来所要求的那么快；这要算一项乐理上的常识了。如果不管那篇音乐产生的时代，把 17—18 世纪的 *allegro* 都奏成后来的概念的“快板”，那篇音乐肯定会有失原味，也不符原意的。

真有意思，19 世纪初的人们相当喜欢用 *allegro ma nontroppo*（快板，但勿过快）。可是 18 世纪初的人并无此概念，因为在他们心中，*allegro* 本来就不怎么快的。其实这个意大利语的原义往往只指一种欢快的情绪而已。恐怕也正由于此，维瓦尔第曾用了 *allegro allegro*（欢快的 *allegro*），而亨德尔也用过 *andante allegro*（欢快的 *andante*）。像这样的标记，后来的作品上自然不会再用了。

自从 18—19 世纪起，对于速度标记才渐渐地有了统一的概念。而在此之前，各国各地自行其是各行一套的情况是可笑的。据巴赫之子 C. P. E. 巴赫说，在柏林，*adagio* 的意思是特慢。而小提琴演奏大师斯波尔在 1820 年间注意到，巴黎人的 *allegro*“快得不像话”！

还有比这更乱的情况。1800 年之际，巴黎人用的 *allegretto* 是表示比 *allegro* 还要快的意思。

莫扎特有一部钢琴协奏曲（K.271）中的慢乐章，标的是 *andantino*。假如你按照今天的理解把它奏成“小行板”，即比行板稍为快一点，那便正好弄反了。当时此词的意思，指的是要比行板慢一些。

有件事可以用来说明此词的用法一度颇为混乱。1813 年，贝多芬写信给某个叫乔·汤普孙的人。此人寄了些民歌曲调资料来请他改编。信中，贝多芬特地提醒道：“今后所寄谱中如有 *andantino* 的，务请告知那是比 *andante* 快还是慢的。因该词含意不明也。”

据学者研究，莫扎特、克莱门蒂及其同时人使用这个词，是要求奏得比行板慢的。

既然用文字标速度嫌含糊，节拍机的出世便是顺理成章的事了。一般都将此归功于贝多芬的朋友马采尔，其实他大有剽窃之嫌。早在 1696 年便有罗列其人搞出了这种仪器，可惜的是太笨重。

节拍机记号虽然毫不含糊，仍然不能完全免除速度处理中的疑难。贝多芬本人标上的数字，有时叫后人没法照办，以致有人断定他用的节拍机出了毛病，要不然就是他忘了上弦。其中最出名的一例是编号“106”的那部钢琴奏鸣曲。他标的“二分音符等于138”这速度，太快了。硬要照此弹奏，既有困难，效果也可疑。

比起贝多芬的例子来，人们可能不大注意舒曼的例子。他注的节拍机速度，有的也是快得难以实行。对于这位后来神志失常的大师，当然更可以怀疑他用的节拍机也出了毛病了！

速度这问题可以说对于音乐的表现是生命攸关的。处理不当，不但会把气韵生动的作品弄得淡而无味甚至死气沉沉，有时还会使乐中意象与感情变得另是一种面目。

例如，门德尔松的那首无词歌《春之歌》，通常听到的是用不太快的速度，表现一种比较委婉的抒情味。以前曾听到老一代指挥家亨利·伍德改编并指挥管弦乐队演奏的《春之歌》。他用的速度比较快，把它唱成了异常热烈奔放的春之颂赞，而且是载歌载舞的形象。我至今对它怀念不已！

又比方，聂耳的《义勇军进行曲》，原本是进行速度。自从成为国歌，放慢了唱，出之以庄重的情绪，这也不坏；但是抗战爆发时，人们唱了，听了，为之惊心动魄、热血上涌的那种强烈的感受，也就难以为后来人所真切体验了！

即便自己不参与演奏而只是倾听，我们爱乐者也并不是速度问题的局外人。我们可以注意磨炼自己的速度感，对于各种不同的演释，我们可以选择。但音乐之能保持新鲜，正在于它的变动不居。速度也是如此。不但十个演奏家演奏同一曲会有不同处理，同一人演奏同一曲，每次仍然会有变化。所以我们听者又不妨兼容并取。但是我们要在比较中学会鉴别。当我们听到有人把巴赫、莫扎特、肖邦弹得过分快，或是把贝多芬、柴科夫斯基的慢板奏得过分慢，以致在风格和情绪上走了样的时候，便不会随声附和去鼓掌叫好了。

断连、分句、呼吸

读了赵晓生教授的《钢琴演奏之道》，其中讲巴洛克音乐中的“断连性”问题，使我有茅塞顿开之感!

“断连性”，西文原词是 articulation。用在一般场合的意思是讲话发音清晰，表达清楚。用到音乐表演艺术中，含意丰富微妙。赵晓生说它是个“无法翻译的词”。

“断连性”很重要的一种作用是明确了乐句的划分。而乐句的正确而且明确划分，对于一篇乐曲的表达，关系太重大了。

对于我们习惯于仅仅用一双耳朵接受音乐的爱好者，此事好像与我无关，我们是享现成的，一切都由弹奏者或指挥家代劳了。你无须担心像有的人那样念报告词读了破句，或者标点古书把句读搞错了。

但本人是个不甘心仅仅用耳朵听乐的乐迷，还对自己通过直接触摸来感受音乐极感兴趣。也想用此种体验来鼓动同好者，大家自己动手弄音乐。

自己吹拉弹唱，也联弹合奏，那才能深知乐中之趣。但要这样，你就不可不了解分句这类问题了。否则也会把一篇音乐“文字”读得文理不通，不知所云。

断连、呼吸、分句、线条（短线条、长线条、大线条），几乎可以说是音乐表情达意的生命线。

关于这微妙、奥妙但又绝非玄妙的问题，让我从笔记本上摘抄几则精彩的资料奉献于读乐有心者。

重大经典作品，不同的版本太多了，编订者不同，分句也往往所见不同，那就像中国古人对四书五经中有些地方到底该如何断句各持一说相似。贝多芬的钢琴奏鸣曲，有的版本，编订者认为，那些重复出现而分句改变之处是贝多芬粗心大意所致。巴西钢琴家阿劳也编订了一种版本，他却不这样看。

意大利指挥家 D. 迦替，他对雷斯皮基的独特演释很受人注意。他对分句、呼吸之重要有妙语。他认为，乐队演奏中最难的是在奏快板的时候怎样唱起来，和如何恰当地分句。他告诉排练中的乐队说：“所有音符都拉响了。可就是缺乏呼吸（breath），所以，听上去便成了气急败坏（breathless）！”

对句法与旋律、和声的关系，他的议论也很令人长见识。

“（演释者）应该意识到每一乐句后面的和声的张力（tension），要顺应着和声的进行来处理句法，别让和声与旋律脱节。假如只有旋律美却没有和声的张力，没有方向性，没有顶点（他认为应该注意每一支旋律都有其顶点），那么这些乐句也便表达不出什么了。”

即便你只可能通过耳朵来享受音乐，了解有关句法、断连这方面的知识，也是很有助于提高“听功”的吧？

改编功大于过

改编（arrangement），古已有之。巴赫的作品目录中便有许多改编曲。他改编别人之作，相当自由，自由到为后人所不敢。维瓦尔第有十六首小提琴协奏曲被他改为古钢琴曲。有三首改成了管风琴曲。他又改编已作，《a 小调小提琴协奏曲》被改编成古钢琴协奏曲。贝多芬将他自己那部《第二交响曲》改编为三重奏。莫扎特的《费加罗的婚礼》，当时就被改编成各种器乐曲。

改编的意图各有不同，档次更是大有高低之分。

艺术性的改编，本身就是一种再创造。李斯特这位钢琴大王同时也是改编大王。帕格尼尼的《随想曲》，他同舒曼都做了改编，移植到键盘上。舒曼说自己的意图在于表现原作中的诗意的一面，而李斯特则像是要把演奏技巧的奥秘传授给后人。他想用不同的手段取得与原作相同的效果。

有意思的是，李斯特将自己和舒曼的改编曲印在一起发表，让人们去对照。他曾反复改编三次，有时为了在技法上降低难度，有时又力求在键盘上再造原作中为提琴手设置的困难。这在威尔金森的《李斯特》中可读到许多有趣的细节。

同这种严肃的艺术性改编可以媲美的例子，我们立即会想到巴赫的《恰空》。这首无伴奏小提琴曲，将它“译”为左手钢琴曲的就不止一人，其中有勃拉姆斯和布索尼这样的大师。此外又有弦乐重奏本与乐队本。还有吉他改编本，倘由一位大师演释，那感染力简直不亚于小提琴原作。

众多的乐人热心于从巴赫原作中开掘宝藏。布索尼的作品目录上有大量的这种改编曲，其中，有改为管风琴曲的“四十八”。人们更常听到的是指挥家斯托科夫斯基的改编。他想让巴赫用现代管弦乐的声音演奏宏伟的赋格、帕萨卡里亚。

改编本能做到不辱没原作，不失原意，已经不容易，要更胜一筹就难以想象了。据说圣－桑那部虽洗练而无甚深意的《死之舞》交响诗，倒是李斯特的钢琴改编曲还有些新意。更不可思议的是李斯特对《幻想交响曲》的改编。在1836年12月的音乐会上，先是由作曲者指挥演奏了其中的《赴刑》一章，接着便是李斯特弹这同一曲。“其效果远远超过了整个管弦乐队，所产生的轰动是难以形容的。”（见威尔金森《李斯特》中译本第八十一页）

这里面是否有神话成分？但人们对舒曼是无须怀疑的。对这部改编的交响曲，他推崇之为“一部精心佳构，应当把它当作原作来看”（见《舒曼论音乐与音乐家》中译本第七十七页）。那么其“超过了整个管弦乐队”的轰动效应，自应归功于李斯特的“圣手”，加上他个人魅力产生的乐外“和声”了！

不能令人满意的、平庸甚至拙劣的“译”本则不乏其例。曾听到一种改编的《月光曲》第一章。钢琴仍弹着三连音，主旋律却让给了弦乐。当时的感觉是多此一改！据说，对于巴赫为何要把他美妙无比的《双小提琴协奏曲》改成古钢琴曲，人们也大惑不解。贝多芬的小提琴协奏曲，他有必要改编为钢琴协奏曲吗？我们也可以怀疑。给巴赫的无伴奏小提琴曲和帕格尼尼的随想曲配以钢琴伴奏，也被认为大可不必。

老柴的《如歌的行板》由克莱斯勒改成提琴独奏，原来弦乐四重奏所特有的醇厚之味便荡然无存了。作曲者应人之请，将它改为大提琴与乐队，效果也不见佳。

更艰巨的一件工程，却似乎成了无效劳动，那是魏因加特纳改“作品106”为交响曲。他也许以为小小钢琴装不下贝多芬那宏大深沉的乐想吧？但斯科尔斯问道：当初作者何不就写乐队曲呢？

肖邦的作品几乎是不可“译”的。斯科尔斯评论：他如果活到20世纪初，听到俄国舞剧团用他的作品改编的东西，一定要生气。那效果常常是可憎的。说真的，改编的种种罪恶是假芭蕾之手以实行的！

这话显然用了法国大革命时罗兰夫人绝命语的典故，可见斯科尔斯对钢琴诗人之作被庸俗化是何等深恶痛绝了！此处成为问题的，是那套“肖邦集纳”的《仙女们》。此曲先后有几个改编本。先是由格拉祖诺夫配的器，舞剧演出时又加了几首乐曲。参加配器者还是几个名家：里亚多夫[1]、车列浦宁[2]、斯特拉文斯基。其后，英国舞剧团又另搞了一种（见《新牛津音乐指南》第一千七百七十七页）。

18—19世纪，顺应乐潮澎湃而大量涌现的，是普及性的改编曲。其中主要是将歌剧和交响音乐作品送进寻常百姓家的钢琴改编本与移植性的提琴小品。为人爱重的经典名作，固然有各种钢琴独奏、联弹、重奏的改编谱供应（可以想象，没有它们，托尔斯泰就不可能在他庄园里同他夫人联弹贝多芬的七重奏与韦伯的《自由射手》）；一部问世不久大受欢迎的新作，很快便有了改编谱。其实这也不新鲜，1782年，莫扎特在家书中告诉老父，他正为《后宫诱逃》赶写管乐队用谱，以防他人抢先。有时，总谱与钢琴谱差不多同时印行，甚至改编谱出在前头的情况也是有的。这当然是因为爱好者更需要的是它。

半个世纪以前，笔者偶然从上海四马路弄堂旧书店里淘到一本快散架的谱子，一本曼陀铃曲选。这乐器我并不喜欢，虽然维瓦尔第和贝多芬也为它写过一点点。我为得到这谱子而大

---

1 Lyadov，现在通常译为利亚多夫。

2 Tcherepnin，现在通常译为切列普宁。

喜，是因为其中有我想看到的门德尔松和布鲁赫的提琴协奏曲中的慢乐章。此外竟还有《塞维利亚的理发师》序曲！从中不难想见，从前的人弄乐自娱，胃口真大！

更滑稽的一例要数一首亨德尔《哈利路亚》的改编曲吧？乐器只是两支长笛，别无伴奏！近年有一本通俗钢琴谱，收的是简化了的名曲选段。简化的胆子也大得惊人。其中的《牧神午后》，一个学琴不久的小孩也能弹。它使我想到另一种很难弹的改编谱。1949 年路过一个山里人家，发现一本旧的音乐杂志《Etude》上有此钢琴谱，完整的，好几处用了三行谱表。如获至宝，挑灯急抄，至今犹在，虽已墨迹黯淡得看不大清了。

大量移植性的改编曲，既可让玩各种乐器的人各得其所，也让听赏者耳目为之一新。这正是《梦幻》之类提琴小品比钢琴原作更为人耳熟之故。但有得也有失，原曲中有些成分退居背景，淡化了。

有的改编曲，听得久了，约定俗成，不觉其不符原意，《G 弦上的咏叹调》是个有趣的例子。对于提琴家维尔海姆的“篡改”，托维大为生气，指责他不该把原作的美妙的和声结构弄得颠倒紊乱。魏因加特纳让弦乐队在 C 弦上无伴奏地齐奏的做法，他也不以为然。

改编有功，功在于普及了音乐；改编有过，有罪，商业化的改编曲污染了原作，也污染了耳朵。1949 年的一份唱片目录上，有六页都是肖邦的《降E大调夜曲》，但四分之三并非原作。有改为四架钢琴演奏的，有用曼陀铃的，萨克管加吉他的等等。《悲哀练习曲》也占了六页，有长号独奏、爵士乐伴奏的改编曲，还有用锯琴的。

最不宜于改编移植的肖邦，偏偏有那么多的改编者要来歪曲他！

还有趣味更低劣的。《命运》《欢乐颂》的主题都曾遭此厄运。倒霉的又是肖邦！《送葬进行曲》中部的曲调被改编填词，变成一支嘲讽李鸿章的滑稽小调，风行一时。

对于改编曲之庸、滥，斯科尔斯是愤然加以痛斥的。从他那时以来，又是半个多世纪过去了。试听今日之音响世界，那种商业性改编曲的瓦釜雷鸣，不也令真诚爱乐者为之掩耳？有一种貌似“美食”的改编名曲，颇能惑众。假如听惯了，那是要败坏你的口味的！

但我更愿同乐友谈的，还是自己从改编曲中所得的好处。当年是先听了石人望改编的口琴二重奏，才认识了《牧童短笛》的。如果没有那两本贝多芬交响曲钢琴改编谱，我又怎样能随时同贝多芬的音乐打交道？即使后来总谱已并不难得，但钢琴谱简明扼要，浏览、查对、重温也更方便。自己特嗜德沃夏克，他的大提琴协奏曲，除了总谱，又买了钢琴伴奏谱。当年走过三马路上罗办臣琴行，橱窗里陈列的《未完成》令人垂涎三尺，终于有朝一日走进去买了，那也是为小提琴、钢琴改编的。“文革”前又买了钢琴独奏谱。加上总谱，三种“未完成”至今收在一起。此外还有莫扎特的交响曲，《卡门》《阿莱城姑娘》《罗密欧与朱丽叶》序曲……都是历年辛苦觅来，有些还是荒谬时代硬着头皮抢救下来的，更是患难之交了！这些谱，不仅有助于倾听细玩而已。

我们当然更该精读原作，但当你听改编曲时也常可从比较中对原作有更深的了解。例如德彪西的《月光》，听了斯特恩拉的提琴曲，斯托科夫斯基改的乐队本，钢琴原作那钢琴化的特殊韵味也就更容易为你所感受了。而像同一人的《阿拉伯风格曲第一号》《亚麻色头发的女郎》《雪花飘》，我是在听了一种合成器改编曲之后，才发觉原作中竟有如许意象的！

即使一曲简化得几乎只剩下轮廓的比才的《哈巴涅拉》，当一个才学琴一年但乐感颇强的小孩弹它时，为音乐所陶醉的孩子，又陶醉了旁听的我。这时我也更懂得改编这种“普乐”艺术之不可缺了。

不仅如此，假如你有业余水平的弹奏能力，哪怕只像萧伯纳那样不正规地弹（这个大文豪兼乐评家也正是靠在琴上弹改编谱来了解他要评论的作品的），不妨到键盘上去“读读”《命运》《未完成》《新大陆》《悲怆》……零章片段也好，那么你就会体验到前人所云“观人画不如自作画，从眼入不如从心出”的道理了。

虽然所处情况不尽相同，我从切身体会的甘苦理解到在

“前留声机时代”，改编谱何以是爱乐者的恩物。对于严肃的改编谱与其改编者（许多人是迫于谋生才去干这个，例如瓦格纳潦倒之日），我深怀感激之情！

同题异曲　异曲同工

同一题材由不同的作者运用不同的意匠，做出互不雷同的文章，让欣赏者进入不同的境界；翻开中外艺术史，这样的例子俯拾即是。

同样是表现浩荡长江的宏观景色，作《长江万里图》的并非仅有南宋夏珪。一提到《最后的晚餐》，便想到达·芬奇，其实在他之后的委罗内塞也画过这个圣经故事，也很不凡。以文学而论，唐璜这人物，拜伦、莱诺作诗，莫里哀、普希金作剧，而巴尔扎克、梅里美又写了小说。

在浩如烟海的音乐文献中，同题异曲，异曲同工，一样的令人听之不尽，望洋兴叹！

《圣母颂》，听了舒伯特作曲的那一首，再听听古诺巧妙地填写在巴赫《前奏曲》上的那一首，两者虽然都表达了宗教信仰的虔诚，然而在意象与情绪上的不同是明显的。《婚礼进行曲》，据说西方常于婚礼开始时演奏瓦格纳的那一曲，而以门德尔松的那首伴送婚礼收场。这两支名曲都写了人生最甜美的幸福，但那滋味又像品尝不同的糖果。

葬礼音乐容易弄得千篇一律。不过试比较一下《英雄交响曲》中的慢乐章，和更常听到的肖邦的《送葬进行曲》，判然不同的两种意境！前者唤起的历史感庄严悲壮，哀伤而并不颓丧；后者是深沉的亡国之痛。再听听其他的这类音乐，如《诸神的黄昏》的收场，一篇没完没了沉重之极的悼歌；或让我们再想想《培尔·金特》中的北国哀歌《阿塞之死》，《幻想交响曲》中的阴森古怪的《断头台进行曲》，等等，你会觉得，死亡与哀悼这个老一套的主题，在作曲家笔下竟有那么多不同的“变奏”！

借用文学题材加以音乐化，写成歌剧与标题音乐，题同而乐异的现象更加值得音乐爱好者注意。

莎翁的戏剧简直像一个开掘不尽的宝藏。其中那些最深刻的悲剧与喜剧，历来在不同的导演手里往往对同一剧做出迥不相似的阐释与处理。前不久，又于英伦演出的《哈姆雷特》，一位来自格鲁吉亚的导演便又做了大有新意的处理，令观众耳目一新，就是一个新例子。

经得起不断开掘的莎氏乐府，也一直是音乐中最受乐人喜爱的题材。重大作品的“复本”之多是很突出的。仍以《哈姆雷特》为例，既有柴科夫斯基写的幻想序曲，又有比它更受到注意的一部交响诗。评者认为李斯特此作中满怀阴沉的疑虑，时而有狂热的爆发，是一部刻画性格的作品。除了这两部器乐曲，有托玛的一部歌剧：他便是《迷娘》的作曲者。据说萨克管荣幸地进入管弦乐，也就从这部《哈姆雷特》歌剧开始，随后才是比才的《阿莱城姑娘》。

莎翁最后搁笔之前的作品是《暴风雨》。早在17世纪他的同国人珀塞尔便写了歌剧，其后，至少还有同名歌剧五部之多，作者为哈勒维、弗兰克·马丁等。但人们耳熟的《暴风雨》却是柴科夫斯基的那篇交响幻想曲。它受到听众的欢迎，而作者对它并不满意。西贝柳斯也为莎氏原剧写了一套配乐。至于贝多芬的第十七首钢琴奏鸣曲也被题为《暴风雨》，据云是因为辛德勒问起如何理解曲意时贝多芬回答：听听莎士比亚的《暴风雨》吧！

另一部受到作曲家垂青的莎氏悲剧《麦克白》，作成歌剧的当然以威尔第的一部最为人所知，另外还有布洛克与柯林伍德两位。在理查德·施特劳斯早期作品中则有以它为标题的一首交响诗。

将喜剧《温莎的风流娘儿们》化为歌剧的是K.尼古拉。它有一篇雅俗共赏的悦耳的序曲。威尔第也利用此剧与另一部莎氏的历史剧写了《法尔斯塔夫》，则是更为深刻的上乘之作。埃尔加又以这个剧中男主人公的名字为题写了一篇交响练习曲。

永葆青春魅力的《仲夏夜之梦序曲》是年方十七的门德

尔松的不朽之作，它和上文提及的《婚礼进行曲》还有《夜曲》《谐谑曲》等都是他为原剧写的配乐。为莎剧另谱配乐的有当代乐人奥尔夫，用它写成歌剧的是布里顿这位莎翁的同胞。

莎氏悲剧中最动人心魄的，无疑要数《罗密欧与朱丽叶》了。这个哀感顽艳的传奇故事正好让音乐家发挥他们的想象力，于是罗密欧、朱丽叶的形象便以不同的姿态出现于几部音乐名篇之中，受到世人的共赏。柴科夫斯基的幻想序曲，柏辽兹的交响曲，普罗科菲耶夫的舞剧音乐（后来又编成两套音乐会组曲），形成了罗、朱悲剧音乐文献中的三峰并峙。流传广、更深人人心的自然要数老柴那一篇。标题乐大师的那一部交响曲，虽然规模庞大，可惜并不能从总体上给人以深刻印象，只有一些美妙片段引人注目。普氏之作后出，更难着笔，然而却能令人耳目一新，甚且会使听惯了老柴那篇音乐的人乍听之下愕然费解；但细细领略便会感到的确不凡。如果你看过舞剧，看过乌兰诺娃饰演的朱丽叶，便会更加感到这两部作品真正是异曲同工各极其妙了！至于古诺所谱的歌剧音乐，其品格与影响，似乎不能同这三种器乐“译本”相提并论。

悲剧《奥赛罗》也以几副不同面目展现于音乐中。罗西尼为它写了一部歌剧。后起之秀的威尔第的同名歌剧后来居上，超越前人；不但如此，在某些方面它几乎可以认为是超越了莎翁原作。这是莎剧音乐化文献中青出于蓝而胜于蓝的罕见的例子！

要问被采用的频率仅次于莎剧的文学题材是什么，我们立即会想到浮士德的形象。歌德花了几十年的心力才写出了《浮士德》诗剧，却仍感到它是一部未完成之作。它激发了众多乐人的创作灵感是不奇怪的。老诗人本来把谱写歌剧一事寄望于年轻的莫扎特，而与诗人同时代的贝多芬，用自己的乐想来表现《浮士德》也是他的夙愿。莫扎特早死，贝多芬没来得及动笔，二者都落空，成了乐史上的极大憾事！但从此以后，恰似梅菲斯特费勒斯那难以抗拒的魔力，许多音乐家都一而再再而三地受到了探索此一题材的诱惑了。

李斯特精心制作了三幅“肖像音画”——浮士德、玛甘泪与梅菲斯特费勒斯，合起来便成了《浮士德交响曲》，构想是很妙的。他又根据莱诺的诗篇作了两首《插曲》。此外又一谱再谱《梅菲斯特圆舞曲》，共有四篇之多，足见其对这个主题是何等入迷了。

浑身是浪漫主义气息的柏辽兹，自然也不会放过这浪漫的题材，可惜他的《浮士德的劫罚》受到听者赏识的只是若干选段。最流行的是那首《拉科齐进行曲》[1]。由于人们对匈牙利革命的关怀，当年演出的现场效果极富刺激性，绝非今日的听众所能体验的。源出于匈牙利民间音乐的此曲主题，李斯特也拿它写成了钢琴曲，对照而听，更有意思。舒曼所作的《浮士

1 *Rakoczy March*，即《匈牙利进行曲》。“拉科齐进行曲”是它的别称。

德》序曲与《场景音乐》，正如他的《曼弗雷德》序曲一样，未能赢得多数听众的好感。至于古诺的歌剧，票房价值很高，作者的大名也随着它传遍遐迩了，虽然很难认为它传达了原作的深刻内容。

与贝多芬并世，同享盛名的斯波尔，既是小提琴大演奏家，又是多产的作曲家，当时有些人把他捧得比贝多芬还高，也写了一部歌剧，但与歌德诗剧无关，而是另据民间传说的。还有哈尔维的轻歌剧《小浮士德》，它以谑画式的手法对歌德原作与古诺的音乐开了一个玩笑。威尔第的合作者博依托的歌剧《梅菲斯特费勒斯》，也是以歌德原诗为根据的。

同样取材于歌德的诗剧，虽不是像上述那些鸿篇巨制而同样是令人难忘的杰作，有两篇艺术歌曲：舒伯特的《纺车旁的格雷岑》与穆索尔斯基的《跳蚤之歌》。前者朴质，一位薄命红颜的小影；后者辛辣，一个魔鬼的笑声。

在洋洋大观的浮士德音乐中，最值得倾听的也许是瓦格纳的《浮士德》序曲。柴科夫斯基并不怎么喜欢瓦氏的庞大乐剧，然而激赏他这一篇作品。它是那么言简而味深，诗剧第一部中的意境跃然而出，可谓一部忠实的“译本”。可惜这只是瓦氏原来构思的交响曲中的一个乐章！

乐人们宠爱的传奇形象，还有一个唐璜。写他的歌剧也像文学作品一样多。但可认为，在莫扎特的那部歌剧问世以后，因其艺术上的完美深刻，使其他人的作品显得黯然无色了。在器乐作品中，理查德·施特劳斯的音诗《唐璜》，虽欠深刻，却是形象鲜明，色彩绚烂，令人感受到作者的才华出众。

很早就有皮其尼·沙里埃尔根据《堂吉诃德》写的歌剧，后来马斯内也写了一部。用这个题材编成舞剧音乐的有格鲁克和明库斯。描画这位游侠形象的器乐曲也有两例。一是安东·鲁宾斯坦的一篇幽默音画。当年初演，老柴有评论，委婉地说它格调不高，如今，它也同他的《大洋交响曲》之类作品一样，被打入冷宫了。另一部是庞大的幻想变奏曲，理查德·施特劳斯的力作，至今仍然是音乐会中的精彩节目。手法高明，效果奇妙，虽说它也如同塞万提斯原书那样，失之冗长，要对它始终保持倾听的注意力，是需要一点耐性的。

音乐化了的《天方夜谭》，既有人们听得快要失尽新鲜感的里姆斯基–科萨科夫那部组曲，也还有我们不甚了解的拉威尔写的一部序曲与组歌。《佩利亚斯与梅丽桑德》是以梅特林克的名剧为蓝本的。德彪西此作不但一变传统歌剧的格局，也不受瓦格纳新乐剧的影响。更难得的是在艺术效果上超越了原著，正像威尔第的《奥赛罗》。而在同一时代，福雷以此为题写的一部组曲，评家也认为是出色的作品。

艺术歌曲中，一诗而多谱的名篇也是不少的。如歌德的《魔王》，谱曲者并不只有舒伯特，还有贝多芬与列威，所作都各有其精彩动人之处。海涅的《卿似一枝花》，谱曲者更多，其中李斯特的一篇素朴可喜，也最受欢迎。

这样的欣赏，真有如赴听觉与审美的盛宴！可是且慢，要获得此中真趣也并非毫无障碍，因为要从先入为主的印象与评价中超脱出来，进入新境界重新进行体验而不受成见的干扰，谈何容易！然而也正是从这种对照、比较中让我们磨炼了鉴别力，开拓了接受领域，从而更加领略到艺术天地中的风光无限！

“圣经”内外

手捧《音乐圣经》，想象着此书中介绍的一千种（实际上包含了好几千篇乐曲）古今名作的声音汇成的、一片无边无际深不见底的音乐汪洋大海，谁能不像一个海滨拾贝的小儿那样，满怀无比敬畏之情！

同样令人惊奇的是音乐欣赏文化的迅猛发展。回首20世纪30与40年代之交的那时候，爱乐者还在守着手摇唱机听每分钟七十八转的粗纹片，连LP、立体声都还躺在科研摇篮里，更不用提CD这玩意了。

其时，在上海的乐迷，如果向江西路上罗办臣琴行函索，便会收到唱片目录。歌林唱片的活页目录是道林纸精印的。胜利公司的则是三十二开的一册。还有宝利多的目录。所有这些，提供的只是在上海可以购到的古典音乐唱片，品种是很有限的。然而对于一个未见大世面的乐迷小子，它们却是大可惊喜的资料。虽然买不起多少，至少可以过屠门而大嚼，画饼充饥。唱片目录成了翻来覆去看个不厌的读物了。从歌林目录上认识了西盖蒂、胡伯曼、比彻姆、亨利·伍德的大名。从胜利目录上熟悉了克莱斯勒、埃尔曼、拉赫玛尼诺夫、帕德雷夫斯基等等。宝利多目录上有许多贝多芬的钢琴奏鸣曲，甚至有那篇“作品106”，从那上面我初次接触到“锤键乐器”这个古怪名字的德文。这家公司的目录全是德文的。

同往昔所见的唱片资料对比，读《音乐圣经》真有信息爆炸之感！上起文艺复兴时期的古老乐章，下到现当代的先锋名作，乐史跨度那么大，真是搜罗宏富，洋洋大观！它是一大叠“盛宴”的菜单，又是一种“导游”资料。

近十年中，也偶尔见过一些唱片目录，例如宝丽金的。每见到一种目录，我总不禁要找一找，有没有自己心爱之作没被收进去。读“圣经”，本以为，如此庞大的曲目是不会有沧海遗珠的了，结果仍然有所发现。这不是刻意求全，只是希望有更多的人同享自己喜欢的东西而已。当然也是出于怀旧之情。

伊波里托夫·伊凡诺夫这人在旧俄乐坛上算不得什么大人物。不过他写的那篇《高加索素描》，从前是风行一时的。不但唱片畅销，而且在口琴爱好者中间也流行着它的改编曲。当年听此曲，留下了几十年磨灭不掉的印象的，主要是其中《隘口》那一乐章。它是一幅音乐山水画，速写了南俄高加索万山丛中崎岖山径上旅人所见的风光。同格罗菲《大峡谷》中那《羊肠小道》一章比较一下，风味各异而各有其妙。自己有切身体验，可证此曲给予我的感染之深。

1949 年夏，随军南进，穿过武夷山脉。为了打前站给大伙准备行军休息时的茶水，独行在一条右倚峭壁左临急流的山道上，乃有机会饱览了一番千山万壑的奇景。正在如入山阴道上目不暇接之际，不期而然地，《隘口》中那朴素而蕴含丰富、经得起反复的号角主题，忽地在心头奏响了！恰似为眼前美景找到了合适的配乐似的，而从乐中之景与景中之乐的相互印证之中，我也获得了神奇的体验。可惜，这样的审美享受是可遇而不可求的！《高加索素描》这篇管弦小品，也许可以评为像中国画论中所谓的“妙品”，谈不上什么深远的意境吧！但是，有几部作品，“圣经”中不知何以未收，我私心认为恐怕是够得上“逸品”甚至“神品”的，也是我更希望向同好者“强烈”推荐的。

这就是德沃夏克的几部作品:《降 E 大调弦乐五重奏》，看“作品 97”那号码，便可知它是《自新大陆交响曲》(作品 95)和《美国四重奏》(作品 96)的姐妹篇了。它那丰富的层出不穷的五声音阶旋律，也像其他两部杰作一样，使中国耳朵特别感到亲切甚至惊喜——简直像是为我们而作的！

又如作品 100 号的那部为小提琴与钢琴谱的《小奏鸣曲》，何其天真质朴而又温柔可爱！特别是中间的慢乐章，克莱斯勒改编成《印第安人哀歌》的，更有一种深挚的感人之处。

还有他的《传奇集》，一组管弦乐小品。从前似乎仅有捷克唱片。如此耐人玩味之作，完全应该像《斯拉夫舞曲》一样受到大众爱赏的，然而许多爱好者是否还未曾发现这一串明珠？

好吧，你可能会暗笑这是一个德沃夏克迷的偏嗜了。那么我改个话头。我想，在莫扎特名下，是否可以添一条他谱的“玻璃琴”曲？这种奇特的乐器，在前两个世纪的好奇者耳中像是缥缈的仙音，富兰克林玩过，格鲁克和海顿欣赏过，莫扎特也亲手奏弄过，且为之写下两篇乐曲。前些年我听到了这些乐曲的录音。既然“音响”成了许多人热衷的效果，那就不妨一赏这确有特色的效果。自然，假如不是同“无一句不美”（索尔蒂的话）的莫扎特音乐有关系，也就罢了。

普罗科菲耶夫的《彼得与狼》已成了老幼共赏的经典了。但他另有一篇交响童话《丑小鸭》，虽然灌制了苏联唱片，何以未能广为人知呢？那音乐也是颇有韵味的，尤其是写冬去春来，冰消水出，丑小鸭从水“镜”中照见真容那一节。

理查德·施特劳斯的作品，书中搜罗了那么多，独缺一部《家庭交响曲》，似乎也有点可惜。这也像在贝多芬名下没有专列一条《惠灵顿交响曲》一样。那也是一部有争议之作，但从当时听众对其欢迎之热烈、贝多芬死后诗人所致墓前悼词中它作为代表作被列举来看，又不可小看；而且现代论客也有新的评价。

相当出乎意料的一个遗憾的发现，是在瓦格纳巨人巨著的那一部分，没找到他的两篇杰作:《浮士德》序曲与《齐格弗里德牧歌》。

带着复杂的心情浏览“圣经”，引出了不少想法。

很盼望读到它的续集，从中获取自己亟想了解的信息。比如有关珍奇的乐史名盘的情况。据闻不久前上海有家店里摆出过约阿希姆晚年的录音，可惜寻访未得！所神往的还有萨拉萨蒂、圣－桑、德彪西等大师留在唱片上的声音。论音响，那是不值今之“发烧友”一笑的吧？有的由于大师垂老，力不从心，演奏上也是大可挑剔的，但正如西盖蒂所云，那是历史的声音，要带着史感去倾听的！

对于如今面对着日益膨胀的唱片资料而不知从何着手的爱乐大众来说，假如不想在热风吹拂下昏昏然乱听一气，而是诚心要珍惜有限人生，去享用音乐宝藏的话，那么，一部“必读曲目”的提供，更显得有必要了吧？就好像爱读书者期望的“青年必读书目”一样，却也很不好办。但我以为，这“曲目”中除了公认的上上乘的经典之作以外，还不妨附以“可读曲目”“可听可不听曲目”。介绍中最好包含不同的褒贬。

最后，想为“圣经”使用者贡献一条不大不小的信息，以助读乐之兴。该书第三页上有阿来格里的《主啊怜悯我》一曲。请留意，不要错过！这正是神童莫扎特当年去听过两遍（旧说是一遍）便默出了全谱，从而打破了那个不传之秘的音乐！（但那音乐的效果又是同一种特别的唱法相关的。）

盛宴如何安排？

世上有读不完的好书，也有听不尽的好音乐。书倒可以一目十行地“速读”，音乐是无法浏览的。时间不可能将其压缩，“时间的艺术”也是如此。不支付六十多分钟的光阴，你怎能把一部《合唱》或“作品 106”听完？如果再想到要连演四个夜晚的《尼伯龙根的指环》等等，更不能不有乐海无边而人生有涯的惆怅了！

提起这话是为了议论一个难题，料想许多好乐的朋友也常常碰到的：在有限的时光里，如何安排我们的听觉的盛宴？

从“盛宴”自然想到“菜单”。爱乐的公众穿上礼服去赴“宴”，去享用精神美食；西方自 18 世纪末以后兴盛起来的音乐会，那节目单不就是“菜单”，从中不是可以了解到往昔的人们的胃口和口味吗？

一张 1767 年英国牛津的音乐会节目单上，排出九个节目。除了两首作品，其他都由才死了八年的亨德尔包办了。这不奇怪，英国人那时对这位大师视若神明。

1790 年英伦有一场音乐会，节目单上有三部协奏曲，作为“大轴戏”的又是亨德尔的一部作品，此外是序曲两首，一首小提琴曲，两首声乐作品。

1808 年终，贝多芬费了老大的劲，举办了一次音乐会。一个“菜肴”丰盛得过了度，效果适得其反的例子。大师不顾吃客的消化力，安排了一套在今天看来也叫人吃不大消的节目:《命运交响曲》《田园交响曲》，两部交响曲一下子都上了席，连同《第四钢琴协奏曲》《C 大调弥撒》的一部分；外加一部“康塔塔”。犹恐来宾吃不饱，他执意要再添上一部《合唱幻想曲》，(它是由《前奏》——由他本人当场在钢琴上即兴演奏，若干段《变奏》——钢琴与乐队，《终曲》——合唱组合而成。) 一篇大块文章！仓促上阵，排也来不及，临场卡壳，只得重新来过。

1820 年，英伦爱乐协会举办的一次音乐会，节目单上似乎显示出听众口味上的某种变化。一开头便是贝多芬的《第二交响曲》，然后是莫扎特的两篇重唱，接下去是器乐曲两首，康塔塔一首，都是当时人的作品。上半场以斯波尔的小提琴协奏曲收场，此公在当年是声名不下于贝多芬，且有过之的。下半场演出了海顿的交响乐，莫扎特《安魂曲》中的四重唱。最后是莫扎特一部歌剧的序曲。

19 世纪前半期的“菜单”，今人看了会失笑。1830 年 2 月肖邦在花都巴黎头一回登台，那场音乐会的节目单上，除了他弹《f小调协奏曲》之外还有声乐、双簧管独奏等，下半场有个热闹的节目：“六音大联弹”的《大波洛涅兹》，参与联弹的六位名手中包括了肖邦与门德尔松。这就不免有大杂烩的气味了！但这却反映了彼时彼地的风习。

大体而言，从上世纪以来，“盛宴”的安排调度是更加严肃认真起来了。肖邦时代不以为俗的，在协奏曲各章之间插以小曲，把几个不同作曲者的协奏曲，各取一章，拼起来奏等等的现象，后来少见了。这当然标志了品尝者口味的提高。

1910年11月的一份节目单上只见四位大师的名字，显得相当严肃。这是纽约爱乐协会在马勒棒下的演出：巴赫的第二、第三两首管弦乐组曲，舒伯特的《C大调交响曲》，莫扎特的歌剧《伊多曼纽》中的芭蕾音乐与《德国舞曲》，理查德·施特劳斯的《查拉图斯特拉如是说》。

但是，一个极为广阔的听觉的新天地出现了！

一个由留声机带头的音响传播媒介开拓的新天地、新时代！新在哪里？恐怕主要就在于让听众享有了极大的自由、自主吧？

原先只能上音乐会听音乐的人，可以选择这个那个节目不同的音乐会，可以在不乐意听的节目中打瞌睡。萧伯纳的办法是故意迟到，及早抽身。但那自主权是很有限的。更可怜者，你想听的，不能经常如愿。即使在音乐普及、贝多芬的作品最受人爱重的他的故乡，又是在门德尔松他们竭诚提倡的时代，一个德国人，终其一生，对《第九交响曲》能有几回闻？可怜，连门德尔松领导下的格万豪斯乐队，十年中只演过六次而已！还有一例更叫人想不到，《英雄交响曲》《命运交响曲》这两部杰作问世已二十年，柏辽兹才头一回听到它们。此时，他已进了巴黎音乐院，且已把罗马大奖拿到手了。这岂非咄咄怪事！

钢琴之普及为家用乐器，交响音乐、歌剧改编谱之大受欢迎，也正是听众欣赏欲旺盛而听音乐不如意所促成的。那么，今天的爱乐者有福了！许多人拥有音响手段，私人所藏的资料，曲目可以从文艺复兴期直到当代各流派，同一名作，还有演奏与制作的不同版本，搜罗宏富，兼收并蓄。

然而好事中又生烦恼。音响资料的可重复性这一便利遭到了滥用。过度演奏、听赏导致了新鲜感的丧失，无节制的“偏食”也害得人审美感麻木。萧伯纳本来是瓦格纳音乐的热烈鼓吹者，后来一听到收音机里又播《汤豪塞》序曲，立刻关掉。

可以信手取来的美食太过丰盛了，狼吞虎咽，容易伤食。鱼与熊掌也不能同时下咽。如何精选？这“盛宴”如何安排，往往弄得煞费思量，不知从何下箸。

像“音乐欣赏课”一样安排节目，那当然是有道理有用处的。正如将要以烹调为职业者需要多尝尝东西南北各处的菜肴。但这未必对一般人的胃口。

19 世纪以来，“历史演奏会”是不止有一两位大师举行过的。鲁宾斯坦、彪洛是最著名的。后者还全部背奏哩！所谓“历史”，就是按乐史的时代顺序来介绍。这种办法，我们也不妨效法，听名作与读乐史相辅而行。从巴洛克、古典、浪漫、印象到现代，每个时期请出一两位代表，这样一路听下来，求同辨异。这不但也是一种“欣赏课”，有助于扩展你倾听音乐的深度、广度；而这种听法本身也是风味的鉴赏、享受。

不过这又得有更多的余暇才行。“历史演奏会”，大师们是决不轻于一试的。做它的听众也绝不可以躺在安乐椅上，而是要洗耳恭听的。

我总想向朋友建议的办法是，按专题来组织你的家庭音乐会（自娱、款待知音的知己）。从多样而又统一的组合中领略音乐的妙趣，我觉得这比综合式的音乐会节目更有意思。

像《贝多芬钢琴奏鸣曲》《贝多芬晚期弦乐四重奏》这种专题，分量当然是很重的，也许不宜随意举办；以某一人为题，凑一席“和菜”，如“肖邦曲选”之类，那就没多大价值了，仍然属于泛览，或是“随意小吃”。

我愿欣赏这样的小品专题，例如在圆舞曲这题目下做文章，可以让人们知道这种音乐竟有那么多风味、意趣大不相似的作品，绝不是只有约翰·施特劳斯一家之言的。舒伯特、肖邦、柴科夫斯基、勃拉姆斯他们的这种作品，味道各不相同；

还有北国风味的格里格，还有表达特殊情绪的：如西贝柳斯的那首《哀伤圆舞曲》，拉威尔的《高雅与温情圆舞曲》。而李斯特的《梅菲斯特圆舞曲》就嫌长也嫌重了。那么还有轻妙的小品，波尔第尼的《木偶华尔兹》，肖斯塔科维奇的同名钢琴小曲。在一时竟难列举的其他妙品中，又怎能略掉那似有一种异香的德利布的芭蕾中的两首《慢步华尔兹》和德彪西的沉思一般的《很慢很慢的圆舞曲》[1]！

还想怂恿朋友多听听“改编与原作”这个专题。例如：《梦幻》(舒曼)、《幽默曲》(德沃夏克)。听惯了这一类从钢琴上移植到弦乐器上，或改成合奏的乐曲，好好端详一番钢琴原作的形容，对比其味道，那是很有趣的。有的原作，曾有几种“译本”，假如能搜罗来对照而听，就更有味道而且可以提高鉴赏力了。像按韦柏的《邀舞》改编的三种乐队曲(柏辽兹、兰纳与魏因加特纳)，像穆索尔斯基的《图画展览会》，除了听惯的拉威尔配器的一种，能再听听亨利·伍德的该有多好！

再如，马林巴琴上的巴赫《创意曲》，吉他上的前人的《恰空》，电子合成器上的德彪西的《阿拉伯斯克》，也可列入此一专题的推荐曲目，专题是可以从各种角度来编的。这绝不是为了玩音乐万花筒，而仍然是为了从多方面触发、深化对原作的感受，发掘其中的蕴藏。

1 *La Plus Que Lente*，现在通常译为《甚慢板圆舞曲》。

当我翻阅几种唱片公司的产品目录时，眼花缭乱之余，旧忆又上心头。1949 年南下，匆匆经过姑苏城，打听到有位汪君家里唱片收藏颇富。不顾唐突，做了个不速之客。主人不在，但我不仅参观了满室琳琅的一叠叠一册册的唱片，还抽听了其中的一张，目迷心乱，也不知选哪一曲才好了！然后带着如入宝山空手而出的遗憾，继续赶路。一晃几十年过去，自己仍然，或者说，更加为应该听的好音乐听不胜听而人生苦短惆怅了。那么，还是像明人张岱说的，珍惜难逢的一片好月色、一口好茶那样，珍惜今天的耳福和自己的口味吧！

曲不在大 有韵则灵

——小品怀旧

音乐欣赏的风尚，从来是一种不停地变动的文化。19世纪末叶以来，曾经形成小品热。独奏家、独唱家以及与之相互促进的recital（一人独演的音乐会）的兴起，可以视为小品热的一种前因。爱乐大众不断增长的兴趣有如东风，留声机、唱片这一传音媒介的发展又如春雨，于是，小品乃如春笋之茁长了。

回想起来是颇有意思的。每分钟七十八转的粗纹唱片，收录大曲是相当不便的，听起来连一个乐章也必须将那片子翻个身（甚至还要换张片子），才听得全，而音乐的连贯与对比也便遭到破坏了。一部大型乐曲便被腰斩、肢解、寸断了！然而一般的小品却刚好容纳于十英寸或十二英寸的老式唱盘的一面之中。听者可以在三到五分钟之内获得完整的满足。

往昔的中国乐迷恐怕也多数是对小品着了迷的。许多小品中的名篇不但引着我辈入了赏乐之门，而且至今还宝藏于记忆深处。

其中有一些作品，如今好像已经不在演奏名手和唱片制作者的视野中而被遗忘了。然而这些乐海遗珠，不但对我们这些遗老是可怀的，对于今日的爱乐青年来说，倘还未曾领略也是深为可惜的。

比如，当年听到过一张“胜利”唱片，《伦敦德里之歌》，是克莱斯勒改编加工的爱尔兰民歌曲调。演奏者也是此公。那支曲调原本就美得“不可说，不可说”，不是一般的美，而是既有民歌的纯真，又洗练得像艺术歌曲；再让克莱斯勒来“唱”，那种感人肺腑的效果就更叫人难忘了。他在琴弦上一唱三叹，每反复一次便提高一个八度，同时也加强了情绪的浓烈度，最后“一落千丈”，从正弦的高把位上又回到深沉浑厚的G弦上，施展他那特富情感的颤指、滑奏（*Portamento*），为这篇有挚情的情歌作了令人为之惘然的结束。

半个多世纪前的感受虽可追回一部分，如今却无缘再赏了！其实又何止这篇，波兰乐人莫什科夫斯基有一首钢琴小品《吉他》，是一个穷愁潦倒的老乐师的传神画像。经过海菲兹等改编，移植到小提琴上，那种悲凉的曲趣更其如歌似泣，极苍凉之致。那倒可以想象为一个东欧的瞎子阿炳！

此曲是当年海菲兹返场加演的节目之一。从前这张唱片也流传甚广。之后还买到过一张当时的苏联唱片，谁拉的已记不起，但那味道也不坏。可是今天的 CD 曲集中却似乎找不到它了！

还有一例，倒幸而有了旧梦重温的机会。这里说的是斯温德森的《C 大调浪漫曲》。年轻时，初闻这首小提琴曲，顿时被曲中飘出来的一股北欧异香迷住。解放初，从当时涌入中国的捷克唱片中买得它的录音，虽很快便把它唱得磨损了，但被窃走后又叫我苦念了快有四十载！去岁忽又从 Naxos 的唱片中发现此曲，喜不自胜！

谁个乐迷不迷上马斯内的那首《沉思》？记得当年这首小提琴曲最受人宠爱的也是克莱斯勒的片子。至于演奏其他小品往往“独绝”的埃尔曼，他灌的《沉思》却难与克莱斯勒争胜了。今天虽然可以听到此曲，可惜已经非复克莱斯勒所表达的那种神韵了。顺便说一下，有一回听到此曲在歌剧《泰伊斯》中的原貌。那是台下的乐队奏此曲，而合唱团在进行无言的伴唱。人声固然是在自诉衷情，而琴弦上的无词歌却又用不同的音乐语言将其心事和盘托出。后者之美妙而且“如语”，胜过了前者。想来这就是《沉思》以助奏者的身份脱颖而出风靡天下之故了。

以“沉思”为题的，也并非仅此一篇。只不过平庸之作不可能引起人们兴趣而已。但其中有一首，今天已找不到新唱片，那是很可惋惜的。我说的便是格拉祖诺夫的《沉思》。昔日有张苏联 LP，乃柯冈独奏小品集。其中即收此曲。对这位旧俄末代乐人的大型作品我本来是不大感兴趣的，因为听了味如鸡肋。一听这首小品，却是真情流露，一点不隔。其中所含的“俄味”，也颇耐玩。后来发现，它也收在海菲兹的爱奏曲集中，可知赏识者并不限于他的同胞了。

有的小品在往昔是上了唱片的，有点像是另一面上那支名作的陪客，可能也便因此而不大引人注意。其实此中有可珍可怀之作。例如，当年有张“胜利”小唱片《梦幻》，埃尔曼拉的，恐怕中国听众没有哪个不喜爱的。但这不是我要谈的话题。我要提请注意的是《梦幻》反面的“陪客”——舒伯特的《多情华尔兹》。它是弗朗克据钢琴原作改编的。它虽属舒伯特的不经意之作，然而到了埃尔曼弓下，那种含情脉脉中又夹着一丝忧愁的罗曼蒂克情调，令人再不能忘。可惜已多年听不到它了！

小品大世界中，显然是小提琴曲最有听众。当钢琴越发普及，成了家用乐器之际，钢琴小品也随之而繁荣兴旺。大量沙龙气味的凡品俗品也上了市。虽然那市场淘汰率很高，有的当年热销，今已无声。例如有一曲《布拉格之战》我们出于好奇颇想见识一下而不可得。不过有若干居然至今仍然幸存于 CD 片中，像什么《花之歌》《牧人》《奄奄一息的诗人》之类。

有的并非此类“鸳蝴派”之作的，往往也在流传中由热而冷、终被众人淡忘。例如有一张拉赫玛尼诺夫自作自弹的《升 c 小调前奏曲》。当年是人所乐闻的节目，而今人恐怕就无暇一顾了。时移世异，可供唤起联想与共鸣的背景已有沧桑之变恐怕也有关系。

还有一张《古式梅奴哀》，自作自弹者帕德雷夫斯基（I. Paderewski，1860—1941），也像拉赫玛尼诺夫一样，是个作曲与演奏兼擅的双料乐人，而且当过波兰政府总理。此曲虽无甚深意，但有一种洛可可风格的仿古情趣。这恐怕也正是它讨人喜欢风行一时的缘故。

德彪西留下的钢琴文献，丰富而又艰深。要通读它，对于我辈爱好者来说谈何容易。即便浏览一下那两集共二十四首《前奏曲》，也很需要有“听功”。但他有一篇小品，题为《很慢很慢的圆舞曲》，深入浅出，绝不费解，而又一往情深，回味无尽。听此作，人们可以认识德彪西这个人的情感是异常深沉的。他这篇音乐也同肖邦的圆舞曲那样，乃是心灵之舞。此曲又有改作小提琴曲的。埃尔曼的演释也极富深情。还有长笛改编曲，似乎并不见佳。作者本人也曾将其改编为管弦乐曲。可惜从未听到过。

某些独奏乐器由于本身拥有的曲目不丰富，便去从别处移植。大提琴小品中便有不少此种移栽的花木。

举一个例子：李斯特的钢琴曲《爱之梦第三号》，大概由于过度流行而已入耳生腻了。但它的大提琴改编曲还是颇可一赏的。原曲把主旋律安排在中间声部，让低音与高音镶衬着，听起来很自然地会联想大提琴的声音。现在索性把它交付给这件唱男声的弦乐器，正好发挥了它的特色。当年我曾有这样一张老唱片。它让我认识了李斯特此作，也同时领略了大提琴的个性特色。

管弦乐小品当然是不多的。但我曾有过一种亨利·伍德指挥的门德尔松的《芬格尔山洞》。本来此曲只要用一张十二英寸的片子就可录下，但伍德的速度偏慢，需要三面。剩下的那一面上便补了两首门德尔松《无词歌》，一为《春之歌》，一为《蜂之婚礼》，都由伍德改编成管弦乐曲，可算是微型管弦乐曲了，虽然用的仍是常规的乐队。

这两首小不点儿管弦小品至今令人怀念！伍德改编的这首《春之歌》，有一种不同于一般演奏版本的风味。稍快的速度与舞蹈化的律动，加以配器色彩的渲染，使得它很像一幅游春图，少男少女载歌载舞的画图。那种生气勃勃的效果，既不像一般平庸的小合奏本，也不同于许多钢琴独奏或小提琴独奏的偏于柔婉的"抒情"。我以为，这也许倒更近于门氏乐中意境也未可知。

另一曲更是真正的小品，而且在音乐意象上有更加出人意表的处置。《蜂之婚礼》非别，它就是人们耳熟的《纺歌》。变动那个已被众人接受的标题（也就是曲中意象），而要表达得叫人信服，难！然而听来确可信服，甚至觉得这才符合乐意。此曲中有两处细节，按《纺歌》的标题去听，难得其具体形象；放在新的标题下，形象突然鲜明了：一处似敲锣打鼓，一处则宛然蜂鸣！管弦配器大大扩展了这篇连三分钟还不到的小品中的天地。它也可谓改编曲，或可曰“译本”中之神品！

然而它们也随着那套“歌林”（Columbia）老唱片之消亡而不复能听到了！

从《无词歌集》连带想到《抒情曲集》。

格里格这部小品集中不少是你我都熟悉的妙品、逸品，不必多谈。但其中有一首极富性灵之作，又似留意者不多。它就是《夜曲》。其别有风味之处还在于那是北国的夜，仿佛可以从中呼吸到清冷的夜气，那夜气与夜色给我们的感触又很不同于我们已如此熟悉的肖邦夜曲中之夜。

有意思的是，本人是先从一张苏联版 LP 上接触到它的管弦乐改编本，惊讶于它那韵味之清新；然后来才注意钢琴原作的。改编本启发我，也帮助了我倾听原作。这个精心移译的改编本非但不俗，而且通过配器上的加工润色，便使原作中空灵的境界全出！此曲还有改为小提琴独奏的。

平心而论，长篇大论之作，其中未见得没有凡品，而貌不惊人的小曲中，倒颇可觅得妙品、逸品，甚且有神品。曲不在小大，有韵则灵！有的爱乐之士得出一点教训：与其徒慕虚声，把时光耗在一部铺排辞藻、炫技弄巧而实则言之无物的大曲（大多为协奏曲）中，倒不如精读几篇有真境界的小品。

以我辈业余爱好者而言，听小品更有几种益处，例如，同题异作的小品是相当不少的。这就便于比较、玩味。《云雀》

仅老柴一人便作了两篇（分别收于《四季》与《少年曲集》中），而其情趣不相雷同。《威尼斯船歌》在《无词歌集》中有三篇，表现了同一作者的不同心境。更不用举那些面目与情调各不相似的小夜曲、小步舞、圆舞曲等等了。

假如要从不同版本中来领略演奏家的演释与风格上的各有千秋，听小品也提供了方便。

小品热已为乐史陈迹，但还是遗留下了不灭的芳香。今天的赏乐者“耳”界宽了，眼界也高了。许多人恐怕已对小品不屑一顾了吧？小品中有奇花异草，多如夏夜繁星的小品也自成一大世界，小品是可晶的！

留珠还椟好

音响的热风刮得越来越紧，“发烧友”群体在膨胀。翻翻港台音响刊物上叫人眼花缭乱的广告和饱含广告气味的文字，再望望唱片行里热销的CD和人头攒动的买客，一个上了年纪的仍带着一双老耳朵的“乐迷遗老”，恐不会无动于衷的吧！

本人便是一个被抛在音响热潮后边老远的落伍者。在眼见耳闻这新潮大涌之际，虽然羡慕人们有耳福，却也怀念起老唱片来了。

我自认为听觉神经正常，也并非由于怀旧，我是怀念那些魅力不朽的好音乐，同时也在琢磨一个问题：音响之逼真（甚至超真）、完美（甚至比现场演奏更完美，无差错，无杂音……），难不成就等于音乐之真善美？

手摇唱机，快转粗纹唱片，都是值得乐迷们深深感激的。没它们，我无从认识巴赫、莫扎特、贝多芬等大师们的重要作品，也无从见识到托斯卡尼尼、魏因加特纳、比彻姆、克莱斯勒、卡萨尔斯、帕德雷夫斯基、吉塞金等名手的演释艺术。

正好，最近有一次对老唱片的新感受。

半个世纪前曾买得一张胜利公司（Victor）的红牌十英寸唱片，埃尔曼拉的，一面是舒曼钢琴曲改编的《梦幻》，翻过去是舒伯特的《多情华尔兹》，也是改编的。从此便爱上了埃尔曼的演奏。通过他的演释，也对那两篇小品产生了永难磨灭的感情。后来再听其他名手拉的《梦幻》，总觉那味道差得远。“文革”前，偶从旧货店唱片堆中挖出这张半旧的唱片，如获至宝！旧“梦”重温，那滋味是不好言传的。理所当然，到了“文革”中，它又不存在了。这种老式唱片，要使其粉身碎骨是毫不困难的。但要抹掉埃尔曼的演奏在自己心上的“烙印”却办不到，每一念及，便引起想再听的渴望，然而又何可再得！

一位青年朋友见我如此渴念，特地带来一张CD——《埃尔曼选辑》让我过个瘾。我大喜过望，兴奋得心搏也加快了。一听之下，怪哉！琴音的的确确是那“埃尔曼tone”，是不像海菲兹的冷，又不似克莱斯勒之热，而是一种温暖如冬天阳光的声音。而且CD片自然是一尘不染，什么针音、杂音都摒除得干干净净了。只是我又好像认不出他来了，因为，那音乐的韵味已非复当年了！

细看片上的说明才恍然：原来是20世纪60年代的录音。过不多时，大师便成了乐史上的古人了。难怪那演奏虽然仍存大师风范，却不免显得矜持而小心，似乎害怕有失误的样子。原先那 20 世纪 30 年代录音中，有几句拉得特别动情，听了也特别心动，而在后来的录音中这些寻不到了。

这对我却也并不完全意外。自从进入了 LP、立体声时代以来，耳朵里接受着闻所未闻的音响美食，心里头却老是有吃不饱之感。不少以往感我至深的演释，在新片子上寻不着了。例如托斯卡尼尼指挥的《田园》，卡萨尔斯演奏的德沃夏克的大提琴协奏曲，吉塞金的《皇帝协奏曲》，斯托科夫斯基与费城乐队合作的“新大陆”，比彻姆指挥的《罗马狂欢节》……都成了徒然令人怀想的前代风流！克莱斯勒、埃尔曼和海菲兹他们的唱片，一听便可猜得出的不同风味，即使同是一首乐曲，也是三个人三种性格；而今日那么多重复出版的提琴曲录音，你难以发现有何不同面目，似乎任便听一种也便够了。

正像从前的美术学徒从印得极差的画片上认识了达·芬奇的《蒙娜丽莎》，我们在初接触许多音乐名作的时候，心目中并不曾想到在音响上去评头论足。老式手摇机和粗纹片，频响窄，响度也贫弱，外加钢针压在片纹上磨出的噪声，这在今天的音响美食家听来，肯定要掩耳逃走的。然而我们却被那音乐本身吸引了，征服了，而且烙下了终身不能忘的记忆，那印象是永远保鲜、不可取代的。

回顾起来，真不可思议。雷斯皮基的《罗马的喷泉》中第四章《梅第奇别墅之暮》，初次识面是从一张旧唱片上。那旧损的情况到了可以扔进垃圾箱的程度。然而犹如透过漫天风沙窥见远方的绿洲，我当时也并不在意那唱针摩擦出的聒耳的噪声，惊喜地发现了梅第奇别墅前的美景，一种可以销魂夺魄的美景！

回首这种种体验，可以概括出一条什么体会呢？我想就是：人们听唱片，最主要的还是受那音乐的吸引。音乐当然要通过声音来传达信息，但音响质量的精、粗，并不是头等重要、更不是必须首先考虑的因素。

手执一影印宋版的唐人诗集，那的确是可以大大增加欣赏李、杜名篇的乐趣的。但，假如换上一部乾隆御制诗，纵然它刻印精工，装帧富丽，大概你也没有胃口读下去。

我想，即使那设备的音响极其漂亮，但它所传送的不过是一种平庸的无生气的演释，那么充其量也不过是精确地再现了平庸与无生气的演释。

再作一种不大客气的推论：即便作品重要，演奏高明，录音理想，再加上音响“顶尖”，然而那位有耳福享受它的人，如果对音乐爱之不深，对于听音乐不取真诚态度，只是一味追求设备的名贵；那么，再好的音乐也只能如东风之过马耳了。

祈希望于“发烧友”的是，要在那美好音乐的锦绣上添音响之花，却不可如两千多年前的寓言中人那样，买回华美之椟，舍弃了其中之明珠。

下编

萧伯纳眼中与笔下的拜罗伊特（1889 年所见）

付了一个英镑买门票，进场一看，却像是到了一所排着直背座椅的讲堂，那些椅子平行直排，而非排作弧线，你会大为不满的。

女士们被要求脱下帽子，有的人戴的是孩子气的小帽，连一个小孩的视线也不会妨碍，却也规规矩矩地取了下来。然而那些戴着埃斐尔[1]帽（辛按：可能是以闻名世界之铁塔形容其特别的高耸吧）的人，自以为成为公众兴趣的目标，重要不下于瓦氏之作，则并不为通知所动。而德国雷厉风行的“宪兵”，也不敢强制执行纪律。

你打开乐剧台本，“导旋律概要”或诸如此类的白痴的发明。灯光陡灭，置观众于一片漆黑之中。顿时响起一阵猝缭之声，如同轻风之过木叶。此声来自一千三百件长

1　Eiffel，现在通常译为埃菲尔。

裙、燕尾服与座椅之相触。随即听到了含怒的嘘声。未免过分矜持的“瓦格纳发烧友”，对于每一种噪声都以此报之。而这，要比偶尔有的手杖、望远镜的磕碰杂声更有害于健全的神经。

于是，听到了序曲。

你马上意识到，这可是在举世无双的、最完美的剧院里，舒服，效果理想，能集中观众的注意力。你在内心里欢呼：自己是头一次听到了理应如此的理想的演奏！

恕我插嘴：完美的并不是演出。它其实并不及里希特在伦敦指挥的那次演出那样精彩。完美在于演出条件。

我索性摆明了讲吧，被人们称道得无以复加的拜罗伊特演出，实际上只是幕前的物质条件，而非舞台上的演出。

（对台上放烟幕，一股“洗衣房臭味”令人掩鼻，不像样的讨厌的假发、假胡须，触目可见的用以使“圣杯”放光的电线，不遵瓦氏指示，角色退场，只为了来一个大换景，等等，萧伯纳进行了“幽默”。）

假如有谁发话：我的瓦格纳派友，你怎能对如此隆重的拜罗伊特节活动说这些不敬之言？那么我的回答是：

瓦氏身后的拜罗伊特，已成了圣殿，再也不是那种有生气的试验场了！

以何种心态听？

是玩世者，玩票者？“作无聊之事以遣有涯之生”？是将音乐作为酒、色、财、气诸欲之调味品？是高蹈于象牙塔顶，赏“仙乐飘飘”？

那都由你。但那样绝不可能成为严肃音乐的知音。

雅俗之辨

“雅乐”中有俗品：奥芬巴赫、亚当、瓦尔德托费尔的作品可为例。俗又有甜俗、粗俗、庸俗之分。但是像小约翰·施特劳斯的好作品，又称得上是俗中之雅。

中国诗论、画论中有道：“凡病可医，俗病难医。”这也可移用于评赏乐的口味。嗜好庸乐，或者以庸人口味听好的作品，都俗不可耐。

转手买卖何如直接打交道

英国人布尔顿写的《诗歌解剖》，我说它是一本有功于“诗普”的好书。

书中有一段：“如果你对诗尚无好胃口的话，本书或任何论诗的书都不可能为你提供一个好胃口。治你病的良药是一本诗集。”

我立即把这段话抄在笔记中，同另一段金玉良言抄在一起。那是科普兰在《怎样欣赏音乐》中说的：

“除非你下定决心倾听比过去多得多的音乐，否则，读这本书可能是白费时间。”

共　震

家弦户诵的《琵琶行》中有两句诗:“低眉信手续续弹,说尽心中无限事。”

其实,江州司马又哪能尽知、深知琵琶女的心中事?但,那音乐,加上那演奏者倾注其中的情绪,必然一下子便勾起了同有身世之感的听者自己“心中”的“无限事”了。

但凡是好音乐、好演奏,都有此撩拨心弦使之铿然共震的魔力。

兼听则明　冷暖自知

悠悠忽忽已经听了几十年音乐！有一种变化自己觉得蛮有意思。从前，如饥似渴地阅读音乐欣赏资料，最注意最喜欢的是对大师、名作的赞美之词。不管那作品听过没有，或是听了有无感受，对那些好听的话我是深信不疑的。

如今，自己的注意倾向了另一头。更想看到的不是一片颂扬之声、有商品广告气味的话，而是对大师、名作的批评、指责了。

于是在平日随手抄下的笔记本上，增加了不少我想题之为“退烧剂”“泼冷水的导游”的资料。他日有暇，编一本《可听可不听的“名曲”介绍》，将此类资料也附在其后，也许可供真正想知音的同好参考吧？

现在且从笔记中摘取若干，夹抄夹议，请大家一看。

卓别林的无声片最近又制成 VCD 大量上市了！他写得极其有味的那本自传中有不少关于音乐的话头。他看了季亚吉列夫领导演出的芭蕾舞《天方夜谭》之后，评道："里姆斯基-科萨科夫的音乐有那么多的重复！"

他可不是一个冒充内行的人。早年他巡回演出中随身带着小提琴和大提琴。从十六岁起，天天在卧室中练上四到六个小时的琴。最滑稽的是他是个左拐子，琴上的弦都反过来装，连低音梁和魂柱也掉了位置。他很想当个小提琴首席。可惜，后来放弃了这念头。——不如说，可庆他没干下去，多个首席也就少个伟大丑角了。他的片子，配乐多是自编自配的，看《寻子遇仙记》，留心听可以听出有个地方正是用了几句《天方夜谭》第二章里的曲调，不过有点变了形。

他说的"重复"当然不是指的曲式上的重复，而是指的乐想的重复。无必要的重复，不管那主题如何漂亮，配器如何变花样，只能叫人感到那乐流停滞了。

不错，卓别林到底算不得个音乐家，他那话也不好当成对里氏的全面评价。那么，来听听如今引起了注意的朗的话。他那部中国只出了小半部译本的《西方文明中的音乐》是读起来极有咬嚼的一部乐史。最叫人感兴趣的正是它的褒贬分明而又见解深切。

"在最吸引人的管弦乐诗篇《舍赫拉查德》里，除了民间曲调以外，思想感情是多么贫乏呵！……它使人想到德彪西所说的，'与其说是东方，不如说是百货商场'……

里姆斯基–科萨科夫的室内乐和其他为小型合奏或独奏乐器写的作品，是不属于严肃音乐的范畴之内的。它们简直可以认为是一个没有什么发展前途的初学者的作品。”（据张洪岛译文）

他引的德彪西的话，真叫里氏作品爱好者觉得刺耳，似乎有伤忠厚吧！但他评起乐来就是这样的尖锐，像鲁迅写杂文。连贝多芬、瓦格纳他都不客气。“强力集团”中只有一个穆索尔斯基是他赏识的。德彪西对音乐艺术未免要求太高太独特，太不照顾大多数的水平与需求。然而，他在评俄国五人团借助民族、民间曲调以创新的问题时所说：“在主题和势必要给予的发展之间，难道没有不自然的失调之处吗？”（见《克罗士先生》中译第二十三页）却是说得那么温和也深切了。里氏之作常常叫人感到不过瘾的正是以重复充发展。虽然可求助于故事情节的进行，也只能做到表面上的进展，往往又反倒妨碍、损害了音乐自身的逻辑。

我们都知道，老柴同里氏他们这一帮是同代不同道的。看看他对《天方夜谭》的议论一定更有助于思考，可惜看不到，但不妨看看他评里氏《第三交响曲》的话：“技术超过了思想素质，缺乏思想激情……优美的细节五光十色……精华处是‘谐谑曲’。里姆斯基–科萨科夫的才能（在这里）未受有害的反复所束缚。”（见《柴科夫斯基论音乐创作》）

过多地说重复话，有的论者也为舒伯特的这一现象惋惜。乐风在某些方面接近舒伯特的德沃夏克，也受到这种批评。以我们外汉的狭隘体验，他俩这种癖好似乎只是由于自己偏爱、深喜那些“话”，所以才情不自禁地一唱三叹，反复而言之。

既然说到老柴评他人之作，也就自然会想到他自己。最近看到《留声机》杂志上有位读者投书，声色俱厉地指斥普列特涅夫指挥圣彼得堡交响乐队录制的柴氏交响曲全集。说这套唱片毫不足取。理由是他把老柴处理成冷冰冰的了。不合老柴音乐的本质，也不合俄人演奏的传统云云。

这批评是否中肯且不论，却也很可以触动思考。老柴的确是浑身是情，温情、热情、激情，总是情不自禁，难以自已。这当然是以往的演释给听众的感受。如今忽然有人作冷处理，自然耳目一新得可怪了。但只要并非演奏冷漠无情，无动于衷，那倒也许是天翻地覆之后的新思维。

不管此事的是非如何，一本唱片杂志上时时让听众听到非商品反广告性的声音，也许有时反而有促销之效。比如我，就很想见识一下“冷若冰霜”的老柴了。

其实更有味的是朗对老柴的看法，那是同19世纪派性颇浓的汉斯力克等人的火气十足的恶评两样的。但是有些说法，老柴迷看了，恐怕还是会坐不住的。

对老柴，朗有一番深思熟虑、毫不空泛的议论。他对其交响曲的评论，似乎也足以令那些热衷于购听老柴交响曲全集的朋友会反感：何其冷漠无情也！试听：

> “柴科夫斯基初期的交响曲还完全不能找到交响曲的声音。”“《第四交响曲》大体上还是非交响乐的，虽然有些主题素材是很美的，呈示得很好。整个的配器也很有趣，但是毫无在交响乐上发展的痕迹，只不过是一连串的重复……常常，变成了歇斯底里的进行。”

又触及了“重复”这个讨厌的常见病！说不定，在评论里氏之时，老柴心里也想着自己所碰到的这个难题的吧？

不过我又有私见：老柴的“重复”应该说高于里氏。因为，毕竟有更丰富更真诚的情在支撑着他的重复，即便是“歇斯底里”也罢；而里氏却往往叫人觉得他是情枯也意尽了。

朗对老柴最后两部交响曲表示了并非敷衍之词的赞许之后，又操起那把不留情面的解剖刀：“(《悲怆》第二乐章）成功地把不太常见的五拍子贯穿到底……没有专业的技巧是很难做到的……而且还使听众感觉不出他用俄国式的重复的技巧替代了发展。每一个主题和动机都很少变化，再三地重复。”“的确，他在掌握管弦乐方面，从赏心悦目的精雕细琢直至狂吼怒号的巨响效果，一般讲是很突出的。……这后一种因素是近代指挥家的夸张手法的最好工具。所以也是柴科夫斯基在西方听众中受欢迎的最重要的因素。”

该褒就褒，该贬则贬。朗正是如此。老柴本人说过：对贝多芬的作品不应该一无例外地表示同样的赞叹。

李斯特的作品现今拥有多广大的市场，这从分辑发行的唱片全集、演奏会、音乐比赛中的曲目便可以看出来了。

对他，老柴说过许多推崇的话，诚恳，也中肯。但也有直言不讳。例如，李斯特的《第二钢琴协奏曲》，他的评价是“出色”，然而“内容空洞”。

极有分量的批评是对着《但丁交响曲》的。

“看来它并非这位作曲家的最佳之作。”“有十分喧闹和强烈的外在效果。但在主题上很少创造性，缺乏新意，在主题的结合上也缺乏有机联系。”第二乐章“构想的效果成功，但缺乏内容。冗长，极其枯燥”。

他又用莫扎特的《魔笛》序曲来对照，说二者之间“存在何等样的差别”。“一方面是简单朴素的任务造成了丰富的成果；一方面是创新力量和任务的艰巨和大胆不相称。一方面是思维具有合乎逻辑的联系，形式天衣无缝……另一方面是倚仗和一心追求惊人的效果，各个乐章之间的连接生硬。”

老柴并不是那种锋芒毕露的人。说这些话并不容易。李斯特是“新德意志乐派”的宗师。在俄国也是想同老柴抗衡的“五人团”所尊崇信仰的人物。

我虽无知，也诚心听过这部巨构，无所得，惆怅！但每听老柴的《里米尼的弗朗切斯卡》，感动之余，常常又会想起这同题异曲的令人失望。都从《神曲》汲取灵感，而效果之不同如此，是常可引起思索的对比材料。

话题扯到这里，忍不住又要把萧伯纳的评论端将出来。并不是做搭题文章，现成的有篇他对李斯特此作的妙评。

这篇乐评题为《圣詹姆斯厅的“地狱”》。“地狱”当然是一语双关了。

萧说，只讲不喜此作，还嫌客气。要是允许他说个痛快的话，那么他认为此作构思浅薄，表现手法可憎，可谓一无是处。

与老柴不谋而合，他也想到了莫扎特。“假如让莫扎特来写的话，全部效果将会是何等的不一样。”“凭着自己在圣詹姆斯厅的切身体验，我要毫不含糊地表示：绝不想奉劝每一个神志清醒者也去受那份罪。”

“我敢郑重地认为，可以将此作改题为《一场大火灾》。把标题文字也重新写过。对乐曲各段可做如下提示。

《快板》：警报！火势迅疾蔓延，居民梦中惊醒，仓皇逃出，人群乱哄哄，救火队带着水龙赶到！他们和警察奋力对付大火与骚动的人群。高潮：屋顶轰然崩坍！”

“不会有谁觉得改换的标题与音乐有何不符之处。”

“描写弗朗切斯卡的那段，不妨改题作‘女房东向救火队长的哀诉’。低音黑管吹的宣叙风曲调可以分配给仪表堂堂的队长。”“《行板》适合用来表现火灭后人们都大大松了口气。宽慰与悔恨交加。”

“《赋格段》是描写队员提着灯向废墟中搜索。而声乐唱出的终曲，可听作那些幸而保全了财产的房主们高歌感恩颂。”

萧并不只是嘲讽：“但丁笔下的地狱中有混乱与不协和。李斯特的音乐中同样有。不过《神曲》之所以举世无双，是因为其中艺术表现的特色是别处找不到的。李斯特此作之索然无味，是因为其中的混乱与噪声是平庸的。但应该还他以公道，那些噪声并非都在同一个水平上。”

朗对他的这位大同乡是很好感的，对其晚期之作尤其评价很高，我当然极想知道他怎么看《但丁交响曲》。遗憾的是他只讲了它“浸透了热情的语言”等寥寥数语，便带过了。

作品的评价，有些是自有公论与定评的，有些则是非难定，还得接受历史的磨洗、筛选、淘汰。我们爱好者似乎应该相信两条：“兼听则明”“如人饮水，冷暖自知”。

不知道对不对。

遥听上世纪末“大复调”

伊萨依四重奏团到了中国。一看那节目单上有两首同自己缘分特别深的作品，不期而然地涌出了好大一堆浮想，这种杂感也就是史感。沉浸于此种史感中，我忽然好像是遥听到了上一个世纪末的“大复调”。

这两首作品，一首是德沃夏克的《美国四重奏》，但我更愿意叫它《黑人》。理由是作者还有一首《降E大调弦乐五重奏》也被人称为《美国》。而且，“黑人”这绰号虽然在美国话里它的原文“nigger”有种族歧视的臭味，中文则无此联想，反而觉得亲切；故此我总是用它来称呼，并且向别人来推荐这首自己听了大半辈子、听而不倦、嗜之如命的《F大调四重奏》。

的确是有缘。约莫在1940年，从收音机里头一次认得了《黑人》。一听那中提琴拉的第一句，我就迷上了！但是执着地追求到唱片，细嚼细咽，则是十年之后的事了。从此便伴着这音乐度过了沧海桑田的四十多年。《黑人》芬芳如故，清纯甜美。看来我同它的交情是除死方休了！

另一首是德彪西的《g小调弦乐四重奏》。也是在1940年之际，听了他的《牧神午后前奏曲》，觉得新鲜得了不得。于是对他写的四重奏也产生了一种悬念。直盼到1954年，才邮购到了唱片。上海陕西南路的一家可怀念的旧唱片行，老板爱乐、懂行、服务周到。他用一个衬了红绒布里子的手提唱片箱，装上那套七成新的唱片，寄给了远在榕城的我。

一听之下，目瞪口呆，像是读《尤利西斯》！

《牧神》与《自新大陆》，我是听了而且非常喜欢地听了那么多年，才忽然省悟到：如此迥不相似的音乐却是同时出现于19世纪末的！

人们首次而且差不多同时听到《黑人》与“g小调”也是在那个世纪末。它们的音乐语言与逻辑也是何其不相似！

西方音乐史从18世纪翻到19世纪，那“总谱”上出现了“加速度”。原来的后浪接前浪像是单线条“旋律”性“和声”性演进，显然再也满足不了各式各样求新思变的新思维迫切要求自我表现的要求了。到了世纪末，新声竞响，于是形成了一种前所未闻的“复调”大合奏。

加入大合奏的有各种声音。再举一个例子便足以想象那“复调”的“不协和”了：老柴的《悲怆交响曲》也是恰好在《牧神》问世的前一年成了作曲者的绝笔的。

前一代的“遗老”，下一代的“先锋”，在这两个世纪之交碰头了！

侈谈乐史，自惭所知太浅。但我主要是从一个听众的角度在思索。做一个现代听众有其可庆幸的一面：人们已经越来越倾向于兼容并包，不像前两个世纪的西方人那么喜新厌旧，或喜旧厌新。

老巴赫曾被遗忘。晚年的贝多芬竞争不过罗西尼。瓦格纳畅销，罗西尼又被冷落。《牧神》初演，曲高和寡，等等。

今天不然。上至文艺复兴，下至当代新作，听众兼收并蓄，胃口之大，令人纳罕。但是这是就听众的总体而言的。至于哪些作品更有听众，更经得住时代、市场、口味变动的考验，那又是一个值得注视的问题。

《黑人》在室内乐中大概是一首普受听众喜爱之作，虽然也会有人嫌它缺乏深度。

我则觉得，耐得起听，正可说明其有深度，深入又能浅出，在室内乐文献中更不多见。

弦乐四重奏本来最宜于用来发挥那种知己之间交谈共话的音乐思维，表达其中的情趣。德沃夏克为什么能深深地打动我？就在于这种思维与情趣的自然流溢。他的情怀朴素而又真挚。至于《黑人》中曲调之美，和声对位与织体处理之有效果有味道，只不过是恰到好处地传达了他那真挚的深情罢了。

如果从所谓四重奏奠基者老海顿发表其作品第一号的

1764年算起，到19世纪末时，四重奏这种品种已经发育了一百多年了。虽然海顿之作直至如今还颇得人心，贝多芬的晚期作品，在其高度与深度上尚无人能够赶上。不过，一代又一代的大师们已经把四重奏琢磨得越发精致复杂，却也更其玄奥，叫人不大敢上门去。德沃夏克却总是叫人愿意接近他。

当初，四重奏是演奏者们自己谈心对话，自得其乐，专业和业余的爱乐者都可以陶醉于这个天地之中。19世纪以来，情况为之一变。它不是主要为了自娱自赏，而是从室内搬上舞台，以数量激增的听众为对象了。演奏者不复能享有遁入自己的天地的乐趣，听众也不复能自己动手，分享一杯羹了。

《黑人》难度不太大，也许仍然可以让那些懂得自己动手体验音乐的爱好者凑合起来享受一下吧？

人与乐的交往正像人与人之间，有的可以一见如故，有的则需要慢慢成熟。

我的终于似乎从《g小调》中听出些意思和味道，甚至有共振，当然同听乐中积累的知识与感受有关。简而言之，便是进入了情景与角色。情景即是19世纪末的文化大气候。角色即是德彪西这个乐史上并不多见的畸人。

《g小调》在其全部作品中是唯一的一部弦乐四重奏。写出之后，他便忙着完成那篇惊动乐坛的《牧神午后前奏曲》了。

虽然四重奏已经从小圈子听众转而面向了音乐会中的听

众。我倒觉得，他可并不是在想听众之所想、言听众之所欲言。不是的，他吐露出的仍然是他个人的冥想。听这篇作品，有时就像在听他自言自语。

室内乐，尤其四重奏，本来就倾向于内省，用一种不足为外人道的语言谈心里话。莫扎特、贝多芬他们的交响曲、协奏曲，何尝费解；然而他们的四重奏、奏鸣曲却往往难以接近。对象、场合不同，讲的话和讲话方式也就不一样了。像德彪西这样特立独行的畸人，似乎更加不在乎他的听众，更加恣情任性地沉溺于内省，加上那种时代习语与他个人话语的独特，于是造成了听者的隔膜，简直像是拒人于千里之外！

然而我总觉得这位20世纪现代派的始作俑者是可信、可交往的，甚至也可亲近的。所以我自己，也劝人，应该好好多听德彪西。

更好交往的自然还是德沃夏克，你会感到这是肺腑心肠透亮如水晶的人。《黑人》听熟了，不但顺畅之极，就像卢那察尔斯基形容的：活水在沟渠中流泻；而且，几乎每个细节都能叫你觉得有意思、有味道。

有人说得极是，莫扎特的平易自然其实又掩盖了他的匠心独运。对德沃夏克的作品也可以如是观。像这种貌似浅率而其实是意匠经营而成的音乐，也更加不厌百回、千回地咀嚼。

德彪西的音乐，新鲜得出奇，也绝非那种以新自炫、以怪充新的“音乐”可比。他是那种真正的新鲜。然而，他的别出心裁似乎又给自己蒙上一层朦胧的雾。这同莫扎特的情况适成对照。

德沃夏克很受勃拉姆斯的影响。但是勃拉姆斯的风格却同他相反。勃拉姆斯的复古倾向、刻意雕琢，掩盖了他那浪漫主义的真情，使得不知底细者望而生畏，不想接近了。

德沃夏克的基调是宁静的，但是也满含着一种内热。他生长在波澜相对平静的波希米亚。他快走到自己生命的尽头了（他死于 1904 年）。他恋恋地回顾着德奥乐派的音乐传统。

德彪西的情绪常常是那样的躁动不安，心情郁闷。他肩负的法兰西文化是古老而精致优雅的，充满了矛盾。此际，他是个新上场的角色，他对自己民族的传统一往情深，所以他有根，不虚无，他憎厌守旧的庸人市侩。但他忠诚于艺术而不屑大言欺人。

朗在《西方文明中的音乐》中说：德彪西是 20 世纪的人。

《g 小调弦乐四重奏》当年初演，演奏者正好也是伊萨依四重奏团。奇怪，但是并不古怪，当年，伊萨依曾告诉过阿图尔·鲁宾斯坦：他不懂它，太摩登了！（见鲁氏自传第四百四十五页）。

百年之后回头听，当年曾经被目为异端的作品，已经成了“经典”。

20 世纪的音乐愈出愈奇。听众对各种音乐的接受愈加宽容。形容那感觉是听“大复调”，已经显得不够确切了。那么，不妨说这是一种真正的 cacophony（此词难有恰当译法）了！

处于又一个世纪末的听众，仍然可以从堆积、扩大得更加庞杂、浩繁的曲目中见仁见智、各取所需。但是选择中有一种明显的倾向：旧曲多于新声。而且旧曲中的一部分过度重复地被演奏。许多人的眼界是狭隘得可怜的。那么，21 世纪听众，又将如何安排他们的节目单？

通而不同

——《幻想曲》观后

本文题目中何以用一个“观”字呢？因为这里的《幻想曲》并非是人们只需用耳朵去欣赏的那类作品。它是需要你耳目并用，又看又听的一件综合艺术品，是迪士尼和斯托科夫斯基两位通力合作的成果，一部音乐卡通片，也可谓一部被卡通化了的名曲选。原名是 Fantasia。

它的独创不凡之处在于，卡通画家们要用手中的画笔来画音乐，以画“译”乐。那“译”笔可以说是直译与意译乃至自由演释兼而有之。因此，这种企图用线条、色彩等诉之于视觉的形象手段，化音为形，变可闻为可见的试验，本身便可以说是一种《幻想曲》了。这也许是题中应有之义吧？

这一来，视与听的感受便打通了，错综在一起了。这种“通感”的体验，当然是既有趣也有价值的。

遗憾不遗憾？当这件综合艺术品问世于 20 世纪 40 年代初

之际，我这个幼稚的乐迷便渴想一睹为快了。然而由于另一种历史与社会的交响音乐强大无比的吸引力，我放弃了欣赏它的机会而去干别的了。直到前年，我才看到它。那要感谢方平先生。一听我说起这部电影，他慨然翻出自己珍藏的录像带，放给我看，这才得偿五十多年的夙愿。

怀着五十年的悬念观看它，本身就是一种人生难得的精神享受了。更可珍者，这种“时距”让我有可能利用长时间积下的体验、疑惑，来思索一个读乐中的老问题：听音乐与“看”音乐。

《幻想曲》中一共收了八篇名曲的“音 – 像对照本”。

先说说对《小巫师》(《魔法师的弟子》) 的印象吧。

杜卡此作，说不上如何高雅，却也不好把它贬为俗品。作者虽从歌德的诗篇中汲取了灵感，但只是用简洁明快的乐谱，相当流畅地讲了个有趣的故事而已。迪士尼设计的动画是颇有效果的，其成功之处似乎是在于加强了曲中的戏剧性。尤其是有效地酝酿、制造了故事的高潮。在剧情发展到那闯祸者手忙脚乱、手足无措而已洪水滔天的过程中，的确有一种令人呼吸急促、几乎坐不住了的紧张感，然而并不恐怖，只是非常过瘾！在此中，视觉上的渐强，同听觉上的渐强吻合无间，画与乐做到了相辅相成。

老实说，这篇音乐除了那开头的木管乐段有时还值得回忆，早就无心再听了。但看了《幻想曲》，对它又重新恢复了一点兴趣。杜卡的音乐被迪士尼们注入了新的生气!

多少年来，每一念及想看而不可得的《幻想曲》，一个最吊胃口的悬念便是：巴赫《d小调托卡塔与赋格》，到底如何“译”法？（从有关资料中我知道这部卡通片包含了哪几篇名曲。）所以看这一段，心情最为兴奋。

同自己原先所臆想的不一样。这一篇声势浩大、气概不凡、却又似乎有颇浓的工艺美术装饰气味的复调音乐，画家们的处理和上一曲大不相似。既非抽象的图案化，又非写实的拟人、配景。只见画面上现出了无以名之的图像。线条飞舞，色彩变幻，看得人眼花缭乱。一开头的引子，宏伟的乐声与绚烂热烈的泼彩画面一齐奏响，顿时感觉到一种声与色、视与听的共鸣共振！待到音乐进入托卡塔与赋格部分之后，画面上又出现了颇像我们敦煌壁画里“飞天”那样的形象，隐显出没，飞腾翱翔于云气之中，好像是仙灵们乘着巴赫的音乐在宇宙空间跳开了一场舞。自由极了，而又豪放极了！

假如要我精选十篇巴赫的作品，我并不会考虑这一篇如此流行的音乐。可是看了《幻想曲》中对它的自由演释，虽然未必使我信服，却不能不为制作者的“幻想力”喝彩。

我立刻就想起了斯克里亚宾，并且为他惋惜了。在两个世纪之交一度被尊崇为“三S”之一的他，不是曾有将色光这手段综合到音乐中去的想法，并为此创作了交响诗《普罗米修斯》又名《火之诗》吗？其中加进了一种由勒明吞发明的

“色彩风琴”（演奏时，观众可以看到屏幕上映出“色阶”的变幻）。我们至今也无缘欣赏这部奇特之作。试想，倘若他赶上了有声彩色电影时代，用迪士尼的办法，谱制一部有声、有色、既视且听的宏大音诗，岂不更能发挥其想象？

《小巫师》与《d小调托卡塔与赋格》这两曲的视觉化处理，看后觉得不枉我期待了多年，可是其他几篇却不是这样可读了。

从《胡桃夹子》舞剧中摘取的《花之圆舞曲》，我说是“画不对题”，老柴这篇乐曲浸透着一种悒郁感伤之情，而影片中把它画成一场无情又无味的轻佻的舞蹈。

庞奇伊利歌剧《乔康达》中的《时辰之舞》，格调不高，虽然旋律与节奏都楚楚可怜，但不耐久玩。在《幻想曲》中，平庸的形象化不但无助于传达音乐中本来便有限的美感，相反，从画面上我们竟看到了俗气熏人的一场“大腿舞”！

斯特拉文斯基的《春之祭》，同样令人倒胃口，不忍卒读。音乐中蒙昧初民文明与野蛮的意象，被设计者将时代推到新生代，改成了蠢然而狞恶的恐龙。叫人一看之下，不能不先是一怔，随即便作逆了！

《荒山之夜》，窃以为它的流行其实是有损穆索尔斯基的真正价值的。在《幻想曲》中，它的漫画化也叫人读后并无所得，为之索然！

带着悬念和问题补看《幻想曲》，为我提供了一个“反刍”的好机会。对于一个在乐海中浅涉了多少年的人，这是很可宝贵的。

自从当年渴慕《幻想曲》而不可得一见以来，自己听音乐的感受与口味有了不小的变化。用“今日之我”审视“昨日之我”，来观看《幻想曲》，我便可以更清楚地审视自己听力和兴趣的变化，这是极有意思的体验。

自从那时以来，自己已经从一个一味地想“看见”音乐、又想把音乐“说清楚”的幼稚乐迷，慢慢变成了更想学会“听”音乐的求知者了。换句话说，我从一个交响诗、音画、歌剧和舞剧这类音乐的迷恋者转向“无题之乐”，也即是用音乐自己的语言讲话的音乐了。

我听厌了那种硬要用音符来为诗与画代言的作品。也不再相信那种用文字牵强地把一篇好音乐“说”清楚的做法。

不过又觉得，文字描摹音乐，虽然含糊其词，倒也给读者多少留下了空白，让他自己去想象；但如果把一篇音乐从头到脚画将出来，工笔也好，写意也好，似乎那效果也是得失难分。这显然是因为把话更加说绝了，不留余地，甚至强加于人了。

所以，虽然很喜欢《女武神的飞驰》《森林之语》等等瓦格纳之作，也总想见识一下那乐剧演出的舞台场景，然而一旦读到一部介绍瓦格纳乐剧舞台装置的大书时，书中的图片所展示的拜罗伊特剧院布景，给予我的只是一种幻灭！

当我看到一张由季亚吉列夫编导的《牧神午后前奏曲》舞剧的舞台照时，同自己早已形成的联想有如此之大的出入，我真希望能立即把这图片忘掉！

把某一音乐名作依照画家自己的感受画出来，对于一个从未听过此曲者，也许是一种导游，然而也可能是误导，左右和限制了听者的想象。

换上一位早已熟悉那作品的人——《幻想曲》的观众我估计多半是这样的人；那么，影片中的处理，从构想到细节，必定会同观众已经形成的感受发生摩擦、冲突的。这当然不失为有趣也不无价值的一种体验。然而也很可能起着强加于人、煞风景的反效果。

视听技术的发展，愈来愈方便了人们既看又听。制作影视节目者享有取之不尽的资料和自由。八股化、贴标签、把音乐语汇类型化的影视配乐，随便引用已成经典之作，但却"用典不当"乃至牛头不对马嘴……这种种不可能不干扰、妨害、污染人们的听力。

自从发明了唱片与广播以来，好音乐空前大普及，然而有心的识者也发出了慨叹：人们不那么会听音乐了！（一个同听音乐似乎无关但却可供对照的例子：罗曼·罗兰说，他同名导演普陀夫金一样，对于无声电影的被淘汰深为惋惜，"因为它具有的引起联想的力量是有声片永远也不可能有的"。这个看法同我们谈的问题恰恰相反：看比听重要！然而，岂非"相反相成”吗？)

那么，视听工具的泛滥将使人们更会听音乐，还是适得其反？这是值得我们深长思之的吧！

莫扎特在家信中讲到无聊的“看演奏”，他讽刺的是不听音乐只看“指头杂技”的庸众。今日之录像、影视似乎也更助长了此种“看”音乐的兴趣。但本文所议是比此种“看”音乐档次要高一层的问题。

视、听综合，搞好了是一种享受。搞得不好，对于普及严肃音乐是利是弊？是得是失？难言之矣！

反刍又反思，对《幻想曲》的制作者们我深怀敬意。它对我继续学会读乐并恰当地向同好者介绍好音乐，有一正一反的启示，比看一部《音乐听法》更实际。

不过我并不太想看到《幻想曲》出二集、三集……×集。尤其担心出现那种粗制滥造、不负责任、贻误真心爱乐者的，像如今已泛滥于少儿读物中与电视屏幕上的恶劣漫画与动画。

听音乐，以听为本。有的音乐，自不妨从听中去“看”，但这种用“心眼”看到的，仍然不同于肉眼所见。不可能坐实。许多好音乐当然是言之有物的，但是我们只能听，不必“看”，也无法看。音乐之妙，端在于听。我们还是认真修炼自己的“听功”吧！（“听功”是古人范晔用的词儿。）

乐史浮雕

——读乐良友《协奏曲》摘介

读乐史、音乐家传记、乐评文字，乃至音乐词典，发现有用的资料，随手抄下，已成为一种嗜好。我的笔记本中，大多只是收集些零珠碎玉而已。其中却也有三本书的笔记，大抄特抄，只怕漏掉了好东西。书是借来的，不得不埋头赶抄。这三本书中有维努斯的《协奏曲》。

维努斯这本经常被提到和引用的书，出版于五十多年之前，我之所以读着入迷抄得起劲，是因为它史料丰富，议论精彩，语言没有学究气。我愿以自己的摘录，附以阅读札记，赠给爱乐同好，让大家认识一下这位可信也可亲近的导游人。

贝多芬小提琴协奏曲的首演

正像18世纪的上半世纪是小提琴的天下那样，19世纪可称钢琴世纪。在这一世纪中，那些写出了最出色的小提琴协奏曲的作曲家都同时又是钢琴演奏家。而且，当其写作之际，又都有一位提琴高手在他的心目之中。

贝多芬这篇《D大调小提琴协奏曲》，是他特地为弗朗兹·克莱门特写的。这是位当时享有盛名的演奏家，他的记忆力好得惊人。当年名气几乎超过贝多芬的斯波尔在自传中证实，他写的一部神剧《最后审判》，克莱门特只不过听了两次排练一次演出，就能不看谱子便在钢琴上成大段地弹出来。海顿的《创世纪》，他也只听了几遍就将大合唱改成了钢琴谱。海顿点了头，说是可以付印了。

1806年，《D大调小提琴协奏曲》首演。按照那时的时兴做法，上半场只拉了第一章。另外两乐章放到下半场去演奏，而于此两者之间，独奏家在提琴弦上玩了些杂耍。其中有他本人作的奏鸣曲，稀奇的不仅在于它是“独弦操”，而且那把提琴是颠倒过来拉的。

难以想象这首协奏曲那次演出的效果如何。因为，事先，并未经过练习，克莱门特便登台视奏了。

从那次首演以后，直到约阿希姆救活了它，难得有谁肯演出这首杰作。实际上，即使将它同贝多芬其他最伟大之作品放在一起，它仍然崭露其独特的价值：旋律富于独创之美，构想宏大宽广，结构极其明晰，音乐思维有强大的逻辑力量。

【附记】

帕格尼尼大出风头，蛊惑了全欧洲的听众，是1828年间之事。但“独弦操”之类玩意并非他首创，克莱门特在首演贝多芬协奏曲时的滑稽插曲提供了一个值得一顾的乐史镜头。如此美妙之作竟是在如此不成话的摆布之下同听众见面的！

虽说一演之后就进了冷宫，但那次初演据说还是颇受欢迎的。但也有人将这归功于克莱门特的演奏高明。

神童型的这位名手（兼指挥家与作曲家）四岁便开始了练琴，十岁便在英伦献技成名。有几场演出是在海顿指挥下进行的。海顿在牛津领受博士学位的那场音乐会，这孩子也参与了。

他的演奏风格高雅，又善于传达温柔的情感。贝多芬心目中想着他，为之作此曲，可见对他是赏识的。我们正不妨从贝多芬此曲特有的高雅而又富于纯朴真挚的情感来推想克来门特的演奏风格。

《三重协奏曲》的坎坷经历

这是贝多芬最不为听众所知的作品之一。貌似无奇，使许多人错认作不值得重视了。其实像这类以几件独奏乐器为主的协奏曲，个中妙处是需要付出更多气力去仔细谛听才能发现的；不像一般结构比较单纯的协奏曲那样，不难以漂亮的曲调和热烈的情绪把人勾引上。

相反，贝多芬此作第一乐章中许多旋律，都只有在相互协作交相为用中才显出其美妙，并不靠各自炫耀卖弄来讨人喜欢。起初听起来总似乎并不动人，随着乐意的进展，人们才能领略到其中所蕴含的内容多么丰富。

它之所以受到忽视，还吃亏在它的一前一后恰好是两部杰作:《第四钢琴协奏曲》和《D大调小提琴协奏曲》。所以托维有个设想，如其这篇协奏曲出自一个除此以外别无所作的人之手，而此公又罗曼蒂克地等不及发表它便亡故了；那么，那些责怪贝多芬没把它写好的批评家肯定会另眼相看。

三重奏组同乐队之间如何交织交响，作者在这上面很用了一番心思。他在写作上运用了所谓交响协奏曲的手法，同时也反映出贝多芬这一时期的创作特色。

可以提出来作为对照的是，在他的那些小提琴或大提琴奏鸣曲中，他对两件独奏乐器的双方都要求以交响协奏曲的风格演奏。例如那首《克鲁采小提琴奏鸣曲》，贝多芬指示说:“此曲乃以非常交响协奏曲的风格写成，几乎就像一首协奏曲。”

事实上，“克鲁采”竟可描述为一部不用乐队协奏的“双协奏曲”。

【附记】

有一部《音乐会听众之友》，1947 年之前的出版物，书中对贝多芬此曲的坎坷经历也提供了一些情况，读来真叫人想不到：原来直到本世纪前半世纪为止，乐圣的皇皇巨构在听众当中也并非一律畅销无碍的！

据说，自从 1807 年初演以后，直到贝多芬去世之年，足足有二十年,《三重协奏曲》再没有同音乐会听众见面。不易凑齐三位一流名手担任独奏，还并非主要原因。作品本身被认为“枯燥”才是有碍其成为“稳销商品”的关键问题。谁要安排这种“怪诞”的节目便有故弄噱头之嫌。《三重协奏曲》竟被视为贝多芬作品中的“害群之马”云云。

褒贬也并非一边倒，对立的双方都相当顽强。有位写了一部贝传的玛里翁·斯各特毫不含糊地评论道：“它唤起了对一部杰作的期待，却又并未满足这一期待。”它的写作“出于尽职，而非来自灵感”。

另一位评家，保尔·贝克尔不怕渎圣，竟敢埋怨本来一贯严格要求自己的贝多芬，不该把水平欠高的创作拿出来充数。

愤起捍卫贝多芬的是托维。他把那些嫌它枯燥沉闷的评论家和音乐会听众痛斥了一顿。“贝多芬可不是能轻轻巧巧便打发开的！”前文中，维努斯所引的“如其心”那段话，正是托维的妙语，但原话说得更辛辣些。

托维还断言，倘非经过写作《三重协奏曲》的探索，就不会有“第四”“第五”那两首钢琴协奏曲了。所举的一个例证是,《三重协奏曲》“柔板”中那支若有隐忧的主题，初次露面时用了小提琴加弱音器，在情调、色调上正已预示了“皇帝协奏曲”慢乐章中的一个手法。

至于“枯燥”之说，这位不列颠的可敬的博学之士有他的看法。一方面认为，此作中的主题素材的确严肃而质朴，然而这正合于作者的意向。如果换上那种只靠旋律自身有吸引力的主题的话，他就达不到目的了，贝多芬的主题是为整体构思服务的。任何一个有见识的人不会认为贝多芬在处理上有什么问题。《三重协奏曲》在许多方面像古希腊艺术那样，达到了朴素与精妙的统一。

对《三重协奏曲》作如此评价，可谓推崇已极!

有关此一精神产品的物质代价，也值得一谈。贝多芬不是一件一件零卖，而是将其同另外两件作品并在一起同出版商谈价钱。《三重协奏曲》《第三交响曲》《橄榄山上的基督》这“三大件”，再饶上三篇新写的钢琴奏鸣曲，一共索酬两千弗洛令。如按20世纪40年代的币值换算，约抵一千美元。

在1804年的一封信中，贝多芬向对方说:“以本人名誉保证。饶上三篇奏鸣曲，我是吃亏的，单是一篇奏鸣曲我就可以弄到六十个杜卡特金币了（按：一枚杜卡特约相当20世纪40年代的两美元）。可别以为我在吹牛，我不是那种人。为了作品快一点出版，我情愿做一次蚀本交易。”

令人惆怅的新鲜感问题

门德尔松是个名实相符的作曲家。这样说是因为，他懂得怎样将材料组织在一起。各种曲式他都能驾驭，大块文章，或者小品，他都行。

在浪漫派群贤之中，能够同莫扎特、舒伯特比拟的，他是唯一的一个，他那优雅的乐风叫人想到听莫扎特作品时的表层印象。然而可作比拟的也仅此而已。

不像莫扎特的是，虽然他也有源源不断汲取不竭的灵感，可惜很少能发展到（莫扎特那种）有高度创造性的水平。

还有不像莫扎特和舒伯特的一点，那就是他从来不再继续生长。从莫扎特的《第一交响曲》到最后的三首交响曲，从他的第一首钢琴协奏曲到最后的《第二十七钢琴协奏曲》，这之间是一片变化极大极其多样化的广阔天地，从舒伯特的第一首交响曲到第九首，变化之大同样如此。

然而，从《仲夏夜之梦序曲》以后，门德尔松再没写出可以令人啧啧称奇之作了。

最根本的不同是在气质上。莫扎特的气质是真正古典主义的。对于复杂多样的人性、人情他有全面而精细的体察。同时，在创作复杂而深刻的作品中显出他既敢于创新而又全面地驾驭着技巧。

门德尔松有驾驭技巧的功力，也有相当大的勇气创造

（这要比人们在不经意的听赏中所感受到的更多）；但他在情绪上没多少变化和深度。他采取了大多数浪漫派人的姿态，而且像个好市民那样安分地生活。

他是个渴求小调情绪的多愁善感之人，他写协奏曲全是用的小调。而莫扎特的协奏曲，小调的不过两首，贝多芬是一首。

门德尔松用小调写的作品，徒有文雅气派，可就是没劲。他对悲剧性无所知。在他的小提琴协奏曲中，即便不是没有真正的激情，却又像是一位美女，垂着睫毛，一副含颦自怜之态。

自我节制，使他的乐风不像个浪漫派；癖好某些情调，又使他不像古典派。非此亦非彼，又是二者之调和。这种调和在他是不自觉的。然而也正如一切调和折中的事物，也由此造成了局限。

《e小调小提琴协奏曲》断断续续写了六年。从他同小提琴家大卫的书信往来中，看出他很关心的一个问题是它在技巧上是否便于演奏。“只有写得好拉，才能让人拉得精致。”他向大卫请教：“第一章的华彩是否对头？”“转回C大调的那一段，不靠长笛支持是否可行？”最后他还请大卫“完全照你的想法改写第一章的结尾”。

最后那个乐章诚然是光彩夺目的音乐。然而，莫扎特的协奏曲末章，在悦耳的对话中并不会忘掉比悦耳更深刻的东西。那些华美的言词由于其言之有物才不会被人置之脑后。门德尔松这篇呢，却嫌有种过分热衷于自我欣赏的情绪。虽然言语机智流利，口若悬河，但要知道，口才再好，听他谈得太久也会叫人感到乏味的。因此，提琴家们被忠告：如果想保持新鲜感的话，以少听、少练它为妙。

【附记】

上文的“忠告”，也适用于我辈听众。这首名作的真心爱好者，想必会对无法保持它那新鲜感而遗憾、惆怅吧！

门德尔松不但练过小提琴，十四岁就写过一首小提琴协奏曲。但他还是虚怀若谷，向专业者求教，用六年功夫来琢磨此作。这位音乐才子并不像那些靠家财与聪明过日子的公子。

如能细读他们那些通信，看他们如何不厌其烦地从结构到细节交换各自的想法，再来听这首作品，肯定能追回不少新鲜感。

在有封信里，门德尔松像诉苦：“你盼望它写得灿烂辉煌，可叫我如何才能办到？那一开头的独奏段全都在一条E弦上！”

当然是一次相当理想的“合作”。但有人提醒，谁要是去猜测其中哪些地方是属于大卫的（华彩的大部分除外），那又大可不必了。学者从那六十六页厚的对开本手稿中看得出，凡有改动之处，都是同门氏那一丝不苟抛光细磨的作风吻合的。

纳粹蛮人悍然禁演门氏之作的五十年前，为门氏作传的斯特拉顿发问道：设想把他所作的全都一笔勾销，人类艺术中会出现一段空白吗？当然！退一步说，即使仅仅把《伊利亚》《e小调小提琴协奏曲》《芬格尔山洞》这三曲从节目单上排除，音乐会主持人也就会大感为难了。

一百几十年来，音乐会中它是宠儿；不同版本的唱片，起劲地出；提琴大赛中，它快要把评委的耳感都听麻木了！

过度重复、不加节制地演与听，怎能不磨损它的青春美，败坏其新鲜感呢！

向太阳

——漫说莫扎特的钢琴协奏曲（一）

八十七张一套的贝多芬全集问世！看到这个“特大喜讯”，马上联想到“180”那个数字——一百八十张一套的莫扎特全集。

我们只能望两洋而兴叹了！

世界人口虽在老年化，人生仍苦于太短。我辈爱好者的购买力、闲暇、听赏力、寿命，跟得上那一套又一套庞然的全集发行的步子吗！

这倒又促使我下决心来干一件早就想干而又踌躇着怕干的事：为莫扎特的钢琴协奏曲音乐做个虽然不够资格但有一腔热忱的导游者。全集，我们无福消受；那就更应该先取其精华，钢琴协奏曲正是莫扎特音乐中的精华。有些听众，我常常为他们可惜，他们只去听莫扎特的小提琴协奏曲，却不知道他那二十三首钢琴协奏曲中才是风光无限，气象万千。我常劝爱乐而又是“莫迷”者多听细听莫扎特的钢琴协奏曲。别的“全集”且不忙买，他的钢琴协奏曲全集大该先买到手。通读贝多芬的“三十二”，我并不劝人那样做，原因此处不暇解释，但我怂恿朋友们不妨通读莫扎特的“23”。当然不是叫你在几天之中一口气读完，而是在你大半辈子的生命中开发和享受这个宝藏。随着生活体验与读乐领悟的与人俱老（唐代书法家孙过庭有句话“人书俱老”），你会有听之不尽的惊喜。（说“大半辈子”，潜台词是：只有人到中年，“乐龄”较长的人，才可能爱上莫扎特的音乐。）

他的钢琴协奏曲重要，这在乐史与乐评中是有定评的。研究莫扎特的权威学者阿·爱因斯坦说，钢琴协奏曲也许是最能代表他的创作特点的作品。另一位学者维努斯（A. Veinus）用一种对比的方法掂出了莫扎特钢琴协奏曲的分量。他的说法是，贝多芬一共写了七首协奏曲，能够同他的九部交响曲相提并论的只有两首。然而莫扎特的二十三首钢琴协奏曲（何以说二十三首，请看后文）中，至少有五六首是可以同他最好的交响曲摆在一起的。如果要在他最精彩的钢琴协奏曲（例如第二十、第二十一、第二十七）同《g小调交响曲》《朱庇特交响曲》之间评比高下，作出取舍，那是很困难的。

现在来一个“高潮”，让我“请出一位尊神”来发言：

“你难以想象，像我们这种人，听着背后他（按，指莫扎特）那样的巨人的脚步声时有何感觉。”“由于一般人不理解也不尊重像他的钢琴协奏曲那样的伟作，这才促成了我辈得以存身而且出了名。假如人们知道从我们这里所能饮到的不过是涓滴而已，那他们就会上大师那里去喝个痛快了。”

谁的声音？勃拉姆斯！这些话是在他同指挥家勒维一起准备演出他的用十年磨一剑的功夫写出的《第一交响曲》时谈的。

一听勃拉姆斯这话便信之如神谕是可笑的。我们只是要接受其启示，用自己的理解与感受来证实，求得一个究竟。

莫扎特并不是什么飞来峰，平地上奇峰突起。你可曾想到，正像19世纪可以看作交响曲的世纪，17—18世纪称得上是协奏曲的世纪。且举两位同莫扎特相去不远的作曲家来看。塔尔蒂尼去世之年（1770年），莫扎特年已十四了。此人共写了协奏曲一百二十五首。不过，如今的人只记得他一首奏鸣曲，《魔鬼的颤音》。另一位是今天仍然吃香的维瓦尔第。他死在莫扎特出世前十五年。他作协奏曲的高产纪录是五百！

比“大协奏曲”更讨人欢喜的“独奏协奏曲”正是莫扎特那个世纪新兴起来的。按照维努斯的说法这种新兴体裁的结构原则却是来头不小，可以比之于古希腊悲剧中一个角色同合唱队的关系，又可比之为莎剧中主角的独白。他还从协奏曲中独奏乐器与乐队的对抗联想到了人世间个体与群体的对应。

其实，更切题的是它同歌剧、同交响曲之间的深刻的联系。这就一言难尽了。但这却是协奏曲为何能发展壮大的重大原因，也是莫扎特的钢琴协奏曲写得那么丰富多彩而又深刻的一个原因。

维努斯在其大著《协奏曲》中漏掉未说、我想大胆做个补充的是，钢琴这个新兴乐器所起的作用。假如不是克里斯多福里在18世纪之初创制出钢琴的话，那么不论莫扎特多么天才，也不会有那“23”了。

真难说是莫扎特赶上了钢琴，还是钢琴这全能的乐器赶上了伟大的莫扎特！

它一出世便飞快地成长、成熟。作曲者、演奏者、制造者三者，在这个过程中有一种交相为用相辅相成的影响。

莫扎特诞生之前五年（1750年）才去世的老巴赫竟无缘等到钢琴这乐器的完善！而青年莫扎特便能够把它变成自己得心应手的喉舌了。

然而机缘的凑合还有其他方面的情况。

又是作曲家，又是演奏名手，这样的乐人在17—18世纪并不少见。但在两方面的水平登峰造极，集“双美”于一人者，古今又有几人呢？莫扎特正是一个！（同他并世称雄的海顿，在协奏曲的写作与钢琴的演奏上就瞠乎其后了。）

他是无所不能的作曲家，精通歌剧、交响音乐与室内乐的写作。从古老的管风琴到虽已衰老仍未退出“舞台”的两种古钢琴，各种键盘乐器的弹奏无不精通。

多方面的有利因素，荟萃于绝世天才的一身，于是，在其二十三首钢琴协奏曲中来了一场“灿烂的爆发”（借伏尔泰的话语一用）！

万事俱备，只欠“西风”。不刮这“西风”，“灿烂的爆发”也许还是要落空。

且来引几封莫扎特家书看看。

1781年4月4日，他从维也纳写给父亲的信：

“大主教在此地成了我施展才艺的一大障碍。因为，他害得我至少损失了一百杜卡特。那本来是我笃定能够从一场音乐会取得的收入。怎能不是这样！女士们都自愿参加分发入场券。我可以有根据地认为，当我昨天在为救济孀妇而举办的义演会上演奏时，维也纳人是非常喜欢我的。我不得不从头再弹一遍。因为，掌声始终不肯停下来。这儿的听众已经都知道我了。假如开一场个人音乐会的话，照你看我能收入多少呢？”

1784年2月10日家信：

“三次预订入场券的音乐会开过，我声名大噪！在剧院举行的一场更是大获成功。我写了两首辉煌的钢琴协奏曲。……最令我引以为荣的是听众绝无倦态。”

1783年2月15日写给某男爵夫人的信：

“我走投无路了！某先生通知我，如果在明晨之前不将债款付清，他就要采取行动。请夫人为我设身处地想一想，届时我将何等狼狈！

我付不出，哪怕是半数也付不出！

老天在上，请求夫人帮助我保全自己的声名荣誉！”

简而言之，从萨尔茨堡大主教的牢笼中奋飞而出，他成了个“自由作家”（free lance），可以大展宏图了；然而从此也就饱尝了穷愁的滋味。他那似乎与生俱来的满脑子的乐想是流泻不竭的。但从他家信中的话来看，他宁愿在宁静的环境中从容地写作。只因为生活的皮鞭在他头上高高扬起，他也只得大干快上了。写歌剧，最能名利双收，然而谈何容易。作曲卖稿，也有种种麻烦。收几个学生来教弹琴与作曲，学费有限，功夫不少，耽误了他作曲，而作曲才是他最感兴趣的，不划算。

那么，举行个人音乐会，自己作的自己演奏，这同时也就是向听众发表最新之作，“首发式”！随后再将其出版，也便等于先做了广告。

因此，定居维也纳之后，他便忙于开演奏会。为了开演奏会，要有吸引人的新节目，自然也就要不断地赶写。于是钢琴协奏曲源源而出，经常足三首一批。1782年写了三首。1784年六首。1785年和1786年各三首……

值得一提的是，他要同广大听众直接交流，那么钢琴协奏曲是最妙的渠道了。交响乐只能让他发挥其作为作曲家的本领。室内乐、奏鸣曲只能诉之于为数不多的听客。歌剧观众最多，但作曲家只是到了谢幕时才亮个相。自作自弹协奏曲，他便可以以享有盛名的钢琴名手的形象同仰慕他的众多爱乐者面对面地交流了。何况那节目是最新的，最富新鲜感的，又何况他还推陈出新，不断地给人们以出乎意表的惊喜。而且他的这些作品，正如他在家信中颇为得意地告诉他老父的：有些是技巧上要让别的演奏者“出一身汗”的；有些是“内行听了过瘾，外行听了也觉得动听，虽然不知其所以然的”。

总而言之，没有比写作与演奏钢琴协奏曲更为一举多得的了。

总而言之，各种因素的综合，催生了这二十三首钢琴协奏曲，永葆其青春的“23”！

为什么是“23”，收在他钢琴协奏曲全集中的不是一共二十七首吗?

简单地说，二十七首中，从第一到第四首是一种习作，是一种改编曲。原作是别人写的奏鸣曲。所以你要从这几首作品中发现那个有自己的血型指纹的莫扎特是不成的。

如果要通读，我倒想劝你在读遍其他二十三首之后再来读这四首，而且一定要读，不必因其不足以反映他的本色而搁在一边。顺便提一声，你可不要大惊小怪，不解像这样的大天才何以会“剽窃”。用他人之作来加工成自己的作品，这在巴洛克时期是常见的，巴赫和亨德尔也是两个例子。

通读过其他的钢琴协奏曲再来读这四首，大有意趣。首先，你进入了“史境”，获得了乐史感。具体一点讲便是你听到了莫扎特前辈的声音。比如说，一听其中《第四钢琴协奏曲》（K.41）中的行板乐章，我便惊喜地认出了C. P. E. 巴赫。因为那主题同他那首《表情细致的回旋曲》的旋律几乎是一模一样。如果你手边有所谓《钢琴名曲二百七十首》，翻到第十八页便是它。

很有意思，也有点不可思议，复调音乐禅让给主调音乐，这像是改天换地的事件，那交接班竟然不动声色地在老巴赫和他的一群儿子们之间完成了。巴洛克也变成了“华丽风”（gallan tstyle），然后便走向古典派。

承上启下，兼收并蓄。莫扎特最善于取精用宏，熔于他自己的一炉之中。因此在他的早期作品中，“华丽风”的影响灼然可见。

正因此，从这诚然不免稚嫩的四作中不是也可读出他后来的脱毛换羽吗。如此“返听”，莫扎特后来的作品也便更显出其特色了。

要对乐风流变有个较全面的了解，我觉得有补课的必要，所以颇想多读读C. P. E. 巴赫、J. C. 巴赫他们这些不按老父的调子唱的作品了。其实，就拿这四首“华丽风”的作品来说，既不似巴洛克，又不像古典派，那风味是大可玩味的。

一套“三十二”，其中隐着一部贝多芬的自传——他的人生经历、他的音乐思维和表达思维的语言的演化，都有线索可寻。一套“23”，要作如是听也不是牵强附会。维努斯说得明快：协奏曲这种作品，他从少年一直写到他辞世之年，写作过程贯串了他创作生涯的全过程。从中可以窥见他作为一个人与作为一位艺术家，在不同时期、不同年份，甚至不同的月份之间，他是如何不懈地求新、求精的。

笔者自己，也劝别人，把“23”连同他的其他作品，当一部“莫扎特自传”来读。这比把《红楼梦》当曹雪芹自传来读更有道理。但是我们又会面对“莫扎特之谜”而大惑不解。这是因为，“乐如其人”的公式遭到了否定。

我们应该深信，莫扎特家信数百篇，是一部他没想到要公之于众的诚实不欺的自白书。然而《家书》中的莫扎特其人和我们听熟了的其人之乐是何其不相似乃尔！

“莫扎特之谜”正是由许多矛盾构成的。其人、其乐就是一组矛盾。

《家书》中的人是真的，“有声自传”中的“人”也真。将这当作一种复调来听，“相反相成”，我们才能逼近其人其乐。

既然是个蹩脚的义务导游，又怎敢乱兜圈子。用意只是一点：你不能不读莫扎特的钢琴协奏曲！

【附注】

题目是借用艾青的诗题。还要说明的是，莫扎特不是古人说的“夏日之日”“冬日之日”。他是春天的太阳！

向太阳

——漫说莫扎特的钢琴协奏曲（二）

贝多芬的作品，可以用早、中、晚三期划线，听出他的乐风的嬗变。莫扎特三十年（从五岁到三十五岁）创作生涯，短促而劳碌的旅程，突出的路标是萨尔茨堡与维也纳。

前一段这十九年中，他倒也并不是一直待在家乡那个小地方。其中却有他虽然辛苦然而非常得意的浪游年代。巴黎、维也纳、伦敦、罗马、曼海姆……当时欧洲的音乐中心，乐人荟萃之地，他都跟着父亲游遍了。灵童天赋，举世皆惊！而灵童自己也从所见所闻所交往交流中，饱饱地吮吸了滋养，迅速地发育成一位早熟的音乐全才。没有那前一个萨尔茨堡时期的“资本原始积累”和“小试牛刀”，也就不大可能有尔后的维也纳时期的“灿烂的爆发”吧。

萨尔茨堡时期是他郁郁不得志的时期。见过大世面的他，一心想要展翅奋飞。然而，岂但满脑子的音乐无用武之地，还要受新来的大主教和一伙庸夫俗子的窝囊气。

奇怪的是一生常处困境的莫扎特，再苦闷也极少作愁苦之声。他虽自幼便看透人情世相（否则他也不会有兴趣、有本事写出那些人性盎然的歌剧来），但他又至死还是一个大孩子。

萨尔茨堡时期，正处于他这个人与其乐的青春期。所以，才不过二十出头的他，一腔青春之火的热气渗透于此期作品之中是很自然的了。听其乐，你会当他是个“少年不识愁滋味”的“无愁天子”，当然，绝不是古史中那个“无心肝”的陈后主。

不妨将以上这些当作一个总的背景，来听他的从第五到第十这六首钢琴协奏曲。

前文交代过，他全部二十七首钢琴协奏曲中，前四首是借用前辈之作加工改编的。真正自出心裁的创作，要从这第五首（K.175）算起。

这第一炮打响了！莫扎特在世时，他所作的钢琴协奏曲中，这也是讨人喜欢的一首。从他写给老父的家书中可以得知，1778年在曼海姆，1783年在维也纳，他自己都在音乐会上亲自弹过这首“处女作”。而那是因为:“它在此地是如此流行。”

第一次听它，假定在此之前你已经熟悉了他后期的皇皇巨作，那么你很可能会觉得莫扎特的起点是否嫌低了一点。那股乐流中显得缺少起伏曲折，也显得有点粗枝大叶。

但这却是一条刚刚涌流出峡谷的春水，欢腾着青春的脉动，汩汩地奔流向前。

同前四首一对照，气派为之一变！这不但是他个人在变，也透示出欧洲的音乐风向吹向一个崭新的时期。

第二乐章也是一支青春之歌。可以听出有点闲愁难遣、甜里夹酸的味道。如果已经听过后来的《第二十五钢琴协奏曲》（K.503），就会认出后一作品中慢板乐章的影子来。这两个慢乐章都神似一支声情并茂的咏叹调。不少人都说，他的钢琴协奏曲可以当歌剧来听。那倒不一定。但是有些地方叫人有“歌剧感”，是有其道理的。

在“文章作法”上比第一乐章更见用心的是末章。这里不再是只让钢琴说话，乐队插不上嘴，开始突出了协奏曲的交响性。

协奏曲不能唱成独奏乐器的独角戏。它应该是独奏乐器同乐队合演的一台戏。此曲开头那一章里，钢琴未免包办。末章便不同了。两方对话交锋，交替地互为宾主。这种协奏与竞奏的交响化，是他后期的拿手好戏，而在此曲的末章中已初见苗头。

这一章里还有个细节值得注视一下。就是在华彩乐段出现之前，从乐队的全奏中有个乐汇闪了一下，随即隐没不见。嚇！那不是《朱庇特交响曲》最后乐章主题的片段吗！

晚期之作中的乐想，早早便闪了光，而且也同《朱庇特》

末章主题有关，还有一个更奇的例子。《朱庇特》是他最后一部交响曲，而那个“先现音”是出现在《第一交响曲》(K.16)中的。写那首作品的时候他还只有八九岁。他要姐姐提醒自己为圆号写点好听的音乐。于是“行板”乐章中出现了一支圆号主题。而它正好同《朱庇特》末章中那个“C—D—F—E”主题一模一样。

没有什么神秘之处，莫扎特有他的口头禅和“指纹”。上述主题在他的一首《C大调小奏鸣曲》中也可以找到。值得仔细领略的倒是许多乍一听十分面善的乐想，被他放在不同的上下文中，常用语便有了新意趣。他的特色之一，正是用常用语写出变化莫测的新文章！

接着“第五”听“第六”(K.238)，两首的写作时间相隔三年(1773—1776)，面目的不同是明显的。前一首奔放不羁，稍带点浮躁；后一首便比较光华内敛了。三个乐章全都温文尔雅地收住，这颇为少见，也是出人意表的。跟前一首中那咏叹调似的慢乐章两样，这一首的慢乐章出现了后人才有的夜曲的情调。

“第七”“第八”和“第六”是同一年的三胞胎。“第七”的特别之处是用了三架钢琴。

借用音乐学者维努斯的话：“第七”这首三钢协奏曲是一篇“量体裁衣”之作。

他写钢琴协奏曲，大部分是为了自己要用，他要开演奏会。少数则是个别订货，为某些特殊对象写的。“第七”就属于此种情况。订货者是他家乡当地显要、洛德龙伯爵家的夫人与两位千金，都是弹了玩玩的。音乐不能太深，否则便同买主与其沙龙听客的口味不配。技巧也不好太难。就为了凑合小女儿的程度，第三钢琴那部分写得更加浅易。

不必讳言，第一章听上去有点像读一篇有点华而不实的文字。既然动用了三架琴，如何让它们各尽其用各显其能，又同乐队综合成一个“有联合有斗争”的整体。以这种要求去听，也觉得不大过瘾。量体裁衣，不能畅所欲言，尽情发挥；能搞成这样一首不失为既能悦耳也可娱心的乐曲，也还是难为了他。

可以说明作曲家对它相当喜爱的，有几个乐史小镜头。

一两年后，1777 年间，莫扎特在去巴黎途中经过奥格斯堡。一次演奏会上，“第七”是节目之一。作曲家自己担任了“二钢”。弹那“三钢”部分的是斯坦因。这个名字，钢琴爱好者不应该无知。对于新兴乐器的制作情况很是关注的莫扎特，家信中不惜用许多笔墨盛赞这位钢琴制造家，赞他如何的一丝不苟，每制成一琴，亲手反复调试，自己不满意决不出售；等等。那么，老师傅又兼琴厂老板的斯坦因，能参加合奏，也足证他不是个外行了。而天才作曲家同这位名匠在名琴上联弹共乐，那镜头又是何等的富于史感！

随后，他路过曼海姆，那里是曼海姆乐派的根据地。音乐会中又出现了“三美联弹”的镜头。

一同合奏这首三钢协奏曲的，除了一位当地的大臣之女，其他两个都是莫扎特传记中的人物。一个是他当时的意中人阿洛西亚，还有一个是罗莎小姐，曼海姆大师卡纳比西的爱女。你听听莫扎特的K.309钢琴奏鸣曲看，也许能在“行板”中瞥见她的小像。这可是作曲家自己在家信里透露的消息。

“第八”的魅力在于那音乐的淋漓酣畅，尤其是前两个乐章。他的音乐逻辑同贝多芬的不一样，不像后者那样咄咄逼人。他总是娓娓而谈，渐渐地春云乍展，展开了乐想，又忽如秋云之变幻，出人意想，却又顺理成章，不知不觉便加强了紧张度，走向了高潮。

“第八”的前两章正是这样的例子，听到那酣畅之极的地方，是一种无上的享受，你会心痒，你会“不知手之舞之足之蹈之”！

萨尔茨堡时期的钢琴协奏曲，从“第五”到“第八”，一首有一首的新意，连读四首，便不难听出，即使做不到每一首都在质量上超过前一首，但他是决不肯前后雷同的。

渐变之中出现了飞跃性的质变，质变的里程碑是“第九”。

但且让我们提前介绍一下“第十”，也便是萨尔茨堡时期六首钢琴协奏曲中的殿军。请留意那曲码K.365，“2”字头已升到了“3”字头。克舍尔的编码是我们辨认莫扎特创作生命年轮的工具。

这首双钢协奏曲，原来是为他自己和姐姐合奏用的。说起他姐姐南耐尔，我们就不能不为乐史上少了一位钢琴才女而嗟叹。这位女神童的天分绝不低于她的弟弟。不但有键盘上的高水平，所作之曲也受到乃弟赞赏，可惜已片纸无存！如果不是因为社会传统风气的影响，不让其走出闺门，她也是前程无量的。三十三岁才嫁了个官员。虽比弟弟多活了三十八年，贫困，外加双目失明，晚景凄凉！

“第十”得到的评价虽然高于“第七”，但它在前六首中并不出类拔萃。不过以双钢协奏曲这一品种而言，有吸引力的作品太少。他这一首还是值得珍视的。双钢的搭档势均力敌，效果胜过“第七”的三钢。全曲中最耐玩的是慢乐章，其中有不少赏心悦耳的细节。末章虽然不及第一乐章那么气派堂皇，然而更为生气蓬勃。

如果我们为“第十”够不上称为压卷之作而遗憾的话，精彩的力作“第九”完全可以消除对他已“江郎才尽”的疑惑。

从“第八”到“第九”，写作时间只有九个月的间隔。难怪有人不禁会疑问，作曲家的步伐怎么能迈得这么大？也许他是有意留了几手，蓄而不发，等到高手一来，便把好货都倾倒出来？

叶耐梅女士便是这位高手。此曲也便由此而得了个芳名《叶耐梅协奏曲》。

此曲为她而谱，是另一种“量体裁衣”。洛德龙夫人母女只能在小圈子里卖弄；她可是名气不小的法国女钢琴家。既然来了这样一位名手，莫扎特也就无须迁就平庸的口味与技巧了。

即使放在他全部二十三首钢琴协奏曲中，“第九”也是令人注目的一篇力作。

维努斯评说此曲的慢乐章，认为那是莫扎特头一回突破那种把音乐只当成社交礼仪与娱人自娱的眼界，而将其作为对人性的深切体认来对待了。在此曲中，深沉内在的情绪，时时涌流而出。作曲者用一种恳切的语言在向听众说话。维努斯提醒人们，“第九”写成的那时代（1777 年），正是德语文学中风行激情话语的年头。歌德的《少年维特之烦恼》也是在三年之前问世的。

表现技巧上的精彩笔墨，此曲中也是听之不尽的。比如那作为主角的钢琴如何登台亮相，他向来是不肯按程式办的。“第九”在这个重要细节上又有不同于前几曲的新套子。那写法取得的新鲜感，叫人联想到后来贝多芬的《第四钢琴协奏曲》。

接着活泼而又妩媚的第一乐章，后面是深情脉脉的慢乐章。唱罢这支忧伤的“咏叹调”，豁然开朗，响起了比第一乐章更加欢腾的回旋曲。三个乐章之间，情绪大起大落，而又自然而然，顺理成章。但在末章的激流中，他又不让它一泻无余，陡然煞住快车，加了个情绪不同的插部，一段小步舞节奏的音乐。那手法颇不寻常，全曲也越发显得跌宕生姿！“第九”

中，织体的编排与配器之轻妙，有一种恰到好处的绚烂，令人心醉！

在他之前，写协奏曲的似乎还来不及考虑什么交响化；在他之后，交响化恐怕又做过了头。我看，列位听官如果终于吃够了 19 世纪的“有钢琴助奏的交响曲”那种美食，再来接近一下莫扎特的协奏曲，也许可以起解腻消食的作用吧？

钢琴与乐队这一对角色的关系，他安排得再允当没有了。每每只调遣一件圆号或双簧管出场，同主角交谈，或是共舞；有时候，木管只不过插进来在钢琴的唱腔上下吹一个长音而已，并不多话；然而韵味好极了，赛如一幅锦绣上镶了条漂亮的花边！

又比如“第九”第一乐章中间，钢琴重复唱起一支暖融融的主题，我们正巴不得再享受它一遍。没想到这不是简单的再现，忽然有人加入同唱，那是圆号！尽管一无和声二元复调，但是两种颜色调和在一起，那支主题便更有暖昧了，而情意也更浓了！

莫扎特就是这样地举重若轻！

他的世界是春风，是阳光。我们在萨尔茨堡协奏曲中沐浴着这春风与阳光，时时感到愉悦与幸福。但前六首不过是一种初战告捷，后十七首才是他在钢琴协奏曲舞台上的重头戏。维也纳时期是艳阳照耀下奇花怒放的时节！

向太阳

——漫说莫扎特的钢琴协奏曲（三）

莫扎特在钢琴协奏曲的创作上大放异彩，是诸多因素的综合促成的。

假如把他那过人的天赋看成“天时”，那么，凤凰飞出了萨尔茨堡的鸡窠，到了维也纳，可谓得了“地利”。在故乡，一伙庸人叫他烦恼厌恶；而欧洲音乐中心之一的维也纳，知音识货者如云，乐坛名手如雨，可以说是得了“人和”。不过这“和”中也包括了“不协和和弦”的对照与反衬，那就是萨列里之流那种懂行而嫉贤憎能的人，矛盾与竞争却又是可以促进的动力。可以认为，定居维也纳对他的创作欲有两方面的刺激，一正一反，辩证的。从此不再俯首听大主教的吩咐，仰其鼻息，想写什么就写什么，成了“自由作曲家”了。然而从此也尝到了生存竞争的苦涩滋味，要绞脑汁，卖心血。音乐上的脑汁、心血，他何愁枯竭？伤脑筋的是怎样才能找到市场、主顾，不贱卖，不受欺。而这在那个日益市场化的 18 世纪欧洲，可就要懂行情，会算计，碰运气了！

莫扎特同老父商量如何卖曲稿，如何自己搞“预约”出售乐谱，如何自办预售门票的演奏会等等的家信，可以说明他在“正业”以外不得不付出的精力，然而他到底不够精明，更不善理财，加上建立小家庭后的种种负担，于是，定居维也纳也开始了他十年穷愁的日子。

“穷而后工”。光华灿烂、不可逼视的后期钢琴协奏曲成批地联翩而出，恐怕多半要归因于这种现实的无情鞭策，这也是造物者对于天纵之才的某种“玉成”。

十年穷愁中，竟从他心中笔下泉涌而出了十七首钢琴协奏曲，很好记，即从“第十一”到“第二十七”。看那音乐涌流的速度吧！1782 年是三篇。1784 年翻了一番。1785、1786 年各三篇。最末了也是最完熟的“第二十七”是他撒手人寰那年作的。钢琴协奏曲的写作同他在维也纳度过的后半辈子分拆不开了！

这十七篇，无一篇不是晶莹的宝石，而又闪烁着不同的光彩。如要取舍，实在为难！

很可惜的，大多数听众熟悉的，只是其中的五六首而已。那是最值得反复倾听的几首。不过珠穆朗玛也把别的高峰遮没了！对于已经领略了那几首杰作的人来说，一听此外的十多首，就会从你熟悉的美妙之外发现你所不知也没想到的美妙，令人惊喜不已。相形之下，又会对那几首最杰出之作所达到的精粹圆熟产生一种不可思议之感：莫扎特真令人“莫测高深”！

维也纳十年，头一批产儿是1782年的三篇协奏曲，即“第十一”“第十二”与“第十三”。

萨尔茨堡时期的协奏曲中有一颗光芒夺目的明星——《叶耐梅协奏曲》(“第九”)。同那颗明星对比，维也纳初期这三篇是另一种性格。一种光华内敛的气质。文质彬彬，安详而可亲，没什么逞才弄巧的气味。室内乐般的。托维说，它们的这种气质绝不意味着软弱无力。维努斯有同感，认为它们貌似平易，以致未能引起应有的注意，实际上是他写得最朴素的作品，值得倾心细赏。

“第十一”又是这一批中最不显眼的。第一乐章似乎是漫不经心、轻描淡写，其实别有一种动人的妩媚。音乐是那么从容地在流淌，有时用稍稍激动的笔触点染一下，恰到好处地加强了动力与生气。维努斯评道：这种莫扎特独具的闲话般情趣，别人是学不来的。此作是其全部钢琴协奏曲中风格最为柔美的一篇。它以那种毫不做作的诚恳打动听者，让你不知不觉便受其吸引，平心静气地沉浸于其中了。

协奏曲，最后总少不了用快速热闹的乐章收场。此作不遵守这一章法，最后来了个慢速，甚至比第一章还要慢，如此，也便更加突出了此作的特色。

“第十一”曾被忽视，“第十二”当时一发表便惹人喜爱。人说听他的钢琴协奏曲像听歌剧，那么听其中的某些慢乐章最容易想起他歌剧中的咏叹调了。“第十二”的慢乐章正是逼似一出声情并茂的咏叹调。音乐叫人感到丰满而温暖。

规模较大的“第十三”，后来的评家对它评价不怎么，嫌其头绪很多而处置欠妥。其实在当年，不但由作曲者本人在重要场合亲自献演过，而且那是奥皇御驾亲临的音乐会。这位号称开明君主也颇知赏鉴的皇帝，入场之前先向票房交纳了二十五枚杜卡特金币，在包厢里还高声喝彩。莫扎特家信中得意地对此作了报道。

“第十三”中间，对位手法明显地用得多。这同他那时接触了许多老巴赫的作品大有关系。那是他在斯维腾男爵府上发现的新天地。他如获至宝，经常上门取经。每去便成了府中音乐会的当然要角，而那里除了巴赫和亨德尔，不奏别的。然后捧回去一大堆珍贵曲谱，潜心研习。

《弥赛亚》有种由莫扎特重新配器的版本，正是男爵请他办的。此公不但爱听，自己也写。写的交响乐，海顿评得幽默：“硬邦邦一如作曲者其人。”

可见，莫扎特虽然自幼接受过对位法的训练，到后来才补上了老巴赫这一课。这对他晚期创作的影响当然不可轻视。但他食而能化，并不仿古，对位因素在他笔下成了新的表现力。丰富了织体，加强了紧张度，又同配器手法相结合，乃形成了绝妙的交响性，又是如此地举重若轻，流畅自然！这种对位化与交响化的效果，在他的协奏曲中最值得注意，也给人最高的享受。你也会发现，那是一种既不同于前人也不同于后来者的交响化。

在一封家书中，作曲家对以上这三篇作品有自我评价："这些协奏曲是一种难度适中的作品，介于艰深与浅易之间。它们是漂亮的。入耳动听，自然而不空洞。其中不时出现一些段落，既能够让美食家觉得过瘾，而外行人也不会无动于衷，尽管他们并不知其所以然。"

这些话真有意思！雅俗共赏！足见他作曲时，并不只想着"阳春白雪"。然而要在深、浅之间取得平衡，深入浅出，左右逢源，除了他，又有谁有这神通呢？可以说是"古今一人而已"！（此所谓"俗"，指的是外行，但是爱好者，即我辈这种人。当然那"雅"也是指的既懂行又真爱乐的。）

我们也不必把他打扮得太纯洁。这批作品是为了征求订户赶写出来的。售价是四枚金杜卡。对象包括爱好者，太深便卖不了多少。为了有利于流传，还写了用小型乐队协奏的，上流社会的爱好者不难在私人家里演奏它。为此他还在报纸上登了个启事："莫扎特先生谨向最尊敬的公众提供三首新近完成的钢琴协奏曲。它们既可适用于大型乐队，也可仅用弦乐四重奏协奏。"

在写钢琴协奏曲时，心目中明确地想着钢琴的性能与音色而非古钢琴，就是从这批作品开始。这是维努斯的看法。他举配器效果为例，看出作者如何发挥钢琴的特色。比方独奏钢琴同木管与圆号的配合是如此融洽，试想换了古钢琴，那必然会格格不入了。

当然，说到这问题，又不能忘了他那时所使用的钢琴同今日之声如洪钟的大钢琴不是一种风味。简单地形容一下：匀称的歌唱性音质，较轻的敲击杂声，较强的“颗粒性”（这个词的西方原义是“珠子般的”，似可译“珠圆玉润”），音量不大，但已足以从 ***p*** 到 ***f*** 做出莫扎特所需要的力度变化，有不错的表情能量。弱点是余韵不长，低音不厚。

听他的作品，时常也想象着作曲家是如何开发、利用着那个当时还在发育中的新乐器的，你的乐感自然变得更加丰富。

为求真，可以听听席夫等人用莫扎特遗留下的旧琴演奏的钢琴四重奏录音。那是一架安东·沃尔特牌子的维也纳琴。

1784 年他忙得不可开交。每日上午教学生弹琴作曲，夜里参加音乐会，可以用来作曲的空闲有限。百忙中完成的钢琴协奏曲竟有六篇之多。即从“第十四”到“第十九”。

通读这些在十一个月中拿出来的六篇，可以感到像是一道阶梯蜿蜒地升向那最后七年的巅峰。音乐从内到外，从语言到手法，都更见其深厚，也增加了我们读乐的难度。但不难发现的是，六篇是六种面目，情趣全不相似。

“第十四”虽然不长，乐队也不小，却是“迷人的有个性的音乐”（拉德克列夫的评价）。维努斯也说它的质量高于“第十五”。

它的慢乐章的特色之一是丰富的转调，传达出情绪的波澜起伏。拉德克列夫说这是舒伯特爱用的手法的预兆。

特点之二是巧妙地减少了曲中段落之间的终止式，使绵绵不断的乐流更加天衣无缝。拉德克列夫说这又“极大地预示了19世纪的音乐”。

莫扎特最拿手的曲式是回旋曲。“第十四”的末章就是极漂亮的一首回旋曲，元气充沛，一贯到底，酣畅之至。其中有支主题非常吸引人。在他的K.576钢琴奏鸣曲末章也可以听到，但用在协奏曲中更加铿锵浏亮。

他在家信中告诉乃父，所写的作品“能叫弹的人出一身汗”，主要便是说的“第十六”这首。当然在今天来看，哪怕是练了不过几年的琴童，也不会出汗吧？

有的论者对它有遗憾，说是第一章的音乐逻辑叫人觉得是贝多芬的气味，而专家阿尔弗雷德·爱因斯坦则抱怨末章“海顿太多了！”总之是嫌它欠缺作者自己的本色。

就算是有这样的问题，让我们来听听他在乐风上的继往开来，不也很有意思吗？

要分辨他同贝多芬的不同（当然指的是青年之贝多芬），也许不难；要一眼看清他同海顿的同中之异与异中之同，那就不容易，但又更有意思。“第十六”末章的海顿风，正好提供了一道练习题。

听过“第十六”再听“第十七”，这篇力作越发显得精彩动人。维努斯赞它是莫扎特钢琴协奏曲中最听不够的作品。也许他漏了个“之一”，因为还有更听不够的在后头呢。但证以自己的感受，它确能叫你一听便被抓住，跟了上去，一直听从那音乐之流的摆布了。维努斯形容得妙：“第一章的展开部中，木管们热烈地开谈，而独奏钢琴翱翔其上，口若悬河地加入评论。道地的莫扎特式的辩论。众人异口不同声地讲谈着一个话题，互不干扰，但又都用一种奇妙的方式阐明各自的意思，而最终归于一致。”这番话深可玩味。他启发我们去感受作曲家用音乐语言写“文章”，跟文人作文，画人作画是何等的不同。

此曲末章的主题，灵感之来，不妨说是花了他三十四个克罗采币的代价。它同他驯养的那个鸟儿唱的曲调大同小异。在其日用流水账上记下这笔开支时特地加上一行：“那是美妙的！”

亲切的首章、情绪紧张而深沉的慢乐章和喜剧性的最后乐章，从这三个乐章的不同情趣的对比中，我们应该听得出他将整个作品安排得何其浑然一体！

对于“第十八”，也有不同看法。但有件事肯定能激发我们对它感兴趣。当年演出时，老莫扎特刚巧到首都来看他儿子。老父竟然听得老泪纵横。最叫他兴奋的是其中的交响性效果之美。各种乐器的织体是如此有效地交相为用，而又是那样的清清楚楚，综合在一起，使整体生色。

“第十八”是他头一回使用了比较大型的乐队，这样也就得以充分发挥了交响性的效果，加强了气势。

从行板乐章中可以听出莫扎特是怎样铺排那些秀美的辞藻，但又并不意在修饰，而是情辞相副，随着那声腔的更加富丽，曲中之情也加深了浓度。很少有人能做到这样外在之华丽不伤其内在的纯朴的。维努斯有精彩的形容：像个民歌手唱到动情处，不自禁地唱出了花腔。

从老莫扎特的信中可知。“第十八”是为了一位音乐才女而谱。玛丽亚·特雷西亚·卡·帕拉迪斯虽然五岁上便失明，长大却成了既作曲又是钢琴、管风琴演奏名手的乐人。教她作曲的萨列里和伏格勒，都是莫扎特传记中的人物。而钢琴老师柯兹洛赫，则是莫扎特去世后接替他宫廷乐师一职的人。

丧明的才女读谱作曲靠一种记谱与打印的简陋工具，说它简陋是因为正式的盲谱体系要到19世纪才有人创制出来。那么她的艰苦、耐心与聪敏也愈见其可佩也叫人感叹了！

她的作品居然包括歌剧，也有器乐曲。她写的歌曲是歌剧风格的。颤音、花腔用了不少。那么莫扎特写“第十八”的慢乐章时是否也联想到演奏者而“量体裁衣”呢？

《月光曲》的“本事”是一篇可喜的谎言。莫扎特为盲女谱写“第十八”，则是真情实事。帕拉迪斯不幸之中有大幸。多少人听这篇协奏曲时必会想着当年情景。盲女（她能背奏——其实也只能背奏！——六十来首协奏曲）在台上弹奏，莫扎特在座中倾听，而人们今日在遥观此景。这不像卞之琳的诗篇《断章》？

1784 年大丰收的这批协奏曲中，“第十九”是一篇压卷之作。如果要以全部钢琴协奏曲中选美，“第十九”总是少不了中选的。它正是尔后那八篇伟作的一个辉煌前奏。

此作的特点不那么好概括。维努斯说它是多种情绪的变换与交错，而在其中保持了微妙的平衡。他认为最值得注意的是它那整体的明朗。每当音乐的某一要素被突出之际，其他的辅助性的背景统统是一清二楚的。正像文艺复兴时期绘画中的主体与背景那样。

下一个年头即 1785 年，面对着莫扎特的老父，海顿说：“老天在上，作为一个不说假话的人，我要对你说，你儿子是我所知道的顶了不起的作曲家！”

很难想象，假如他在听了此后几年中莫扎特写的歌剧、交响乐，以及综合了歌剧、交响乐与室内乐中美的精粹的那八篇钢琴协奏曲，再作评价的话，他又将怎样措辞才能表达自己的赞叹之情呢？

向太阳

——漫说莫扎特的钢琴协奏曲（四）

通观莫扎特二十三首钢琴协奏曲全景，好像乐谱上注了个大大的“渐强”，最后的八部，奏出了最强音。

上文曾提到，海顿向他的老父赞他是最了不起的作曲家。也就在同一年（1785年），他又谱出了三篇钢琴协奏曲，即“第二十”“第二十一”“第二十二”。

维努斯赞道：“篇篇都称得上是此一体裁中的杰作，深刻的灵感奇迹！”他甚至认为它们在各方面都可以同他最后三部交响乐相提并论。

那么，可以同最后三大交响乐中的“g小调”对照的，就是“第二十”了。

正面倾诉自己的满腔忧愤，这在他的音乐中是难得一见的。“第二十”和“g小调”都流露了忧愤之情，但又有所不同。听过“g 小调”第一章那忧心忡忡的音乐，再听“第二十”的第一章，便觉得其中的怫郁之情更浓更烈，有时雷声殷然，酝酿着风暴、怒潮。这好像不但在同当时文艺思潮中的“狂飙突进”运动隐相呼应，也像是在遥唤着同他仅有一面之缘的贝多芬。无怪乎“第二十”是贝多芬最喜欢演奏的作品之一，并且不辞为之写下不止一段的华彩了。

自从 19 世纪以来，“第二十”也是莫扎特钢琴协奏曲中演奏得最多的一曲。难道是听众对莫扎特的心事更感兴趣更有同感?

维努斯形容它：从一开始便把听者紧紧抓住，而且迫使你一直被吸引到底。

诗人烈士闻一多曾埋怨别人不理解他，只见他的唯美，不懂得他心头也有“一团火”。

莫扎特同样是心头有一团火，胸有风雷的。

承接着紧张、严峻的第一章的，是作曲者标之为“浪漫曲”的慢乐章，一篇并不能宽怀解忧的抒情小曲。主题质朴得近乎简单，只有真正的民谣才有这气质。莫扎特有能耐将如此简朴的主题从容地层开，显出了其中孕育着的美与力。于是到了主题再现之时便叫人觉得它何尝简单，而其实是异常的耐玩了。

“第二十”完稿于 1785 年 2 月 10 日，第二天便同听众见了面。老莫扎特报道了一个有趣的乐史镜头。他在 14 日寄回萨尔茨堡的家信中说，他亲眼看到，音乐会开着，下面就快要轮到他儿子上场弹“第二十”了，抄谱手此时还在赶抄谱子。演出之前，不但连一次同乐队合练也没有，作者自己也来不及在琴上把回旋曲乐章整个过它一遍！

这第三章回旋曲，同前面那两章是两种心态。有人揣摩，作者大概是从他的愤世情绪中冷静了下来，感到前面的音乐已经把听众刺激得够了，还是应该给大家来点抚慰吧。

通读这三章，情绪的变化起伏大而又并不觉得突兀不顺。就那么自然而然顺理成章，悲剧气氛化为喜剧气氛了。

如其你问我，在他的钢琴协奏曲中最令我心动神移的是哪一首，我会脱口便答：当然是“第二十一”！

可惜我同“第二十一”相逢太晚了，直到二十年前才惊喜地发现世上还有如此美得惊人的音乐！

可笑我一开头听到的竟是它的改编曲，曼托瓦尼乐队的演奏。不过平心而论，那种改编是较为干净的，污染、扭歪不大。看来，大凡一篇真正的好音乐，似乎也不难从是否经得起改编上考验出是否真金。

为什么它还要借助于一部采用其主题作为配乐的电影来促进其流行？

每听“第二十一”，尤其那慢乐章，都会“触电”，感受到一种心醉，一种心震，一种狂喜，一种在尽善至美的面前想用一切好话来向它山呼赞叹，却又言语道尽无话可说，于是只得五体投地了！

一篇音乐才从作曲家腹中出世，迅即同听众见面交流收到反馈，这多么幸运难得！“第二十”刚完稿便上场，“第二十一”是三天后便首演了。初演情况又有在场目击的老父所作家书为证：座中听众不少人为之下泪，太美妙了！

但也还有另一种反应。埃·勃洛姆提醒我们，那时的人听了“行板”中的摩登、大胆的和声效果，难免要为之愕然的。这种令前人愕然的新鲜东西包括在前一小节刚出现减七和弦之后，紧跟着来了个向小调的出人意外的转调，随之又用了不协和的延留音，外加上可以使古人牙齿发酸的“伪关系”。

对于古人的“愕然”，我们反而愕然。今天听“行板”，再和谐、古典不过了！

维努斯说这个乐章是超脱的，像贝多芬晚期弦乐四重奏的格调。纵然内心承受着苦难，然而既不加快步子，也不提高喉咙，虽说有的音调明显的是发自内心深处的极度苦恼。

我有自己的感受，也在此姑妄言之。

听“第二十一”中“行板”，一种幻觉不知自何而来，自己恍惚进入了一座殿堂，端严而又秀雅。它既非中世纪气味的寺院，更非可憎的帝王之居，而是像古希腊的建筑。崇高的但又是可亲近的，令人仰止，而又满心愉悦。主要的一点是，它并不超然出世！

“发自内心深处的极度苦恼”，如果所指的是其中用双手交叉弹奏低音区的一段旋律，那么也正是使我为之心震神痴的一例。这里的材料、手段之平常与效果之神异，极其雄辩地证实了作者的天才，真正是神来之笔！但我并不觉得是痛楚的呻吟。诚然，音符寥寥，曲调简短，然而此中情味极其丰富复杂，效果非常微妙。很难设想境界如此宏深的音乐当年竟在一架只有五组六十一键的钢琴上做出来了。除了再三惊呼："天才！""Bravo，大师！"——正像当年《费加罗的婚礼》彩排后全体演出人员情不自禁起立欢呼的那样——我们还有什么更好的话可讲！

勃洛姆提醒我们的那番话，是有史为据的。"第二十一"中新颖笔法，的确把他老父也刺激得不轻。这位巴洛克时代的遗老，一则以喜（为爱子的成功）；又一则以惧——生怕他太脱离传统。

把"第二十"和"第二十一"对照而读，情趣、气氛迥不相同。它们的写作时间，相去却只有一个月！再听同在一年中完稿的"第二十二"吧，你能发现三首之间有什么"自我重复"吗！？

本人是在把前二首听得相当熟之后才接触"二十二"的。一听之下，有一种出人意表的陌生感。我是说，几乎都认不出莫扎特来了！又觉得它有点隔膜难通。因此，如何领略"二十二"的独有之妙，至今仍是有待我下功夫的课题。所以也掏不出多少有自信的实感真情来编导游词了。

“第二十二”虽然作于1785年，原安排在下一年的音乐会用的。然而又提前派了用场。原因是要参加一场盛大音乐会，为救济乐人遗孀募集基金。

一说起莫扎特那时的乐队，人们马上联想到小型的编制。这次音乐会中却用了一支一百零八人的。其实当时还有大大超过这一规模的，也常有编制残缺人数少得可怜的。

“第二十二”恰好是一部正配用大型乐队来发挥的乐曲，配器丰满，气势大，特别是用上了当时乐队成员中的新秀单簧管。这样，我们听此作也就无须拘泥于把莫扎特同小乐队联系在一起的概念了。

初演那场“行板”乐章最受听众激赏，不得不在掌声如雷的敦促下马上再来一遍，而这在那个时代也是罕见之事。

听他的钢琴协奏曲，有两个乐章对我有最强的磁力，每听有如通电。一是“第二十一”的慢乐章，一是“第二十三”的末章。

断章取义，本不可取，何况，莫扎特的音乐是“不可以分析的”（有位评家说过）。但对我们这种凡人爱好者来说，听一首大作品，往往是由点而线而面而体。只要能努力从局部通向整体，打通整体，似乎也是一种实用主义的听法。

恕我妄言，交响音乐大块文章中，听到最后一章还能叫人毫无倦意的，多乎哉不多也！

“第二十三”的末章适得其反。真正的高潮！真正的大团圆！真正的生命力无穷动！每听它一遍，“十万八千个毛孔都舒服”也不足以形容那痛快。“第二十一”的慢乐章让你沉静下来，再将你提升到太空。“第二十三”的末章叫人心花怒放，“欲仙欲死”。二者都令人对美的极致，对天才的不可思议感到极乐狂喜（ecstasy）！然而这同《特里斯坦与伊索尔德》中的“情殉”，或斯克里亚宾的《狂喜诗》的境界清浊不同，有仙凡之别。

在这个有人简单化形容为“欢叫”的乐章里，他连小号与定音鼓都省掉了。

音阶这东西如果不厌其烦地敲打，是可怕的“烦躁剂”，无怪圣－桑和德彪西都要在其游戏文章中引用它嘲弄钢琴教师、教材（《动物狂欢节》与《儿童园地》中）。

想不到一到莫扎特手里，音阶型的乐句却都变成了有生命有灵气、活生生、妙不可言的声音。可知人类在其文明进化过程中创造出音阶，绝非无意识的偶然！

要完满地享受这一章音乐，当然还是要从前面从头听起，但也不妨心里存想着其上文的印象，独赏此章，放个“特写镜头”。

“第二十三”“第二十四”“第二十五”是于1786年中联翩而出的三部杰作。作品神，创作速度神，神来之笔，就在他本人也只有最后的三大交响曲可比。

维努斯品评“第二十三”，别有意趣。他认为它在好多方面都是特别的，是何气质，很不好形容。不像个喜剧，又不像个悲剧，但又不像《唐璜》那么悲喜交集。

他又拿它比莎剧，说是像莎翁暮年之作那样，往往在情绪上自相矛盾。平静中若有隐忧，时而又寓意深长地捧腹大笑。

更妙者，他觉得说它不是什么反而容易些。

又来了个强烈反差！虽然“第二十三”“第二十四”是4月里诞生的“双胞胎”，“第二十四”的情趣又变了。

他全部钢琴协奏曲中，用了小调的只两例。除了“第二十”便只有“第二十四”。其实不仅钢琴协奏曲。四十一部交响乐，只三部是小调，其中之一还可能不是。全部小提琴协奏曲，无一非大调。用小调作的弦乐四重奏也只二首。

维努斯说他这些为数不多的小调作品，每一首都达到了他所意图的庄严性与戏剧性。

一说到调性问题，门外汉何敢乱道。但我们也能有所感觉。即便感觉不清那二十四种调的色彩缤纷，起码也该感觉到大、小调的对立与对比。所以，注意到莫扎特如此偏向于大调，当然能促使我们细心体验其乐中之精微奥妙了。

虽然不宜把调性功能简单化，但形容大调的音响有如春风，有如阳光，大致不离；那么莫扎特之爱用大调，又何足怪！

小调并不等于悲调。“第二十四”也像他的其他小调作品一样，表现得壮丽而高贵，气质不凡，是一篇英雄气概的音乐。

以上这段主要是抄的维努斯的话。

他还形容其第一章：棱角分明，有点硬邦邦的。

然而在这暴烈的第一章之后，他又用温和的“小广板”来抚慰听众了。而最后一章也颇有特色。埃·勃洛姆如此形容说：假如音乐的确像库普兰所期望，能够用来画肖像画，那么这个变奏曲乐章便可作肖像画观了。画中人是一位仪容端丽的未亡人。她无须刻意作态，而其满怀怆痛之情已流露无遗了。

当初和此作尚缘悭一面而渴想一听之时，向一位先我而通读莫扎特钢琴协奏曲的青年乐迷打听：“第二十四”好听不？回答：是其中最难听的。

随后听到了，果不其然，难听，难懂！至今也仍觉得同它隔膜。“第二十二”与“第二十四”也因此而成了我继续追踪莫扎特的多样、多面、不可测的一个动力。

爱乐者与乐结缘，往往要碰巧。“第二十五”这一曲，我较早便接触了勃兰德尔的录音，听得熟了，听出了自己的感受。然后才知道，它是最不为人们注意的一首，这倒怪了！

“第二十五”这样一部力作，的确是他全部钢琴协奏曲中最不走运的。1934 年 5 月，施纳贝尔同塞尔联档在此作的诞生地演出它，有可惊而也叫人可叹的发现：维也纳当地居然从不曾有过它演出的记录！

“第二十五”的创作正好介于两座万世不朽的丰碑之间，

这是很值得记住的。在其前，是1786午5月首演的《费加罗的婚礼》；在其后，乃同年12月完稿的《唐璜》。

他的钢琴协奏曲和歌剧之间有相通之处，这可以讲得通。我粗浅的实感是有若干慢乐章最容易叫人觉得是在听一首大咏叹调。

“第二十五”中那个“行板”就尤其像，像无词的咏叹调。此作头尾两章中也有许多地方有歌剧感。时而似二重唱，时而像宣叙调，紧张的段落与高潮处更是神似他歌剧里终场的多声部重唱。钢琴固然总是Prima donna（头牌女角），木管、圆号们也都迈出声腔不同的歌手。特别是他似乎宠爱的大管，像个饶舌的丑角，喜欢插嘴帮腔，好笑而也有趣。

有歌剧感、戏剧性，而又并不把你的心思引诱到标题性、情节性的想象中去，始终保持住纯乐的性格，这真微妙极了！也许这可以同布鲁诺·瓦尔特的自述联系起来思索，他说他在指挥莫扎特歌剧中有时进入了纯乐境界。

他把歌剧美综合到钢琴协奏曲中，并不是把它标题化了，而是将其人性化了。

“第二十五”是在他完成两大歌剧之间的夹缝中赶出来的，更是在他那穷忙烦恼一时交集的现实人生戏剧中挤出来的。债台高筑，账单借据一大把。“费加罗”票房收入大失所望。火上加油的是，就在“第二十五”脱稿前不到一个月，生下来没多久的新生儿夭折了。

赶写“第二十三”“第二十四”“第二十五”等等作品，是为了筹款还债而又不完全是为此。“第二十五”才写完，两天之后，《D大调交响曲》手稿也注上了“完稿”的字样。“第二十五”是K.503，这另一曲便成了K.504。为何对写作这样地乐此不疲？原来，作曲、演奏，对他是最灵的解忧剂。

“第二十五”不引人注意，“第二十六”却是他最流行的钢琴协奏曲之一。

除了“叶耐梅”，有外号的便是这首所谓的“加冕”了。

加上这一外号没什么道理。1790年，身处困境的他，抱着改善经济情况的期望来到了美因河畔的法兰克福，为利奥波德二世弹奏此作，庆祝加冕之意。虽然大获成功，物质收益微不足道，一场空欢喜。

“加冕”一名，由此而来，其实它早在三年前便写好了。

流行是流行，艺术质量上并非全无可议之处。维努斯对其有褒有贬：不失为有光彩的成熟之作，然而谈不上如何深刻。独奏声部是钢琴化的。曲中的对位法颇为丰富，虽然是冷冷地编织出来的。此作有不少动人之处，不过整个听起来更使人注意的是未免有点刻意求工。可又别因为它比不上前一首（即“第二十五”）那么出色而低估了它。《科里奥兰》当然不如《李尔王》，但除非是一个鉴别力不高的读者，才不会发现其中也自有意趣。

听“第二十七”，怎能不叫人想着这是那个天才人物在其最后一年里写的，他最后的一篇钢琴协奏曲！我们能漠然地听着、唯美地听吗，不同其人其事交织成一种曲外的和声复调？

假如你原先从未听过它只是一部一部听下来，被那音乐的意想不到的多彩、多样，变化莫测，愈出愈奇，然而万变不离其宗，还是那个独一无二的莫扎特所迷醉了；简直无从设想他会怎样来结束这一整套协奏曲系列吧？

同一般交响音乐总要用个热闹的终曲不一样，“第二十七”是奏的另一种调子。

有人以为，与其说它是为听众而作，更像是他在自弹自唱，自赏自诉。以往是光彩照人不可逼视的，此刻是显得光华内敛了。

维努斯的品评是可信服的：一篇不大在乎他人赏识与否的作品。不是对处境的反应，而是对它的疏离。音乐不怎么沉重，可也并不轻松，有一种宽宏的胸怀，而又不时透露出心事重重，稍有激动而又复归于宁静。第一章里有很长的篇幅表达了这种抑压之下的平静。发展部便终于出现了不加掩饰的忧郁之情。“行板”是“多云”天气，但也不阴沉。末章是欢愉与忧郁的混合物。

他用这样一种味道复杂色调微妙的音乐来结束了自己的“音乐传奇”。你想深味他面临那过早来到的人生之墓时的内心滋味吗？好好地倾听“第二十七”和《A大调单簧管协奏曲》

就是了！

奉劝真心爱乐的诸君，你一定要倾听莫扎特，只要能进入他的音乐天地，你在听音乐这方面便有了一个安身立命之地，终身受用不尽了。

莫扎特家书

20 世纪 60 年代，在某地外文书店发现了阿尔费雷德·爱因斯坦（不是那位大科学家）所著的《莫扎特，其人其乐》。捧在手里踌躇了好半天，仍旧放回原处。进口原版，买不起。至今想起来隐隐有余痛。没想到如今有了补偿，忽然收到一本《莫扎特家书选》，是英译本，杜弗版。友人在上海旧书店里淘来送我的。对于一个既是书迷也是莫扎特迷的人来说，这是双重的享受！

这本家书集，包括的时间从 1763 年到 1791 年 10 月，也便是从他七岁到去世前两个月。读它一遍，抵得上重温一遍他的传记，而味道胜过读传记。我们就像于无意之中窃听到了他们父子姐弟之间的家常话。有人说，莫扎特的性情活现于其书信中，一如表现于其歌剧。那么读此集也似在听其乐了。音乐中，最有感染力的是那种一时兴到、随手拈来的即兴作曲与演奏，莫扎特的有些信，也颇有那种音乐的感染力。

莫扎特的音乐的魅力正在于其率真自然，像一个平常人那样容易亲近。家书中显露出来的也便是这种性格。天真烂漫，趣话连篇，甚至满口村言。即使在郁郁不得志的处境中，还有闲情谱一些趁韵的儿歌，有点像《阿丽思漫游奇境记》[1]中的无意义而有意思的诗歌。这个不世出的小神童长大成人后似乎仍然不失其赤子之心。

真天才是用不着假谦虚的。他在家信中向老父报道自己在旅行演奏中一座皆惊的成功，那种目无余子的得意神情，读其信如在目前。例如1777年在奥格斯堡一位富商家弹奏风琴与钢琴，弹得如此之妙，座中那个懂行识货而本来有眼不识泰山的修道院长，喜得不住口地小声骂他，而名牌钢琴制造家斯坦恩也乐得大做鬼脸。这封信为后人留下了极富现场感的乐史镜头！

还有一封信中的话，也真切得如闻其声。那是恳请老父允其同所爱者结婚的。他说：他也是人，人之大欲他也有，但他不能上妓院！这些话叫我联想到《未完成交响曲》的作者，那个同他一样的作起曲来滔滔不绝不能自休的人，又是一样的不幸短命的天才；而舒伯特正是染上了风流病的！

向来人们曾过甚其词地渲染莫扎特的贫困，也不无过甚地推崇他不肯向权贵低声下气，乞求一份残羹冷炙。乐史上有过

1 *Alice's Adventures in Wonderland*，现在通常译为《爱丽丝梦游仙境》。

对贝多芬的神化，把他化为金刚怒目的普罗米修斯；也有对莫扎特的神化，化他为“眉宇间常如作甜蜜梦”的阿波罗，这都不合于这两位的全体。

莫扎特的音乐一清如水，但有论者提醒人们，那是用深思熟虑的艺术掩盖起来的自然。这是可信的，否则也难以解释，为何我们听他的作品，起初只觉得平淡，而随着年岁的增长，越听越觉得有滋味了。可作一有趣的对比。

这显然不只是乐艺的问题。他的“纯音乐”并不那么“纯”；这个人物的思想感情之不纯，也绝非一般通俗文学传记中所能交代清楚的。

从家信集中，看他谋一职、求一合理的报酬之难，其穷愁失意，不但可以联想中国的古人古事，也想到眼前事。信里常涉及他的“商品”交易，比如为某主顾作一奏鸣曲，讨价若干；开一场音乐会，要想法争取订票，否则开不成。他的“货色”有时只得贱卖，其实是无价之宝。甚至满腹文章，因为找不到买主，开了个头便任其胎死腹中了。这位旷世天才的精力常常虚耗于无收益的交道与无聊的应酬之中。

两百年前用鹅毛笔写下的，今天读来却似在证实“日光之下并无新事”！

话虽如此，他的音乐常给人以幸福感，并无凄苦相。当然也有深沉的忧思，然而又总有着自觉的节制，哀而不伤。这又足以说明其乐其人的不简单了。

中学堂街琴韵美

——爱乐记缘

有两种其味不同的琴声，半个多世纪以来，我始终难以忘怀。

上高小的两年间，几乎天天走过中学堂街。每每有琴声锵然，从南通中学二楼教室里飘出，荡漾到路南边长长的粉墙上，再送进过路人耳中。弹的是什么，莫名其妙。只觉得那声音新鲜得很，好听极了！它同中学堂街上宁静而愉悦的空气也是协和的。

当年的通州城里，钢琴恐怕不超过三架。我能闻其声的，只此一架。

我有时猜想，那弹奏者恐怕是徐立荪先生吧。因为我听说他在通中授课。

我先后唱过他为我们小学和中学谱制的两首校歌，都叫人唱不厌，至今还背得出。

我又知道了他是古琴家，梅庵琴派的巨子。于是又神往于自己还不曾见识过的七弦琴音乐了。虽然这种古老的乐器，当时在本城比洋琴多几倍。

终于没机会听他抚琴。又过了好几年，才算是间接地领略了一回。

某夜，跟着一位古琴爱好者，走进已经放假的通中宿舍，去听他同徐氏的一位高足弹古琴。他们各自独弹了几首小品：《关山月》《秋风词》《玉楼春晓》；又弹了据传为东坡之作的《秋江夜泊》，还有令人难信是司马长卿原作的《长门怨》。

两人弹得兴会淋漓，索性灭烛推窗邀明月，四手联弹了一曲《风雷引》。此时作为唯一听客的我，很自然地想到了《陶庵梦忆》记绍兴琴派一文中所谓“如出一手，听者骇服”。夜深人静，空空的木质楼房提供了极好的共鸣。旁听了这场小小的中国式室内乐演奏，我从此更加深了对民乐的兴趣。

后来有机会在别一种绝不相同的场合与气氛中听到也看到了徐氏的演奏，不过并非古琴。时在鬼子投降后不久的中秋节，地在刚解放的金沙镇，一个广场晚会上。一阵阵掌声敦请这位已下乡投身人民解放事业的民族音乐家来一个节目。随即有人递上了他自用的琵琶。显然有求必应已非一次了。他一边调着弦，一边向听众宣布，他要弹一曲《四合》。出人意料的是他还扼要介绍了这一套琵琶曲如何又有《扬合》与《苏合》之别。我对专家普及严肃音乐的热心肃然起敬！

不觉又是四年，我随着胜利之师进入厦门，几乎处处有钢琴声随风吹来。一位钢琴女教师听到我是通州人，便向我问起徐先生父子的情况。原来她早年曾来过通州城，教过琴，同徐先生有过琴艺上的切磋。

虽然时空遥隔，我当时恍然又听到了中学堂街上的琴声，并且感觉到那声音之美是不好形容的！

后　记

——读辞书，记笔记

我的书桌抽斗中塞满了笔记本子。抄笔记是出于需要，也成了瘾。

有一个古年八代的本子，我最宝贝。可宝之处在于抄下的内容，也在于抄写的经过。每一次翻阅，都会纳罕，当初怎会有偌大劲头赶抄下这么一册笔记。

那正是“四凶”垮台之后不多久，人心大快。个人尤其感到兴奋的是，多年饥渴于音乐，这时忽然有意外的美食到口。朋友从远地邮来了一部又大又厚的原版《牛津乐友》，是从图书馆借来的，限期归还。

我眼馋心急，恨不能一口吞下这部正文一千一百七十八页的书！

唯恐漏掉了好东西，我从头开始，一个条目一个条目地往下读，从 A 读到 Z。那些一望而知可以不管的，例如“教堂音乐”“音乐教育”方面的，便忍痛放弃。

越往下读，兴愈浓，心愈急，急的是怎样把如此丰富的信息储存下来。我人已黄昏，原本记忆力就不强，自从遭到劫难，更加不管用了。但不记下是不甘心的。于是用一册空白的记录本来摘记，抢救一样地记了上面说的这本笔记。

我用中文来抄记，原因是写英文字比写汉字慢得多。我一边看那原文，一边译为中文，摘其精华，而译其大意。有时原文是那么有味，也舍不得不直译。

音乐，我只是一名爱好者，自学外语，也是爱好者水平。以这种水平，本不配搞这种“同声传译”的，但求知加上爱好，成了强大动力，我那时竟埋头干了下去。如今打开这本突击出来的《牛津乐友》摘记看看，有若干条目，好像还颇可自我欣赏，叫我今天来重译，未必能胜过，虽然我的英语阅读能力又有了长进。

这正说明《牛津乐友》的独力编纂者斯科尔斯（P. A. Scholes）这位“普乐”的热心人多么可敬可爱，他的文章多么深入浅出而又别具吸引力！

通读《牛津乐友》，在我是一举而三得：

饱餐了够我后半生受用不尽的乐史、乐理知识，此其一。

阅读英文音乐资料的能力与信心大为提高，此其二。

勤做笔记，以供反刍，成了习惯，上了瘾，此其三。

对这部《牛津乐友》（一译《牛津音乐指南》）感兴趣的朋

友欲知其详，不妨看一看《读音乐辞书的大乐趣》一文，收在《如是我闻》中。更好的办法是去直读这部辞典。

我早已拥有了此书的影印本，至今仍然觉得，它既可查，又可读，耐得起反复地细读，的的确确是良师益友！

图书在版编目（CIP）数据
音乐笔记 / 辛丰年著；严锋编. －上海：上海音乐出版社，2023.8
（辛丰年文集：卷四）
ISBN 978-7-5523-2653-6
Ⅰ. 音… Ⅱ. ①辛… ②严… Ⅲ. 音乐欣赏－世界－文集 Ⅳ. J605.1-53
中国国家版本馆 CIP 数据核字（2023）第 124530 号

书　　名：音乐笔记
著　　者：辛丰年
编　　者：严　锋

版权代理：学人文文化
责任编辑：李　章　于　爽　陈　盼
责任校对：钟　珂
封面设计：金　泉

出版：上海世纪出版集团　上海市闵行区号景路 159 弄　201101
上海音乐出版社　上海市闵行区号景路 159 弄 A 座 6F　201101
网址：www.ewen.co
www.smph.cn
发行：上海音乐出版社
印订：上海雅昌艺术印刷有限公司
开本：889×1194　1/32　印张：13　插页：3　字数：238 千字
2023 年 8 月第 1 版　2023 年 8 月第 1 次印刷
ISBN 978-7-5523-2653-6/J · 2456
定价：73.00 元
读者服务热线：（021）53201888　印装质量热线：（021）64310542
反盗版热线：（021）64734302　（021）53203663